PSICO CIBER NÉTICA

Título original: *Psycho-Cybernetics*

Copyright © 2015 by Psycho-Cybernetics Foundation Inc

Psicocibernética
2ª edição: Maio 2025

Direitos reservados desta edição: Citadel Editorial SA

O conteúdo desta obra é de total responsabilidade do autor
e não reflete necessariamente a opinião da editora.

Autor:
Maxwell Maltz

Tradução:
Tássia Carvalho

Preparação de texto:
Cínthia Zagatto

Revisão:
Gabriel Silva
Lays Sabonaro

Projeto gráfico e capa:
Jéssica Wendy

DADOS INTERNACIONAIS DE CATALOGAÇÃO NA PUBLICAÇÃO (CIP)

Maltz, Maxwell
    Psicocibernética / Maxwell Maltz ; tradução de Tássia Carvalho. — Porto Alegre : Citadel, 2023.
    384 p.

ISBN 978-65-5047-227-6
Título original: Psycho-Cybernetics

1. Autoajuda 2. Desenvolvimento pessoal I. Título II. Carvalho, Tássia

23-1550   CDD 158.1

Angélica Ilacqua - Bibliotecária - CRB-8/7057

Produção editorial e distribuição:

contato@citadel.com.br
www.citadel.com.br

MAXWELL MALTZ

MÉDICO E MEMBRO DO COLÉGIO INTERNACIONAL DE CIRURGIÕES – FICS

PSICO CIBER NÉTICA

Edição atualizada e ampliada

Tradução:
Tássia Carvalho

2023

SUMÁRIO

PRÓLOGO | Como a psicocibernética mudou
minha vida – e pode fazer a mesma coisa por você   7

PREFÁCIO | Como usar este livro para transformar a vida   15

UM | Autoimagem: a chave para uma vida melhor   29

DOIS | Descoberta do mecanismo do sucesso   49

TRÊS | Imaginação: a primeira chave
para o mecanismo de sucesso   69

QUATRO | "Desipnotização" das falsas crenças   95

CINCO | Modos de utilização do poder
do pensamento racional   117

SEIS | Fique tranquilo, e o mecanismo
de sucesso fará o trabalho   135

SETE | A conquista do hábito de ser feliz   159

OITO | Os componentes da personalidade
de tipo sucesso e como conquistá-los   181

NOVE | O mecanismo do fracasso:
como levá-lo a trabalhar de modo benéfico   205

DEZ | A remoção das cicatrizes emocionais,
ou a questão do *lifting* facial   231

ONZE | A libertação da verdadeira personalidade   255

DOZE | Os tranquilizantes do tipo "faça você mesmo"
em benefício da paz espiritual   279

TREZE | A transformação de uma crise
em oportunidade criativa   301

CATORZE | A conquista do sentimento de vitória   325

QUINZE | Mais tempo de vida e mais vida no tempo   351

POSFÁCIO | O que esperar da psicocibernética   373

PRÓLOGO

Como a psicocibernética mudou minha vida – e pode fazer a mesma coisa por você

Há dois tipos de livros de autoajuda: aqueles que lemos e dizemos "excelente" e aqueles que vivenciamos com tanta intensidade que transformam positivamente nossas vidas para sempre. Quando de fato desfrutamos um livro de autoajuda, somos capazes de marcar o dia e a hora em que acidentalmente o encontramos ou quem o citou. E mais: ainda conseguimos determinar com clareza a distinção entre quem costumávamos ser e quem nos tornamos depois dele.

É isso que acontecerá quando você ler *Psicocibernética*, famoso clássico do gênero autoajuda escrito pelo médico Maxwell Maltz. Desde que foi publicado pela primeira vez, em 1960, *Psicocibernética* já vendeu mais de 35 milhões de cópias em todo o mundo. Como consequência, leitores que vivenciaram de verdade esta obra alcançaram sucesso em níveis expressivos. A própria indústria de autoajuda também mudou. Hoje, praticamente tudo escrito e discutido sobre visualização ou imagens mentais não só sofreu influência direta do trabalho de Maltz, mas também está alicerçado nos princípios da psicocibernética.

COMO CONHECI A PSICOCIBERNÉTICA

Em fevereiro de 1987, pouco depois de concluir o ensino superior e me mudar para a Califórnia, decidi entrar no ramo de *personal trainer*. Como havia conquistado um título nacional de luta livre na universidade e sido treinado pelos campeões olímpicos Dan Gable e Bruce Baumgartner, percebi que tinha alguma coisa valiosa para ensinar não só aos jovens atletas, mas também a qualquer pessoa que desejasse entrar em forma.

No entanto, mesmo embarcando na carreira, ainda sentia algo me impedir: uma voz interior dizendo que eu não era bom de verdade, que não conseguiria.

Para ser sincero: primeiro, eu não tinha experiência em negócios; segundo, dispunha de pouquíssimo dinheiro; terceiro, no fundo, eu já me sentia um fracasso antes de começar.

Imagine isto: eu queria um sucesso, mas me sentia fracassado.

Por quê?

Quando penso nessa pergunta, lembro que, no ensino médio, meu objetivo era lutar por Dan Gable na Universidade de Iowa. Alcancei a meta, mas não era o carinha número um na minha categoria de peso. Na verdade, era quase sempre o número dois. Participei de muitas lutas em torneios e *dual meets*, e venci a maioria, porém não estava no banco do motorista. Assim, depois da minha segunda temporada, me transferi para a Universidade Edinboro, na Pensilvânia.

Durante meu primeiro ano em Edinboro, estabeleci um recorde de 39 vitórias em uma única temporada para a equipe e conquistei o título nacional da NCAA II. Depois de ganhar o título da Divisão

II, fiquei em sétimo lugar no país e me classifiquei para o torneio da Divisão I – o qual eu queria vencer, pois já havia vencido o outro.

Bem, fiquei longe disso. Bem longe. Fui triturado, ainda que estivesse comprometido a voltar como um veterano e compensar minha péssima apresentação anterior.

Durante meu último ano, ainda que tivesse desenvolvido muito mais competência, tornei a ir mal: quinto lugar na Divisão II, sem classificação para a Divisão I.

Agora, consigo discernir muitas razões do porquê daqueles resultados, mas na época não as entendia. E, quando comecei meus negócios, suspeito que essas mesmas razões despertavam em mim preocupação e medo do futuro.

Por obra do destino, no início de maio de 1987, quando eu estava quase desistindo por falta de clientes, Jack, um empreendedor de sucesso de 57 anos, inscreveu-se em doze aulas. Sempre que ele aparecia para treinar, esquadrinhava os livros que havia em meu escritório, o que desencadeava uma entusiasmada discussão sobre o que estávamos lendo.

Na quinta aula, quando Jack estava tomando fôlego entre os golpes, ele fez a pergunta que transformou minha vida:

"Matt, você já leu *Psicocibernética*?"

"Não", respondi. "É legal?"

"Bem, é tipo uma bíblia da autoajuda. Você precisa lê-lo."

Nos dez minutos seguintes, Jack falou sobre sucesso e autoimagem. Contou-me que o Dr. Maltz fora um médico cirurgião plástico, o responsável pela descoberta de que uma pessoa não consegue se vislumbrar para além do modo como se vê. "Nosso futuro", disse Jack, "é controlado por um projeto mental que está em nosso subconsciente, o qual determina o local ao qual pensamos que pertencemos. Portanto, se você deseja conquistar mais clientes e ganhar mais dinheiro, precisa aprimorar sua autoimagem. Tentar alcançar o que quer sem expandir sua autoimagem não *desencadeia uma mudança positiva duradoura.*"

Terminada a aula, entrei em meu carro e dirigi até a livraria mais próxima, a Capitola Book Café, de cuja estante peguei um exemplar de *Psicocibernética,* e voltei ao meu escritório para começar a ler. No prefácio, que aparece em sua versão original nesta edição, o Dr. Maltz escreveu: "Este livro foi projetado não apenas para ser lido, mas para ser experimentado. Você pode adquirir informações lendo um livro. Mas, para 'experimentar', deve reagir criativamente à informação". Ele aconselha aos leitores que pratiquem as técnicas do livro e só façam julgamentos após um mínimo de 21 dias – o tempo que, de fato, a pesquisa agora confirma ser necessário para efetivar a mudança. Também aconselha a não analisarem em detalhes as técnicas, criticá-las ou intelectualizar sobre elas. "Você [só] *pode* comprová-las", acrescenta, "*fazendo* e julgando os resultados por si mesmo".

Beleza. Foi isso que fiz. E logo comecei a entender por que me sentia um fracasso e como aquela medíocre autoimagem estava me impedindo de deslanchar nos negócios.

Sintetizando, eu me sentia um fracasso porque revivia a todo momento minhas decepções, minhas perdas, meus contratempos, meus fracassos. Todos os dias, quando me sentia mal, parecia que havia esfregado o rosto no estrume de lembranças negativas em vez de banhá-lo com a água limpa das lembranças daquilo que desempenhara bem.

Aqui está um resumo do que eu diria a mim mesmo: sim, conquistei meu objetivo de lutar em Iowa e ser treinado por Dan Gable, mas não fui de fato *o sujeito* do time. Era o número dois. Sim, consegui uma bolsa integral em Edinboro e ganhei um título nacional, mas não ganhei a Divisão I, tampouco a Divisão II como veterano. Sim, estabeleci um marco de vitória em uma única temporada, mas não venci *todas* as lutas.

Ainda que tenha alcançado algo que quase todos os atletas nunca vão conseguir, pensava ser um fracasso porque não vencera *tudo*. Além disso, não percebia que objetivos e pensamentos positivos não bastam. Ninguém nunca havia me falado de autoimagem. Aprendera auto-hipnose, que eu achava que me ajudaria a levantar o astral; no entanto, ninguém nunca me ensinara a voltar ao passado e reviver minhas *melhores* recordações. Nunca me ensinaram a imaginar o que queria, muito menos a *sentir* que poderia ter o que desejava (e tenho).

O sentimento de fracasso se arraigava em meus ossos, em meus negócios e em tudo que eu fazia. De novo, eu estava estabelecendo metas para mim mesmo. Queria ter sucesso, entretanto, duvidava de minha competência para treinar pessoas. Afinal, quem eu era? Não era um campeão *mundial* ou *olímpico*, mas "apenas" um campeão nacional.

Conforme devorava o livro *Psicocibernética*, descobria e experimentava o que precisava fazer todos os dias, algo que nunca fizera antes: entrar nesse lugar que o Dr. Maltz chamava de *teatro da mente*. Fechava meus olhos, então lembrava e revivia os melhores momentos da minha vida – vendo-os como um filme mental. Minhas vitórias. Meus sucessos. Meus tempos mais felizes.

Depois de reviver e reexperimentar o meu melhor, consegui ligar um interruptor e usar minha imaginação do mesmo modo que usava a memória. Consegui imaginar e sentir que estava alcançando um objetivo no futuro, mas vivenciando-o como se estivesse acontecendo naquele exato momento, quase como se fosse a lembrança de outro objetivo cumprido.

Assim que dominei essa técnica, tudo começou a mudar para mim.

Instantaneamente – sim, instantaneamente mesmo – me senti bem. Feliz. Bem-sucedido. Vencedor.

Foi uma sensação estranha, intelectualmente sem sentido. Como poderia ser feliz *agora*? Como poderia me sentir bem-sucedido *agora*?

Psicocibernética

Como poderia me sentir um vencedor *agora*? Então, eu não precisava atingir esses objetivos para me sentir bem, para ser feliz? E todos os fracassos? Apenas desapareceram? Eu não deveria me sentir mal para sempre por não ter conquistado tudo a que me propusera?

Pois bem, é aqui que *Psicocibernética* não pode ser compreendido por meio de uma leitura passiva. É aqui que não pode ser entendido por meio de análise, argumento, debate ou intelectualização. Você precisa *experimentar* a realidade dos mecanismos apresentados para conhecer a verdade. A simples leitura das palavras nem lhe mostrará nem lhe dará a experiência da verdade.

Desde aquele fantástico dia em maio de 1987, tenho alcançado muita coisa. A lista de conquistas, realizações e vitórias de que me lembro é bem longa. Num curto prazo, construí um negócio bem-sucedido de *personal fitness*. Em 1997, aos 34 anos, venci um campeonato mundial de kung fu em Pequim, na China – venci os chineses na casa deles, coisa que nenhum outro americano havia feito. Desde então, escrevi livros e criei programas *fitness* e de artes marciais que encontraram um público mundial.

Em 2003, meu amigo Dan Kennedy, que na época presidia a Psycho-Cybernetics Foundation, me pediu que assumisse o site da fundação. Passados dois anos, comprei a empresa e, desde então, ministro seminários sobre psicocibernética e conduzo treinamento individual e em grupo assentado nas técnicas e nos princípios dela.

As muitas pessoas com quem tenho trabalhado vão testemunhar que alcançaram sucesso de maneiras que jamais pensaram ser possíveis. Empresários, médicos, vendedores, atletas, advogados, treinadores, professores, músicos, escritores e outros profissionais de todas as esferas têm recorrido ao conhecimento que o Dr. Maltz ensinou com tanta eloquência. A vida deles, assim como a de milhões de outros já apresentados à psicocibernética, tornou-se ótima no *agora* – e no futuro.

À medida que for lendo este livro, um dos muitos segredos que entenderá é o seguinte: você pode ser feliz agora, assim como todos os dias em que estiver trabalhando para alcançar seus objetivos. Quando descobrir a felicidade ao longo do caminho – em vez de aceitá-la após atingir um objetivo –, já terá cumprido a promessa da psicocibernética.

Em seu livro *I Can See Clearly Now* (Consigo ver claramente agora), o Dr. Wayne W. Dyer escreveu sobre a influência da psicocibernética em sua carreira, e é fácil entender por que ele gosta tanto de dizer que "não há caminho para a felicidade. A felicidade é o caminho".

<hr />

Nesta edição de *Psicocibernética*, as palavras do Dr. Maltz permanecem quase idênticas – razão pela qual a mensagem resplandecerá sobre você como o sol. As mudanças foram poucas e destinam-se apenas a tornar o texto mais acessível ao leitor contemporâneo.

Minhas contribuições para a magistral obra do Dr. Maltz incluem este prólogo e um posfácio, bem como comentários que, acredito, vão lhe propiciar orientação e compreensão extras ao usar o processo de aprimoramento da autoimagem.

Entre em contato comigo por meio do psycho-cybernetics.com, enviando quaisquer perguntas ou comentários sobre este livro e o trabalho do Dr. Maltz ou também para obter informações sobre *coaching*, seminários, certificação e oportunidades para continuar propagando esta mensagem em todo o mundo.

– Matt Furey,
Presidente da Psycho-Cybernetics Foundation Inc.

PREFÁCIO

Como usar este livro
para transformar a vida

A descoberta da autoimagem representa um avanço na psicologia e no campo da personalidade criativa.

Reconhece-se o significado da autoimagem desde o início da década de 1950, embora pouco se tenha escrito sobre o assunto antes de *Psicocibernética*. Curiosamente, isso não ocorre em razão de a psicologia da autoimagem não funcionar, mas por funcionar muito bem. Como um de meus colegas expressou: "Reluto em publicar minhas descobertas, sobretudo para o público leigo, porque, se eu apresentasse alguns dos casos clínicos e descrevesse as surpreendentes e espetaculares melhorias na personalidade, seria acusado de exagerar, de tentar iniciar um culto ou ambos".

Também relutei. Qualquer livro que eu escrevesse sobre o assunto com certeza seria considerado, por várias razões, pouco ortodoxo por alguns de meus colegas. Em primeiro lugar, é um tanto heterodoxo um cirurgião plástico escrever um livro sobre psicologia. Em segundo lugar, provavelmente seria considerado em alguns setores ainda mais heterodoxo extrapolar o dogma – o sistema fechado da ciência da psicologia – e buscar respostas sobre o comportamento humano nos campos da física, da anatomia e da nova ciência da cibernética.

Minha resposta a tais colocações se assenta no fato de que todo bom cirurgião plástico *é* e *deve ser* psicólogo, queira ou não. Quando se muda um rosto, quase invariavelmente se altera o futuro de uma pessoa. Ao mudar uma imagem física, quase sempre se muda o homem – sua personalidade, seu comportamento e, às vezes, até seus talentos e habilidades básicos.

A BELEZA EXTRAPOLA A PELE

Um cirurgião plástico não altera apenas o rosto de uma pessoa; ele altera o interior dela. As incisões que faz extrapolam a pele, com frequência também atingindo profundamente a psique. Há muito tempo, decidi que esta é uma grande responsabilidade e que me cabia, em respeito aos meus pacientes e a mim mesmo, saber alguma coisa sobre o que estou fazendo. Nenhum médico responsável tentaria realizar uma cirurgia plástica sem conhecimento e treinamento especializados. Da mesma forma, sinto que, se mudar o rosto de uma pessoa e alterar também o interior dela, cabe a mim a responsabilidade de adquirir conhecimento especializado também nesse campo.

FRACASSOS QUE LEVAM AO SUCESSO

Em um livro anterior, escrito há cerca de vinte anos, *New Faces, New Futures* (Novas faces, novos futuros), publiquei uma coletânea de casos em que a cirurgia plástica, em particular a facial, abriu portas a uma nova vida para muitas pessoas. O livro abordava as mudanças surpreendentes muitas vezes ocorridas repentina e dramaticamente na personalidade de alguém quando seu rosto era alterado. Eu me sentia exultante com meus sucessos. Mas, como Humphry Davy, aprendi mais com os fracassos do que com os sucessos.

A personalidade de alguns pacientes *não* apresentou alteração alguma depois da cirurgia. Na maioria dos casos, uma pessoa cujo rosto era visivelmente feio ou tinha alguma característica um tanto "bizarra" corrigida por cirurgia experimentou uma elevação quase imediata (em geral, depois de 21 dias) na autoestima e autoconfiança. Mas, em alguns casos, o paciente continuou sentindo-se inadequado e vivenciou sentimentos de inferioridade. Em síntese, aquelas pessoas-fracassos continuaram a se sentir, a agir e a se comportar como se *ainda* tivessem um rosto feioso.

Isso me sugeriu que apenas a reconstrução da imagem física não era a chave verdadeira para mudanças na personalidade. Havia outra coisa, geralmente influenciada pela cirurgia facial, mas às vezes não. Quando esse "algo mais" era reconstruído, a própria pessoa mudava; quando não era, ela permanecia a mesma, ainda que com características físicas diferentes.

O ROSTO DA PERSONALIDADE

Era como se a própria personalidade tivesse um rosto e esse rosto imaginário fosse a verdadeira chave para sua mudança. Se permanecesse marcado, desfigurado, "feio" ou inferior, a pessoa se comportava da mesma maneira, apesar das mudanças na aparência física. Se o tal rosto pudesse ser reconstruído, se antigas cicatrizes emocionais fossem removidas, então a pessoa mudava, mesmo sem cirurgia plástica facial.

Tão logo comecei a explorar essa área, encontrei cada vez mais fenômenos que confirmavam o fato de que a autoimagem, o conceito mental e espiritual do indivíduo sobre si mesmo, era a verdadeira chave para a personalidade e o comportamento. Mais sobre esse assunto no Capítulo 1.

A VERDADE ESTÁ ONDE A ENCONTRAMOS

Sempre acreditei em ir aonde fosse necessário para encontrar a verdade, mesmo tendo de cruzar fronteiras internacionais. Anos atrás, quando decidi me tornar cirurgião plástico, os médicos alemães estavam muito à frente dos outros nesse campo. Então, fui para a Alemanha.

Em minhas pesquisas sobre autoimagem, também precisei cruzar fronteiras invisíveis. Embora a ciência da psicologia reconhecesse a autoimagem e seu papel no comportamento humano, a resposta às questões de como a autoimagem influencia – como cria uma nova personalidade, o que acontece no sistema nervoso humano quando se altera a autoimagem – era apenas "de algum modo".

Encontrei a maioria das minhas respostas na nova ciência da cibernética, que reabilitou a teleologia como um conceito respeitável na ciência. É bem estranho que a nova ciência da cibernética tenha surgido de trabalhos de físicos e matemáticos, em vez de psicólogos, sobretudo quando se entende que a cibernética se relaciona com a teleologia – o comportamento de sistemas mecânicos orientado por objetivos.

A cibernética explica o que acontece e o que é necessário no comportamento predeterminado das máquinas. A psicologia, com todo o seu alardeado conhecimento da psique humana, não tinha uma resposta satisfatória para uma questão tão simples, orientada para um objetivo e uma situação intencional: por exemplo, como é possível um ser humano pegar uma caneta de uma escrivaninha? Mas um físico tinha a resposta. Os proponentes de muitas teorias psicológicas se assemelhavam aos homens que especulavam sobre o que havia no espaço sideral e em outros planetas, mas não sabiam dizer o que existia nos próprios quintais.

A nova ciência da cibernética possibilitou um importante avanço na psicologia. Eu mesmo não mereço mérito algum nessa questão, exceto por tê-la conhecido.

O fato de esse avanço vir dos trabalhos de físicos e matemáticos não deveria nos surpreender. Qualquer avanço na ciência geralmente se origina fora do sistema. Os especialistas são os mais familiarizados com o conhecimento desenvolvido dentro dos limites prescritos de uma determinada ciência. Qualquer novo conhecimento deve vir de fora – não de especialistas, mas do que alguém definiu como "inaptos".

Pasteur não era médico. Os irmãos Wright não eram engenheiros aeronáuticos, mas mecânicos de bicicletas. Einstein não era um físico, mas matemático, porém suas descobertas na matemática viraram de cabeça para baixo todas as teorias mais propaladas da física. Marie Curie não era médica, e sim física, mas fez importantes contribuições para a ciência médica.

COMO COLOCAR EM PRÁTICA ESSE NOVO CONHECIMENTO

Neste livro, tentei não apenas informar sobre esse novo conhecimento do campo da cibernética, mas também demonstrar como usá-lo na própria vida para alcançar objetivos importantes.

Princípios gerais

A autoimagem é o elemento primordial para a personalidade e o comportamento humano. Mudando-a, alteram-se ambos. E mais: a autoimagem estabelece os limites da realização individual, definindo o que se pode ou não fazer. Expandi-la implica expandir a área do possível. O desenvolvimento de uma autoimagem adequada e realista parece imbuir o indivíduo de novas competências e talentos, além de, literalmente, transformar o fracasso em sucesso.

A psicologia da autoimagem não só foi comprovada por méritos próprios, mas também explica fenômenos já conhecidos há muito tempo, embora não compreendidos adequadamente no passado. Por exemplo, existem hoje irrefutáveis evidências clínicas – nos campos da psicologia individual, da medicina psicossomática e da psicologia industrial – de que há personalidades do tipo sucesso e do tipo fracasso, personalidades propensas à felicidade e à infelicidade, personalidades propensas à saúde e às doenças.

A psicologia da autoimagem projeta uma nova luz sobre esses e muitos outros fatos observáveis da vida. Projeta uma nova luz sobre o poder do pensamento positivo e, mais importante, explica por que funciona com alguns indivíduos e não com outros. O pensamento positivo, na verdade, funciona quando é coerente com a autoimagem do indivíduo, mas pode não funcionar quando é incoerente com a autoimagem – até que ela seja alterada.

Para compreender a psicologia da autoimagem e colocá-la em prática em sua própria vida, é preciso conhecer o mecanismo a que ela recorre para atingir seus objetivos. Uma abundância de evidências científicas mostra que o cérebro e o sistema nervoso humanos operam intencionalmente, de acordo com os princípios conhecidos da cibernética, para atingir os objetivos do indivíduo. Quanto à função, o cérebro e o sistema nervoso constituem um fantástico e complexo mecanismo de busca de objetivos, uma espécie de sistema de orientação automática que atua a seu favor, como um mecanismo de sucesso, ou contra você, como um mecanismo de fracasso. Depende de como você, o operador, trabalha com ele e quais são os objetivos que determina.

Também é bastante irônico que a cibernética, cujo início se assentou no estudo das máquinas e dos princípios mecânicos, tenha atuado em prol da restauração da dignidade do homem como um ser único e criativo. A psicologia, que começou com o estudo da psique ou da alma humana, quase privou o homem de sua alma. O behaviorista, que não compreendia o homem nem sua máquina, razão pela qual confundia ambos, dizia-nos que o pensamento se resumia apenas ao movimento dos elétrons, e a consciência era tão somente uma ação química. *Vontade* e *propósito* constituíam mitos.

A cibernética, que começou com o estudo das máquinas físicas, não comete esse erro; não afirma que o homem é uma máquina, mas, sim, que ele *tem e usa* uma máquina. Além disso, ainda nos explica como essa máquina funciona e como ela pode ser usada.

Experimentar é o segredo

A autoimagem é alterada, para melhor ou para pior, não apenas pelo intelecto ou conhecimento intelectual, mas pela experiência. Consciente ou inconscientemente, desenvolve-se a autoimagem por meio da experiência criativa no passado. E pode-se alterá-la pelo mesmo método.

É a criança que experimentou o amor quem se torna um adulto saudável, feliz e bem-ajustado, não a criança a quem o amor foi ensinado. Nosso nível atual de autoconfiança e equilíbrio resulta do que experimentamos, não do que aprendemos intelectualmente.

A psicologia da autoimagem também preenche o abismo existente entre aparentes conflitos que envolvem os diversos métodos terapêuticos utilizados atualmente. Isso fornece um denominador comum para aconselhamento, direto e indireto, psicologia clínica, psicanálise e até autossugestão. De uma forma ou de outra, é fundamental que se use a experiência criativa na construção de uma autoimagem mais positiva. Teorias à parte, isso de fato acontece, por exemplo, na situação terapêutica empregada pela escola psicanalítica – o analista nunca critica, desaprova ou moraliza, nunca se choca diante do paciente que despeja medos, constrangimentos, sentimento de culpa e maus pensamentos. Talvez pela primeira vez na vida o paciente experimente a aceitação como ser humano; sinta que o próprio eu tem algum valor e dignidade; passe a aceitar a si mesmo e a conceber seu "eu" em novos termos.

A CIÊNCIA DESCOBRE A EXPERIÊNCIA SINTÉTICA

Outra descoberta, desta vez no campo da psicologia experimental e clínica, permite-nos utilizar a experiência como método direto e controlado de mudança da autoimagem. Experiências da vida real podem tornar-se um professor rígido e implacável. Jogue um homem na água, e a experiência talvez o ensine a nadar. No entanto, a mesma experiência talvez faça outro sujeito afogar-se. O Exército "faz um homem", mas sem dúvida também gera muitos psiconeuróticos.

Durante séculos, reconheceu-se que "nada é tão bem-sucedido quanto o sucesso", ou seja: aprendemos a lidar com o sucesso experimentando-o. Lembranças de sucessos passados agem como informações armazenadas, que nos dão autoconfiança para uma tarefa. Entretanto, como uma pessoa pode reviver recordações de experiências exitosas, se experimentou apenas o fracasso? Essa situação se compara à do jovem que não consegue um emprego porque não tem experiência e não pode ter experiência porque não consegue um emprego.

Esse dilema foi resolvido por outra importante descoberta que, por todos os propósitos práticos, permite-nos sintetizar a experiência, ou, em outras palavras, criar e controlá-la no laboratório de nossa mente. A psicologia experimental e a clínica provaram, sem sombra de dúvida, que o sistema nervoso humano é incapaz de estabelecer a diferença entre uma experiência real e uma imaginada em detalhes vívidos.

Ainda que esta afirmação talvez soe extravagante, examinaremos neste livro alguns experimentos controlados de laboratório, nos quais a experiência sintética tem sido usada de forma prática para aperfeiçoar a habilidade de arremesso de dardos e de basquete. Veremos isso em ação na vida de indivíduos que a usaram para melhorar sua habilidade de falar em público, superar o medo do dentista, desenvolver equilíbrio social, autoconfiança e a arte de vender mais produtos, tornar-se proficiente no xadrez e em praticamente todos os outros tipos concebíveis de situação em que se reconhece que a experiência gera sucesso.

Vamos conhecer um fantástico experimento que dois eminentes psicólogos organizaram visando a que os neuróticos se sentissem "normais" e, assim, conseguiram curá-los!

Talvez o mais importante de tudo: aprenderemos como pessoas cronicamente infelizes aprenderam a desfrutar a vida experimentando a felicidade!

COMO USAR ESTE LIVRO PARA TRANSFORMAR A VIDA

Este livro foi escrito não apenas para ser lido, mas para ser *experimentado*.

Você pode adquirir informações durante a leitura, mas, para experimentar, precisa reagir criativamente à informação. A aquisição de informações em si é passiva; a experiência, ativa. Quando você experimenta, alguma coisa acontece em seu sistema nervoso e no mesencéfalo. Novos engramas e padrões neurais são registrados na massa cinzenta do cérebro.

Este livro foi escrito para levá-lo a experimentar. Os históricos de caso pré-fabricados e pessoais se mantiveram intencionalmente reduzidos ao mínimo, com o objetivo de que você apresente suas próprias histórias, exercitando imaginação e memória.

Não apresento sínteses no final de cada capítulo. Em vez disso, solicito-lhe que anote o que mais parecer significativo, como pontos-chave que merecem ser lembrados. Você aproveitará mais as informações deste livro se fizer sua própria análise e resumos dos capítulos.

Por fim, destaco que você encontrará, ao longo destas páginas, exercícios práticos que, apesar de simples e fáceis, devem ser realizados regularmente caso deseje mesmo se beneficiar deles.

JULGUE DEPOIS DE 21 DIAS

Não desanime se nada parecer acontecer quando você começar a colocar em prática as várias técnicas descritas neste livro para mudar sua autoimagem. Em vez disso, reserve o julgamento – e continue praticando – por um período mínimo de 21 dias.

Em geral, apenas depois de transcorrido esse período é que se efetiva qualquer mudança perceptível em uma imagem mental. Após uma cirurgia plástica, o paciente leva cerca de 21 dias para se habituar ao novo rosto. Quando se amputa um braço ou perna, o membro fantasma persiste por cerca de 21 dias. As pessoas devem morar em uma casa nova por cerca de três semanas antes que comecem a sentir-se em um lar. Esses e muitos outros fenômenos com frequência observados tendem a evidenciar que são necessários mais ou menos 21 dias para que uma velha imagem mental se dissolva a fim de que uma nova se firme.

Portanto, os benefícios aflorarão se você aceitar fazer um julgamento crítico depois de, pelo menos, três semanas. Durante esse tempo, não fique olhando por cima do ombro, por assim dizer, ou tentando avaliar seu progresso. Durante esses 21 dias, não discuta intelectualmente com as ideias aqui apresentadas; não discuta consigo se elas vão funcionar ou não. Faça os exercícios, mesmo que lhe soem impraticáveis. Persista em desempenhar seu novo papel, em pensar em si mesmo em novos termos, mesmo que pareça um pouco hipócrita ou que a nova autoimagem lhe pareça um pouco desconfortável ou antinatural.

Não comprove nem refute ideias e conceitos aqui descritos com argumentos intelectuais, ou simplesmente conversando sobre eles.

Comprove-os a si mesmo fazendo-os e julgando os resultados. Solicito apenas que aguarde 21 dias para emitir um julgamento crítico e argumento analítico, para que tenha uma chance justa de comprovar ou refutar a validade deles em sua vida.

A construção de uma autoimagem adequada precisa continuar por toda a vida. É evidente que não se pode realizar uma vida inteira de crescimento em três semanas, mas você poderá experimentar melhorias no passar desse período – e às vezes o avanço é bastante dramático.

O QUE É SUCESSO?

Em razão de empregar as palavras "sucesso" e "bem-sucedido" tantas vezes neste livro, acho importante definir ambos os termos.

Uso o termo "sucesso" sem qualquer relação com símbolos de prestígio social, mas como realização criativa. Falando corretamente, o homem não deve tentar ser um "sucesso", mas todo homem pode e deve tentar ser "bem-sucedido". Quem tenta ser um "sucesso" em termos de conquistar símbolos de prestígio e usar certos distintivos sociais está no caminho do neuroticismo, da frustração e da infelicidade. Esforçar-se para ser "bem-sucedido" leva não apenas ao sucesso material, mas também à satisfação, plenitude e felicidade.

Noah Webster define o sucesso como "a realização satisfatória de um objetivo almejado". O esforço criativo por um objetivo que lhe é relevante como resultado de suas próprias necessidades, aspirações e talentos profundos (e não os símbolos que os "grã-finos" esperam que você exiba) traz felicidade e sucesso, porque você estará agindo como deveria agir.

O homem, por natureza, luta para conquistar objetivos. E, por ser construído dessa maneira, ele não é feliz a menos que esteja agindo de acordo – lutando por objetivos. Assim, o verdadeiro sucesso e a verdadeira felicidade não apenas caminham juntos, mas cada um engrandece o outro.

PSICO CIBER NÉTICA

UM

Autoimagem: a chave para uma vida melhor

Durante a década 1950, uma revolução silenciosa ocorreu nos campos da psicologia, psiquiatria e medicina. Novas teorias e conceitos sobre o "eu" evoluíram a partir do trabalho e das descobertas de psicólogos clínicos, psiquiatras e cirurgiões plásticos. Novos métodos decorrentes dessas descobertas resultaram em mudanças significativas na personalidade, na saúde e, ao que parece, até mesmo nas competências e aptidões.

Fracassos se transformaram em ações bem-sucedidas. Alunos abaixo da média se tornaram alunos nota dez em questão de dias e sem aulas de reforço. Personalidades tímidas, retraídas e inibidas passaram a ser extrovertidas e felizes.

Na edição de janeiro de 1959 da revista *Cosmopolitan*, T. F. James assim resumiu os resultados obtidos por vários psicólogos e médicos:

Compreender a psicologia do "eu" pode determinar a diferença entre sucesso e fracasso, amor e ódio, amargura e felicidade. A descoberta do "eu" verdadeiro pode resgatar um casamento em ruínas, recriar uma carreira vacilante e recuperar vítimas de personali-

dade desajustada. Em outro plano, descobrir seu verdadeiro "eu"
traça a diferença entre liberdade e as compulsões do conformismo.

A CHAVE PARA UMA VIDA MELHOR

A descoberta psicológica mais importante do século centra-se na autoimagem. Percebendo ou não, cada um carrega um projeto mental de si mesmo, ainda que vago e mal definido em um olhar consciente. Na verdade, talvez nem mesmo seja percebido de forma consciente, mas está lá, completo até o último detalhe. Essa autoimagem, nossa própria concepção do tipo de pessoa que somos, é construída a partir de nossas convicções sobre nós mesmos. No entanto, a maioria se forma inconscientemente, a partir de nossas experiências, fracassos, humilhações, triunfos e reações de outras pessoas a nós, em especial na primeira infância.

A partir de tudo isso, construímos mentalmente um "eu", ou a imagem de um "eu". Uma vez que uma ideia ou uma convicção sobre nós mesmos se incorpora a essa imagem, torna-se "verdadeira". Ou seja, sem questionarmos sua validade, passamos a agir de acordo com ela como se fosse verdade.

Essa autoimagem torna-se um elemento fundamental para uma vida melhor em razão de duas importantes descobertas:

1. **Todas as ações, os sentimentos e comportamentos – até mesmo capacidades – são sempre coerentes com essa autoimagem**

Em suma, você agirá como o tipo de pessoa que imagina ser e não conseguirá mesmo agir de outra forma, apesar de todos os esforços conscientes ou força de vontade. O homem que se concebe como um fracasso encontrará alguma maneira de fracassar, a despeito de todas as suas boas intenções, ou de sua força de vontade, mesmo que a oportunidade seja jogada em seu colo. Aquele que se considera vítima de injustiça, aquele que imagina estar fadado a sofrer, sempre encontrará circunstâncias para confirmar suas suspeitas.

A autoimagem é uma premissa, uma base ou um alicerce sobre o qual toda personalidade, comportamento e até mesmo realidade são construídos. É por isso que nossas experiências parecem confirmar e, assim, fortalecer nossa autoimagem, desencadeando um ciclo vicioso ou virtuoso.

Por exemplo, um estudante que se vê abaixo da média, ou que é péssimo em matemática, invariavelmente constatará isso nas avaliações escolares – e então terá a prova de sua baixa capacidade. Uma jovem cuja autoimagem é do tipo de pessoa de quem ninguém gosta vai descobrir que os colegas a evitam na festa da escola. Ela provoca a rejeição por meio de expressão facial aflita, jeito envergonhado, ansiedade excessiva por agradar ou talvez pela hostilidade inconsciente para com quem acredita que a afrontará – faz de tudo para afastar aqueles que poderia atrair. Da mesma forma, um vendedor ou um empresário descobrirá que suas experiências reais tendem a provar que sua autoimagem é correta.

Por causa dessa confirmação, raramente ocorre a alguém que seu problema está em sua autoimagem ou em sua avaliação de si mesmo. Diga ao estudante que ele apenas pensa que não pode dominar álgebra, e ele questionará sua sanidade – já tentou e tentou, mas as avaliações escolares ainda corroboram sua história. Diga ao vendedor que é apenas uma ideia o fato de que ele não pode ganhar mais do que um certo valor, e ele usará sua lista de pedidos para provar que você está errado – sabe muito bem o quanto já tentou e falhou.

No entanto, como ainda veremos, mudanças quase milagrosas ocorrem, tanto no desempenho de alunos quanto na capacidade de ganho de vendedores, quando são persuadidos a mudar sua autoimagem.

2. A autoimagem pode ser mudada

As histórias de numerosos casos mostraram que nunca se é jovem ou velho demais para mudar a autoimagem e, assim, começar a viver uma nova vida.

Uma das razões de parecer tão difícil mudarmos nossos hábitos, nossa personalidade ou nosso estilo de vida é que, até agora, quase todos os esforços de mudança se direcionaram para o "eu", por assim dizer, em vez do centro. A narrativa de numerosos pacientes é algo do tipo: "Se você está falando sobre pensamento positivo, já tentei e simplesmente não funciona para mim". No entanto, um simples questionamento revela que esses indivíduos tentaram empregá-lo em circunstâncias exteriores pontuais, em algum hábito ou desajuste de caráter específico – "vou conseguir esse emprego", "vou ficar mais calmo e tranquilo no futuro", "esse empreendimento vai dar certo" –, mas nunca imaginaram mudar sua forma de pensar sobre o "eu" para alcançar tais coisas.

Jesus nos advertiu sobre a insensatez de colocar um remendo de tecido novo em uma roupa velha ou de colocar vinho novo em odres velhos. O pensamento positivo não pode ser usado como um remendo ou uma muleta para a mesma velha autoimagem. Na verdade, é impossível pensarmos positivamente sobre uma situação particular enquanto mantivermos um conceito negativo do "eu". E numerosos experimentos mostraram que, uma vez que o conceito do "eu" é alterado, realizam-se com facilidade e sem esforço outras coisas coerentes com esse novo conceito.

Um dos primeiros e mais convincentes experimentos nessa linha foi conduzido pelo falecido Prescott Lecky, um dos pioneiros na psicologia da autoimagem. Lecky concebeu a personalidade como um sistema de ideias, que devem todas parecer coerentes entre si; as incoerentes com o sistema são rejeitadas, desacreditadas e não postas em prática. Aceitam-se apenas ideias que parecem coerentes com o sistema. No centro dele – a pedra angular, a base sobre a qual todo o restante é construído – está o ideal do ego do indivíduo, sua autoimagem ou a concepção de si mesmo. Lecky, como professor, teve a oportunidade de testar sua teoria em milhares de alunos.

Lecky teorizou que, se um aluno enfrentasse dificuldades significativas para aprender um determinado assunto, talvez fosse porque, do ponto de vista do aluno, seria incoerente aprendê-lo. Lecky acreditava, no entanto, que, se conseguisse mudar a autoconcepção do aluno na qual se fundamentava esse ponto de vista, também se mudaria a atitude dele em relação ao assunto. Se o estudante pudesse ser induzido a mudar seu autoconceito, sua capacidade de aprendizagem também deveria mudar.

Isso foi comprovado. Um aluno que errou 55 palavras entre 100 e foi reprovado em tantas matérias tornou-se um dos melhores soletradores da escola e obteve uma média geral de 9,1 no ano seguinte. Um rapaz que se viu obrigado a deixar uma faculdade por causa de notas baixas entrou na Universidade de Colúmbia e se tornou um estudante exemplar. Uma garota que foi reprovada quatro vezes em latim, depois de três conversas com o orientador da escola, alcançou a nota 8,4. Um garoto a quem informaram ausência total de aptidão para o inglês ganhou, no ano seguinte, menção honrosa em um prêmio literário.

O problema desses alunos não era limitação de inteligência ou carência de aptidões básicas, mas uma autoimagem inadequada – "não tenho uma mente matemática", "sou por natureza um mau soletrador". Identificavam-se com os próprios erros e fracassos. Em vez de dizer "fui mal na avaliação" (factual e descritivo), concluíam: "Sou um fracasso". Em vez de "fui reprovado nessa matéria", diziam: "Sou um fracasso".

Aos interessados em aprender mais sobre o trabalho de Lecky, recomendo seu livro *Self-Consistency: A Theory of Personality* (Autoconsistência: uma teoria da personalidade).

Lecky também recorreu ao mesmo método para curar alunos com gagueira e hábitos como roer as unhas.

Tenho em meus arquivos histórias de casos igualmente convincentes: o homem que tinha tanto medo de estranhos e raramente saía de casa, mas agora ganha a vida como palestrante. O vendedor que já havia redigido uma carta de demissão porque "simplesmente não estava preparado para vender" e, seis meses depois, era o número um em uma equipe de cem vendedores. O pastor que pensava em se aposentar porque a pressão de preparar um sermão por semana deixava "seus nervos angustiados", mas agora faz uma média de três palestras por semana, além dos sermões semanais, e nem mais sabe se tem nervos no corpo.

COMO UM CIRURGIÃO PLÁSTICO SE INTERESSOU PELA PSICOLOGIA DA AUTOIMAGEM

À primeira vista, parece haver pouca ou nenhuma conexão entre cirurgia e psicologia. No entanto, foi o trabalho dos cirurgiões plásticos que primeiro chamou minha atenção para a existência da autoimagem e suscitou certas questões que levaram a um importante conhecimento psicológico.

Há muitos anos, quando iniciei a prática da cirurgia plástica, impressionaram-me as mudanças dramáticas e repentinas que muitas vezes a correção de um problema facial instigava no caráter e na personalidade do paciente. Em muitos casos, a mudança da imagem física parecia criar uma pessoa inteiramente nova. Caso após caso, o bisturi que eu segurava se tornou uma varinha mágica, que não só transformava a aparência de alguém, mas também toda a sua vida.

Os tímidos e reservados ficavam ousados e corajosos. Um garoto tolo e obtuso se transformou em um jovem atento e brilhante, que se tornou executivo de uma grande empresa. Um vendedor que perdeu o jeito e a fé em si virou um modelo de autoconfiança. E talvez o mais surpreendente de todos tenha sido o criminoso contumaz que passou, quase da noite para o dia, de incorrigível, alguém que nunca demonstrou qualquer desejo de mudar, a um detento exemplar, que ganhou liberdade condicional e assumiu um papel responsável na sociedade.

Muitos desses casos históricos estão em meu livro *New Faces, New Futures* (Novos rostos, novos futuros). Após sua publicação e a de artigos semelhantes em revistas de grande circulação, criminologistas, psicólogos, sociólogos e psiquiatras quiseram se reunir comigo.

Ainda que eu não tivesse respostas para tudo que me perguntavam, incentivaram-me a iniciar uma busca. Curiosamente, com fracassos, aprendi tanto quanto ou mais do que com sucessos. Esses eram fáceis de ser explicados, como o caso do menino de orelhas grandes a quem haviam dito que parecia um táxi com as duas portas abertas. Fora sempre ridicularizado, muitas vezes com crueldade. Brincar com colegas significava humilhação e dor. Por que não evitaria contatos sociais? Por que não iria temer as pessoas e se fechar em si mesmo? Por seu terrível medo de se expressar, não surpreendia que o considerassem um idiota. Com a correção do problema, pareceria natural que a remoção da causa do constrangimento e da humilhação o levasse a assumir uma vida normal – e foi o que aconteceu.

Ou consideremos o vendedor que teve o rosto desfigurado em um acidente de carro. Todas as manhãs, ao se barbear, via a horrível cicatriz marcada na bochecha e a boca retorcida de forma grotesca. Pela primeira vez na vida, tornou-se dolorosamente autoconsciente. Tinha vergonha de si mesmo e achava que sua aparência devia ser repulsiva para os outros. A cicatriz tornou-se uma obsessão. Era um sujeito "diferente". Começou a se perguntar o que pensariam dele, e logo seu ego estava ainda mais mutilado que o rosto. Perdia a auto-confiança; vivia amargo e hostil. Com o tempo, focou-se quase que tão somente em si mesmo, assumindo como objetivo prioritário a proteção do próprio bem-estar, assim fugindo de situações humilhantes. Nesse contexto, é fácil entender como a correção do estrago facial e a restauração de um rosto comum mudariam da noite para o dia toda a atitude e perspectiva desse homem, bem como seus sentimentos sobre si, e resultariam em sucesso no trabalho.

Mas e quando não houve mudanças, como na duquesa que viveu tímida e constrangida por causa de um tremendo calombo no nariz? Embora a cirurgia lhe tenha proporcionado um nariz clássico e um rosto harmonioso, continuava no papel de patinho feio, a irmã indesejada que nunca conseguia olhar outro ser humano nos olhos. Se o bisturi era mágico, por que não funcionou na duquesa?

Ou o que dizer de todos os outros que, apesar dos rostos transformados, mantiveram a mesma velha personalidade? Ou como explicar a reação de pessoas que insistem na ideia de que a cirurgia "não lhes afetou a aparência"? Todo cirurgião plástico já passou por essa experiência e provavelmente se sentiu tão perplexo quanto eu. Não importa quão drástica seja a mudança física, alguns pacientes insistem em dizer: "Eu pareço o mesmo de antes, você não fez nada". Podem ficar quase irreconhecíveis para os amigos e até para a família, todos empolgados com a beleza recém-adquirida, mas eles próprios insistem que veem apenas uma ligeira ou nenhuma mudança. Comparação por meio de fotografias de "antes" e "depois", além de não ajudar muito, talvez desperte um clima de hostilidade. Por alguma estranha alquimia mental, o paciente racionaliza: "Claro, posso ver que o calombo não está mais aqui, mas meu nariz ainda parece o mesmo" ou "a cicatriz pode não estar mais aparecendo, mas ela ainda está aqui".

CICATRIZES QUE TRAZEM ORGULHO EM VEZ DE CONSTRANGIMENTO

Ainda outra pista na busca da evasiva autoimagem era a de que nem todas as cicatrizes ou desfigurações resultavam em vergonha e humilhação. Quando ainda era estudante de medicina na Alemanha, vi um aluno orgulhosamente ostentando sua "cicatriz de sabre" da mesma forma que um americano usaria a Medalha de Honra. Para os duelistas, a elite da sociedade universitária, uma cicatriz facial era um emblema comprobatório, que implicava boa reputação. A aquisição de uma cicatriz horrenda na bochecha tinha o mesmo efeito psicológico que a remoção da cicatriz da bochecha do meu paciente vendedor. Na velha New Orleans, um negro usava um tapa-olho com o mesmo objetivo. Então, comecei a entender que um instrumento cortante não tinha poderes mágicos. Poderia ser usado em uma pessoa para infligir uma cicatriz e, em outra, para eliminá-la com os mesmos resultados psicológicos.

O MISTÉRIO DA FEIURA IMAGINÁRIA

Para uma pessoa desfavorecida por uma genuína disformidade congênita ou por resultado de um acidente, a cirurgia plástica pode, de fato, parecer mágica. Com base nesses casos, seria fácil teorizar que a remoção dos defeitos físicos por meio de cirurgia plástica seria a cura para todas as neuroses, infelicidades, fracassos, medos, ansiedades e falta de autoconfiança. No entanto, de acordo com essa teoria, pessoas com rostos comuns, ou pelo menos sem maiores problemas, não seriam atingidas por deficiências psicológicas; viveriam alegres, felizes, autoconfiantes, livres de ansiedade e preocupação. Sabemos muito bem que isso não é verdade.

Tampouco essa teoria consegue explicar as pessoas que visitam o consultório de um cirurgião plástico e exigem um *lifting* facial para eliminar uma feiura imaginária. Há mulheres na faixa de 35 ou 45 anos que estão convencidas de que parecem velhas, mesmo que tenham uma aparência correspondente à idade e, em muitos casos, bastante atraente.

Algumas jovens se convencem de que são feias apenas porque as dimensões da boca, do nariz ou dos seios não se assemelham às das estrelas de cinema. Há homens que acreditam ter orelhas muito grandes ou narizes desproporcionais. Um cirurgião plástico ético nem sequer consideraria operá-los, mas infelizmente os charlatões, ou os chamados *médicos de plástica estética*, que nenhuma associação médica admite como membros, não têm tais escrúpulos.

Essa feiura imaginária é muito comum. Uma pesquisa com universitários mostrou que 90% estavam insatisfeitos com sua aparência. Se as palavras "normal" e "médio" significam alguma coisa, é óbvio que 90% dessa população não podem ter uma aparência anormal, diferente ou defeituosa. Pesquisas semelhantes mostraram que quase a mesma porcentagem da população geral encontra algum motivo para se constranger da própria imagem física.

Essas pessoas reagem como se tivessem alguma desfiguração real. Sentem o mesmo constrangimento e desenvolvem os mesmos medos e ansiedades. Sua capacidade de viver com plenitude é bloqueada e sufocada pelo mesmo tipo de bloqueio psicológico. Suas cicatrizes, embora mentais e emocionais, são igualmente incapacitantes.

AUTOIMAGEM: O VERDADEIRO SEGREDO

A descoberta da autoimagem explica todas as aparentes discrepâncias que discutimos. É o denominador comum – o fator determinante em todas as histórias de casos, os fracassos e os sucessos.

O segredo é este: para realmente viver, isto é, encontrar uma vida minimamente satisfatória, precisamos conquistar uma autoimagem adequada e realista com a qual possamos conviver. Devemos achar nosso "eu" aceitável; ter uma autoestima saudável, um "eu" em que confiemos e acreditemos, o qual não nos cause vergonha de ser, que nos permita liberdade de expressão criativa; um "eu" que corresponda à realidade e assim funcione em um mundo real.

Conheça a si mesmo – seus pontos fortes e suas fraquezas – e seja honesto consigo em relação a ambos. Sua autoimagem deve ser uma representação razoável de você; nem mais, nem menos do que de fato é.

Quando essa autoimagem está íntegra e segura, você se sente bem. Quando está comprometida, sente-se ansioso e inseguro. Quando a autoimagem é adequada e você se orgulha dela, sente-se autoconfiante; sente que é livre para ser você mesmo e se expressar. É o seu melhor. Quando é objeto de vergonha, você tenta escondê-la em vez de expressá-la. A expressão criativa é bloqueada. Você se torna hostil e difícil de conviver.

Se uma cicatriz facial aprimora a autoimagem (como no caso do duelista alemão), a autoestima e a autoconfiança se fortalecem. Se uma cicatriz facial compromete a autoimagem (como no caso do vendedor), há a perda de autoestima e autoconfiança.

Após corrigir um problema facial por meio de cirurgia plástica, ocorrerão mudanças psicológicas dramáticas apenas se houver uma correção correspondente da autoimagem mutilada. Às vezes, a imagem de um "eu" desfigurado persiste mesmo depois de uma cirurgia bem-sucedida, da mesma forma que o membro fantasma pode continuar a sentir dor por anos depois da amputação.

COMECEI UMA NOVA CARREIRA

Essas observações me levaram a uma nova carreira. Há alguns anos, me convenci de que as pessoas que consultam um cirurgião plástico precisam de mais do que cirurgia – e algumas delas não precisam de qualquer cirurgia. Se tratasse os pacientes como um todo, em vez de apenas um nariz, orelha, boca, braço ou perna, precisaria estar em posição de dar-lhes algo mais. Precisaria ser capaz de mostrar a eles como obter um *lifting* espiritual, como remover cicatrizes emocionais, como mudar atitudes e pensamentos, tanto quanto a aparência física.

Esse estudo foi muito gratificante. Hoje estou mais convencido do que nunca disto: cada um de nós realmente quer, no fundo, mais vida. Felicidade, sucesso, paz de espírito ou qualquer que seja a própria concepção de bem supremo são vivenciados em sua essência como mais vida. Quando experimentamos emoções expansivas de felicidade, autoconfiança e sucesso, desfrutamos mais a vida. Já à medida que inibimos nossas habilidades, frustramos os talentos dados por Deus e nos permitimos sofrer de ansiedade, medo, condenação e ódio de nós mesmos, sufocamos a força vital que possuímos e damos as costas ao dom recebido de nosso Criador. Ao negarmos o dom da vida, abraçamos a morte.

PROGRAMA PARA UMA VIDA MELHOR

Na minha opinião, durante os últimos trinta anos, a psicologia tornou-se muito pessimista em relação ao homem e sua potencialidade para mudança e grandeza. Uma vez que psicólogos e psiquiatras lidam com as chamadas *pessoas anormais*, a literatura se ocupa quase exclusivamente das anormalidades do homem e suas tendências à autodestruição. Temo que muitas pessoas tenham lido tanto sobre esses assuntos que passaram a considerar ódio, instinto destrutivo, culpa, autocondenação e todos os outros aspectos negativos como um comportamento humano normal. A pessoa comum se sente fraca e impotente quando pensa na perspectiva de conquistar saúde e felicidade quando, para isso, precisará trabalhar sua insignificante vontade contra essas forças negativas da natureza humana. Se esse fosse um retrato verdadeiro da natureza e da condição humanas, o autoaperfeiçoamento seria inútil.

No entanto, as experiências de meus muitos pacientes confirmaram que não precisamos fazer o trabalho sozinhos. Existe dentro de cada um de nós um instinto de autopreservação que sempre busca a saúde, a felicidade e tudo o que contribui para mais vida. Ele funciona por meio do que chamo de mecanismo criativo ou, quando usado corretamente, mecanismo de sucesso, o qual é integrado a cada ser humano.

NOVOS *INSIGHTS* CIENTÍFICOS SOBRE O SUBCONSCIENTE

A nova ciência da cibernética nos forneceu provas convincentes de que o chamado *subconsciente* não é uma mente, mas um mecanismo – um servomecanismo de busca de objetivos, que consiste em cérebro e sistema nervoso, usado e dirigido pela mente. O conceito mais atual e mais útil se refere não à existência de duas mentes, mas apenas uma – a consciência, que opera uma máquina automática de objetivos. Esta, no que diz respeito aos princípios básicos, opera de maneira muito semelhante aos servomecanismos eletrônicos, ainda que seja mais fantástica e complexa do que qualquer computador ou míssil teleguiado concebido pelo homem.

> Hoje, é fácil perder de vista o fato de que todos os aparelhos eletrônicos e tecnologia informatizada de qualquer tipo, da internet à telefonia celular ou satélites que nos trazem centenas de canais na televisão, foram programados e tornados funcionais por seres humanos que visualizaram algo que achavam ser possível e fizeram acontecer. Nós, humanos, não apenas temos a capacidade de criar sistemas cibernéticos fora de nós mesmos, mas também de aprender como podemos executar, em nós mesmos, nossos próprios sistemas cibernéticos.

Esse mecanismo criativo interior é impessoal, ou seja, funcionará de forma automática para atingir objetivos de sucesso e felicidade, ou infelicidade e fracasso, dependendo do que definirmos para nós mesmos. Usado com objetivos de sucesso, funciona como mecanismo de sucesso. Usado com objetivos negativos, opera de forma tão impessoal e fiel como um mecanismo de fracasso.

> O Dr. Maltz deixa claro que todos temos objetivos, quer os articulemos de modo intencional, quer não. O cérebro e o sistema nervoso continuamente nos levam na direção de imagens em nosso consciente, ou imagens que são tão intrínsecas a nós que somos conduzidos a elas no piloto automático. O alcoólatra ou viciado em drogas, tanto quanto o empresário, o político, o atleta

> profissional ou a futura mãe, têm objetivos. Com isso em mente, podemos nos conscientizar do que está por baixo do capô – e se queremos ou não os objetivos para os quais estamos nos movendo inconscientemente ou aqueles que conscientemente escolhemos e trabalhamos.

Como qualquer outro servomecanismo, deve-se ter de forma clara uma meta, um objetivo ou um problema para trabalhar. Os objetivos que nosso próprio mecanismo criativo procura alcançar são imagens mentais que criamos por meio da imaginação. A imagem-alvo principal é nossa autoimagem. Ela prescreve os limites para a realização de quaisquer objetivos particulares, delimita a área do possível.

Também como qualquer outro servomecanismo, nosso mecanismo criativo trabalha com informações e dados que lhe fornecemos (pensamentos, crenças, interpretações). Por meio de nossas atitudes e interpretações de diferentes situações, descrevemos o problema a ser trabalhado.

Se alimentarmos informações e dados em nosso mecanismo criativo no sentido de que somos indignos, inferiores, desmerecedores, incapazes (autoimagem negativa), esses dados serão processados e atuarão fornecendo a resposta na forma de experiência objetiva.

Nosso mecanismo criativo faz uso de informações armazenadas, ou lembranças, para resolver problemas e reagir a situações atuais. Sendo assim, o programa para tirar mais proveito da vida consiste, em primeiro lugar, em aprender algo sobre esse mecanismo criativo ou sistema de orientação automática interior, e como usá-lo como um mecanismo de sucesso, não de fracasso.

O método em si consiste em aprender, praticar e experimentar novos hábitos de pensar, imaginar, lembrar e agir para (1) desenvolver uma autoimagem adequada e realista e (2) usar o mecanismo criativo para obter sucesso e felicidade na conquista de objetivos específicos.

Se você consegue se lembrar, se preocupar ou amarrar o cadarço do sapato, pode ter sucesso.

Como você verá mais adiante, o método a ser usado implica imaginação mental criativa, vivência criativa por meio da imaginação e formação de novos padrões de reação automática – agindo e pressupondo agir.

Costumo dizer aos meus pacientes: "Se consegue se lembrar, se preocupar ou amarrar o cadarço do sapato, não terá problemas para colocar em prática esse método". As coisas a fazer são simples, mas devem ser praticadas e experimentadas. Visualizar (imaginação mental criativa) não é mais difícil do que se faz ao lembrar alguma cena do passado ou se preocupar com o futuro. Praticar novos padrões de ação não é mais difícil do que decidir, então vamos amarrar os cadarços de uma maneira nova e diferente, todas as manhãs, em vez de continuar a amarrá-los da maneira habitual, sem pensar ou decidir.

> As palavras do Dr. Maltz são o elemento primordial para entender como é fácil obter resultados usando a psicocibernética, desde que se permita acreditar que basta uma vitória que pareça pouco significativa (aprender a amarrar o cadarço do sapato ou escrever seu nome pela primeira vez) para reverter o curso da negativi-

dade em sua vida. Para direcionar seu servomecanismo para o sucesso, é preciso apenas uma experiência que o faça se sentir bem consigo mesmo. Lembrar e usar essa simples realização será fundamental para aprimorar sua autoimagem. Não é necessária uma experiência de expressivo sucesso para melhorar sua autoimagem. Não é necessária uma experiência que seja um espelho do que estiver tentando criar ou realizar. Basta uma experiência na qual se possa dizer: "Sim, estou feliz por ter aprendido essa habilidade. Sim, lembro-me do primeiro dia em que consegui fazê-la. Sim, eu estava feliz". Essa única lembrança, essa experiência positiva, não importa há quanto tempo tenha ocorrido, é tudo do que você precisa para começar a mudar o curso de sua vida no presente.

PONTOS-CHAVE PARA RELEMBRAR

Resuma aqui:

1. ....
....
....
....
....

2. ....
....
....
....
....

3. ....
....
....
....
....

4. ....
....
....
....
....

5. ....
....
....
....
....

HISTÓRICO DE CASO

Redija uma experiência pessoal explicada pelos princípios apresentados neste capítulo:

DOIS

Descoberta do mecanismo do sucesso

Embora talvez pareça estranho, até dez anos antes deste livro, os cientistas nem sequer faziam ideia de como o cérebro e o sistema nervoso humanos funcionavam propositadamente para atingir um objetivo. Sabiam o que acontecia apenas em função de longas e meticulosas observações. No entanto, inexistia uma teoria de princípios subjacentes que unisse todos esses fenômenos em um conceito com sentido. R. W. Gerard, escrevendo sobre o cérebro e a imaginação na *Scientific Monthly* em junho de 1946, afirmou ser lamentável, apesar de verdadeiro, que a mais significativa parte de nossa compreensão da mente permaneceria válida e útil se o crânio fosse preenchido com chumaços de algodão.

No entanto, quando o próprio homem se propôs a construir um "cérebro eletrônico" e mecanismos de busca de objetivos, ele precisou recorrer à descoberta e à utilização de alguns princípios básicos. Com isso feito, esses cientistas começaram a se questionar: seria assim que o cérebro humano também funcionava? Será que, ao criar o homem, nosso Criador nos dotou de um servomecanismo mais fantástico e superior a qualquer computador ou sistema de orientação jamais sonhado, mas operando de acordo com os mesmos princípios básicos?

Na opinião de reconhecidos cientistas cibernéticos, como o Dr. Norbert Wiener, Dr. John von Neumann e outros, a resposta foi um incondicional "sim".

SISTEMA DE ORIENTAÇÃO INTEGRADO

Todo ser vivo tem um sistema de orientação integrado, ou um dispositivo de busca colocado nele pelo Criador a fim de aceitá-lo a atingir um objetivo: em termos amplos, viver. Nas formas de vida mais primitivas, o objetivo de viver implica sobrevivência física do indivíduo e da espécie. O mecanismo integrado nos animais limita-se a encontrar comida e abrigo, evitar ou vencer inimigos e perigos, além de procriar.

No homem, o objetivo de viver extrapola a mera sobrevivência, pois ele tem necessidades emocionais e espirituais que inexistem nos animais. Para estes, viver significa tão somente a satisfação de necessidades básicas. Consequentemente, para o homem, o ato de viver incorpora mais do que a sobrevivência física e a procriação da espécie, na medida em que demanda certas satisfações emocionais e espirituais.

O mecanismo de sucesso integrado ao homem também apresenta um escopo bem mais amplo do que o de um animal. Além de ajudar o ser humano a evitar ou vencer o perigo, assim como garantir o instinto sexual, que ajuda a manter a raça viva, o mecanismo de sucesso pode auxiliá-lo a encontrar respostas para problemas, inventar, escrever poesia, administrar um negócio, vender produtos, explorar novos horizontes científicos, alcançar mais paz de espírito, desenvolver uma personalidade melhor ou conquistar o sucesso em qualquer outra atividade que se relacione ao seu viver, ou que contribua para uma vida mais plena.

O INSTINTO DO SUCESSO

Um esquilo não precisa que o ensinem a pegar nozes, nem precisa aprender que deve armazená-las para o inverno. Apesar de um esquilo nascido na primavera nunca ter experimentado o inverno, no outono ele armazena ativamente nozes que serão digeridas durante os meses de inverno, quando não mais haverá comida. Um pássaro não necessita de aulas de construção de ninhos nem de cursos de navegação. Mesmo assim, viaja milhares de quilômetros, às vezes em mar aberto. Ele não tem jornais ou TVs para receber informações meteorológicas nem livros escritos por exploradores ou pássaros pioneiros para lhes mapear as áreas quentes da Terra. No entanto, o pássaro conhece o tempo e a localização exata de locais com climas quentes, mesmo que estejam a milhares de quilômetros de distância.

Ao tentarmos explicar tais coisas, costumamos dizer que os animais têm certos instintos que os orientam. Analise esses instintos e descobrirá que eles ajudam o animal a ser bem-sucedido ao lidar com o ambiente. Em síntese, os animais têm um instinto de sucesso.

Muitas vezes ignoramos o fato de que o homem também tem um instinto de sucesso – aliás, muito mais fantástico e complexo que o de qualquer animal. Nosso Criador não complicou a vida do homem; pelo contrário, ele foi especialmente abençoado nesse aspecto.

Animais são incapazes de selecionar objetivos (autopreservação e procriação), os quais estão, por assim dizer, predefinidos. O mecanismo de sucesso deles se limita a imagens de objetivos integrados, que chamamos de *instintos*.

Homens, por outro lado, têm algo que os animais não têm: imaginação criativa. Assim, de todas as criaturas, o homem vai além e é também um criador. Por meio da imaginação, ele pode formular uma variedade de objetivos. É o único capaz de dirigir seu mecanismo de sucesso pelo uso da imaginação, ou seja, pela capacidade de imaginar.

Muitas vezes, pensamos que a imaginação criativa se aplica apenas a poetas, inventores e afins. Porém ela existe em tudo o que fazemos. Embora não entendessem por que razão ou quais meios a imaginação coloca em ação nosso mecanismo criativo, pensadores importantes de todas as épocas, bem como homens pragmáticos, reconheceram o fato e fizeram uso dele.

"A imaginação governa o mundo", disse Napoleão Bonaparte. Glenn Clark, autor de *O homem que tocou os segredos do universo,* completou: "De todas as faculdades humanas, a imaginação é a mais divina". Dugold Stewart, famoso filósofo escocês, também observou: "A faculdade da imaginação é a grande mola mestra da atividade humana e a principal fonte de aperfeiçoamento do homem [...]. Destrua essa faculdade, e a condição do homem se tornará tão estacionária quanto a dos brutos". Henry J. Kaiser, industrial considerado o pai da construção naval americana, atribuiu muito de seu sucesso nos negócios ao uso construtivo e positivo da imaginação criativa: "Você pode imaginar seu futuro".

O FUNCIONAMENTO DO MECANISMO DE SUCESSO

Não somos uma máquina.

No entanto, descobertas na ciência da cibernética apontam para a conclusão de que o cérebro físico e o sistema nervoso formam um servomecanismo, que funciona muito como um computador e um dispositivo mecânico de busca de objetivos. Cérebro e sistema nervoso constituem um mecanismo de busca de objetivos que opera automaticamente para alcançá-los, da mesma forma que um torpedo ou míssil autodirecionado procura seu alvo e segue seu caminho até ele.

O servomecanismo integrado atua tanto como um sistema de orientação para guiá-lo na direção certa, visando atingir determinados objetivos ou dar reações corretas ao ambiente, quanto também como um cérebro eletrônico capaz de funcionar automaticamente para resolver problemas, fornecer respostas e ainda novas ideias ou inspirações. O Dr. John von Neumann, em seu livro *O computador e o cérebro*, afirma que o cérebro humano possui os atributos tanto do computador analógico quanto do digital.

O termo "cibernética" vem de uma palavra grega que significa "o timoneiro". Os servomecanismos são construídos de tal forma que automaticamente orientam o caminho para um objetivo, alvo ou resposta.

PSICOCIBERNÉTICA: UMA NOVA CONCEPÇÃO PARA O FUNCIONAMENTO DO CÉREBRO

Quando pensamos no cérebro e no sistema nervoso humanos como uma forma de servomecanismo, operando conforme os princípios cibernéticos, conquistamos uma nova visão sobre as causas que norteiam o comportamento humano.

Opto por chamar esse novo conceito de *psicocibernética*, ou seja, princípios da cibernética aplicados ao cérebro humano.

Enfatizo: a psicocibernética não considera o homem uma máquina; em vez disso, centra-se no fato de que ele tem uma máquina à sua disposição. Examinemos, portanto, algumas semelhanças entre os servomecanismos mecânicos e o cérebro humano.

OS DOIS TIPOS GERAIS DE SERVOMECANISMO

Os servomecanismos se dividem em dois tipos gerais: (1) quando o alvo, o objetivo ou a resposta são conhecidos, e a finalidade é alcançá-

-los ou realizá-los, e (2) quando o alvo ou a resposta não são conhecidos, e o objetivo é descobri-los ou encontrá-los. O cérebro e o sistema nervoso humanos operam nos dois sentidos.

O torpedo autoguiado, ou míssil interceptador, exemplifica o primeiro tipo. Conhece-se o alvo – um navio ou avião inimigos – e a finalidade é alcançá-lo. Essas máquinas precisam conhecer o alvo para o qual se dirigem e precisam ter algum tipo de sistema de propulsão que as impulsione na direção dele. Devem estar equipadas com órgãos sensoriais (radar, sonar, sensores térmicos) que tragam informações do alvo. Esses órgãos sensoriais mantêm sempre a máquina informada: quando está no curso correto (*feedback* positivo) e quando comete um erro e sai do curso (*feedback* negativo).

A máquina não reage nem responde ao *feedback* positivo. Ela já está fazendo a coisa certa e continua fazendo o que deveria. No entanto, deve haver um dispositivo corretivo que reaja ao *feedback* negativo. Quando o *feedback* negativo informa ao torpedo que ele está fora da rota, por exemplo, muito à direita, o dispositivo corretivo faz com que o leme se mova para conduzir a máquina de volta para a esquerda. Se ela corre demais e se volta muito para a esquerda, um *feedback* negativo informa o erro, e o dispositivo corretivo move o leme de volta para a direita. O torpedo cumpre seu objetivo avançando, cometendo erros e corrigindo-os continuamente. Por meio de uma série de ziguezagues, ele tateia seu caminho até alcançar o objetivo.

O Dr. Norbert Wiener, pioneiro no desenvolvimento de mecanismos para detectar alvos na Segunda Guerra Mundial, acredita que alguma coisa muito semelhante acontece no sistema nervoso humano sempre que se realiza qualquer atividade intencional – mesmo em uma situação de busca de um objetivo tão simples quanto pegar uma caneta na mesa.

Consegue-se cumprir o objetivo de pegar a caneta em razão de um mecanismo automático, não apenas por vontade e raciocínio do prosencéfalo. Ele apenas se limita a selecionar o objetivo, acioná-lo pelo desejo e fornecer informações ao mecanismo automático para que a mão corrija o curso.

Segundo o Dr. Wiener, em primeiro lugar, só um anatomista conheceria todos os músculos envolvidos no movimento de pegar a caneta. Se um leigo os conhecesse, não diria conscientemente a si: "Preciso contrair os músculos do ombro para elevar o braço, agora o tríceps para estendê-lo". A pessoa simplesmente vai em frente e pega a caneta, sem emitir ordens conscientes a músculos individuais ou calcular a contração necessária.

Quando você determina o objetivo e resolve alcançá-lo, o mecanismo automático assume. Em primeiro lugar, você já pegou uma caneta ou realizou movimentos semelhantes antes; portanto, o mecanismo automático aprendeu a reação correta. Em segundo lugar, seu mecanismo automático emprega dados de *feedback* fornecidos ao cérebro pelos olhos, que informam a posição em que a caneta não será apanhada. Esse *feedback* permite que o mecanismo automático corrija continuamente o movimento da mão, até que seja direcionada para a caneta.

Um bebê, apenas aprendendo a usar os músculos, corrige o movimento da mão para alcançar um chocalho, pois ainda possui pouca informação armazenada que o norteie. Assim, a mão ziguezagueia para frente e para trás e tateia quando o alcança. Bem se sabe que, conforme o aprendizado se desenvolve, a correção se torna cada vez mais refinada. Vemos isso em uma pessoa que acabou de aprender a dirigir um carro; ela se corrige demais e vai ziguezagueando pela rua, de um lado a outro.

No entanto, quando se chega a uma reação correta ou bem-sucedida, ela é lembrada para uso futuro. Em outras palavras, o mecanismo automático duplica essa reação bem-sucedida em testes futuros; apren-

Psicocibernética

deu a reagir com sucesso; esquece fracassos e repete a ação bem-sucedida sem qualquer pensamento consciente, isto é, como um hábito.

COMO O CÉREBRO ENCONTRA RESPOSTAS PARA PROBLEMAS

Agora, suponhamos que a sala esteja tão escura que você não consiga enxergar a caneta. Bem sabe que ela está ali, ou pelo menos assim espera, em meio a uma variedade de outros objetos. Instintivamente, sua mão começará a tatear pelos cantos, em movimentos de exploração, rejeitando um objeto após outro, até encontrar e reconhecer a caneta. Aqui está, então, um exemplo do segundo tipo de servomecanismo. Recordar um nome temporariamente esquecido é outro exemplo. Um scanner em seu cérebro esquadrinha as lembranças armazenadas até localizar o nome correto.

Um computador resolve problemas do mesmo modo. Em primeiro lugar, deve-se fornecer-lhe uma expressiva quantidade de dados; as informações armazenadas (ou gravadas) constituem a memória da máquina. Então, propõe-se à máquina um problema. Ela esquadrinha a própria memória até encontrar a única resposta coerente e que atenda a todas as condições do problema. Problema e resposta juntos constituem uma situação ou estrutura total. Quando parte da situação, ou estrutura (o problema), é entregue à máquina, ela localiza as únicas peças que faltam, ou, por assim dizer, o tijolo do tamanho certo para completar a estrutura.

Quanto mais se aprende sobre o cérebro humano, mais ele se assemelha – no aspecto da função – a um servomecanismo. Por exemplo, o Dr. Wilder Penfield, diretor do Instituto Neurológico de Montreal, relatou em um congresso da Academia Nacional de Ciências que descobrira, em uma pequena área do cérebro, um mecanismo que aparentemente registra com exatidão tudo o que uma pessoa já experimentou, observou ou aprendeu. Durante uma cirurgia cerebral na qual a paciente estava acordada, o Dr. Penfield tocou uma pequena área do córtex com um instrumento cirúrgico. De imediato a paciente reagiu, exclamando que estava revivendo um incidente da própria infância, do qual havia se esquecido conscientemente.

Outras experiências na mesma linha trouxeram resultados iguais. Quando se tocavam determinadas áreas do córtex, os pacientes não apenas lembravam experiências passadas, mas também as reviviam, experimentando com vivacidade real todas as visões, sons e sensações da vivência original. Era como se experiências passadas tivessem sido armazenadas em um gravador e então reproduzidas. É um mistério como um mecanismo tão pequeno quanto o cérebro humano pode armazenar uma quantidade tão grande de informações.

O neurofisiologista W. Gray Walter afirmou que seriam necessárias pelo menos 10 bilhões de células eletrônicas para construir um fac--símile do cérebro humano. Essas células ocupariam cerca de quase 43 mil metros cúbicos, e ainda se necessitariam de vários milhões para os nervos, ou a fiação. A potência para operá-lo seria de 1 bilhão de watts.

UMA OLHADELA NO MECANISMO AUTOMÁTICO EM AÇÃO

Encanta-nos a grandiosidade dos mísseis interceptores capazes de calcular, em um piscar de olhos, o ponto de interceptação de outro míssil e chegar até ele no instante exato para estabelecer contato.

No entanto, também não estamos testemunhando alguma coisa tão fantástica cada vez que vemos um jogador agarrar uma bola no ar? Afinal, para calcular onde a bola cairá ou onde será o ponto de interceptação, ele precisa considerar a velocidade e direção do objeto, a curvatura de queda, a velocidade e direção do vento, a velocidade inicial, além da diminuição progressiva da velocidade. E tem de calcular bem rápido. Em seguida, deve calcular o quão rápido precisa correr, e em que direção, para chegar ao ponto de interceptação ao mesmo tempo da bola. Porém ele nem pensa nisso. Seu mecanismo integrado de busca de objetivos faz os cálculos a partir de dados que lhe são fornecidos por meio dos olhos e dos ouvidos. O computador no cérebro, a partir dessa informação, a compara com dados armazenados (recordações de outros sucessos e fracassos em pegar bolas no ar) e faz os cálculos em um piscar de olhos, emitindo ordens aos músculos da perna – e o jogador "apenas corre".

A CIÊNCIA É CAPAZ DE CONSTRUIR O COMPUTADOR, MAS NÃO O OPERADOR

O Dr. Wiener disse que, pelo menos em um futuro próximo, os cientistas não serão capazes de construir um cérebro eletrônico (computador) comparável ao humano: "Acho que nosso conhecimento sobre dispositivos já evidenciou não conseguir determinar as vantagens e desvantagens especiais da maquinaria eletrônica, em comparação com o cérebro humano. O número de dispositivos de comutação no cérebro humano excede amplamente o número em qualquer máquina de computação já desenvolvida, ou mesmo pensada para ser projetada em um futuro próximo".

E mais: mesmo que tal máquina fosse construída, faltaria um operador. Um computador não possui um prosencéfalo nem um "eu". Ele não pode apresentar problemas a si mesmo. Não tem imaginação; não pode estabelecer objetivos. Não pode determinar quais objetivos valem a pena ou não. Não tem emoções; não pode sentir. Ou seja, funciona apenas por novos dados, que lhe são fornecidos por um operador, por dados de *feedback* que ele protege de seus próprios órgãos sensoriais e por informações previamente armazenadas.

EXISTE UM ARMAZÉM DE IDEIAS, CONHECIMENTO E PODER?

Muitos grandes pensadores de todas as épocas acreditavam que as informações armazenadas do homem não se limitam às memórias de experiências passadas e fatos aprendidos. "Há uma mente comum a todos os homens individuais", disse Emerson, que comparou nossas mentes individuais às enseadas do oceano da mente universal.

Edison acreditava que algumas de suas ideias surgiram de uma fonte fora dele. Certa vez, quando elogiado por uma ideia criativa, ele recusou o mérito, dizendo que "as ideias estão no ar" e que, se ele não tivesse feito a descoberta, alguém a faria.

> Redigindo sua tese de doutorado, o Dr. Tom Hanson, autor de *Play Big* (Jogue grande), entrevistou o famoso Stan "the Man" Musial, do Hall da Fama da Major League Baseball, que declarou: "Quando eu me concentrava, algo costumava me dizer como o sujeito ia lançar... e essa coisa nunca me enganou". Assim que o Dr. Hanson se referiu a essa habilidade como PES (percepção extrassensorial), Musial de imediato concordou que o termo era correto.

O Dr. J. B. Rhine, chefe do laboratório de Parapsicologia da Universidade Duke, demonstrou experimentalmente que o homem tem acesso a conhecimentos, fatos e ideias sem relação com sua própria memória individual ou com informações armazenadas de aprendizado ou experiência. Telepatia, clarividência e premonição foram evidenciadas por meio de experimentos científicos feitos em laboratório. A descoberta do Dr. Rhine referente ao homem possuir algum fator extrassensorial, que ele chama de *Psi*, não é mais colocada em dúvida pelos cientistas que revisaram com seriedade o trabalho por ele desenvolvido. Como disse o professor R. H. Thouless, da Universidade de Cambridge, autor de *Straight and Crooked Thinking* (Pensamento linear e tortuoso), "A veracidade dos fenômenos deve ser considerada comprovada, tão certamente quanto qualquer coisa na pesquisa científica pode ser comprovada".

"Descobrimos", afirmou o Dr. Rhine, "que existe uma capacidade para adquirir conhecimentos que transcende as funções sensoriais. Essa capacidade extrassensorial pode nos dar conhecimento de estados objetivos e muito provavelmente subjetivos, conhecimento da matéria e muito provavelmente das mentes".

Dizem que Schubert contou a um amigo que seu próprio processo criativo consistia em "lembrar-se de uma melodia" em que nem ele nem ninguém havia pensado antes.

Muitos artistas criativos, e também psicólogos que estudam o processo criativo, impressionaram-se com a semelhança entre inspiração criativa, revelação repentina, intuição e a memória humana comum.

Procurar uma nova ideia, ou uma resposta para um problema, é de fato muito semelhante a buscar na memória um nome de que se esqueceu. Sabe-se que o nome está lá, ou então não seria procurado. O scanner no cérebro examina as memórias armazenadas até que se reconheça ou descubra o nome desejado.

A RESPOSTA EXISTE AGORA

Da mesma maneira, quando desejamos encontrar uma nova ideia ou a resposta a um problema, devemos supor que ela já existe em algum lugar e, então, lançarmo-nos para encontrá-la. O Dr. Norbert Wiener escreveu em *O uso humano de seres humanos*: "Uma vez que um cientista ataca um problema cuja resposta ele sabe existir, altera-se toda a sua atitude. Ele já está a cerca de 50% do caminho para alcançá-la".

Quando nos propomos a exercer um trabalho criativo – em vendas, gestão de negócios, literatura, relações humanas ou em qualquer outra coisa –, começamos com um objetivo em mente, um fim a ser alcançado, um alvo que, embora talvez meio vago, será reconhecido quando conquistado. Se temos um desejo intenso e começamos a pensar em todos os ângulos do problema, nosso mecanismo criativo entra em ação – e o scanner de que já falamos começa a esquadrinhar as informações armazenadas, ou a tatear o caminho para uma resposta. Nesse processo, ele seleciona uma ideia aqui, um fato ali, uma série de experiências anteriores e as relaciona – ou as amarra em um todo significativo, que preenche a parte incompleta de nossa situação, completa a equação ou resolve nosso problema. Quando essa solução se apresenta à nossa consciência – muitas vezes em um momento em que estamos pensando em outra coisa –, ou talvez até mesmo na forma de um sonho enquanto a consciência dorme, algo dá um clique, e imediatamente reconhecemos isso como a resposta que estamos procurando.

Nesse processo, nosso mecanismo criativo também tem acesso às informações armazenadas em uma mente universal? Numerosas experiências envolvendo pessoas com trabalhos que exigem criatividade parecem indicar que sim. De que outra forma, por exemplo, poderíamos explicar a experiência de Louis Agassiz, narrada pela esposa?

Ele estava empenhado em decifrar a impressão meio apagada de um peixe fóssil na laje de pedra em que fora preservado. Cansado e atordoado, meu marido finalmente deixou o trabalho de lado e tentou afastá-lo da mente. Um tempo depois, acordou uma noi-

te convencido de que, enquanto dormia, tinha visto o peixe com todas as características que faltavam perfeitamente restauradas.

Então, logo de manhã, foi ao Jardin des Plantes *pensando que, ao olhar de novo o fóssil, veria algo que o colocaria na trilha do que visualizara em sonho. Em vão; o registro distorcido do peixe continuava ali. Na noite seguinte, viu de novo o peixe, mas, quando despertou, a imagem desapareceu de sua memória como antes. Na esperança de que a mesma experiência se repetisse, na terceira noite, colocou lápis e papel ao lado da cama antes de dormir.*

De manhãzinha, o peixe reapareceu no sonho, uma imagem ainda meio confusa, mas depois tão nítida que já não restavam dúvidas quanto aos seus caracteres zoológicos. Ainda meio sonhando, e na escuridão, ele desenhou tais características na folha de papel na cabeceira.

Ao despertar, surpreendeu-se ao ver ali características que achava impossível o fóssil revelar. Apressou-se ao Jardin des Plantes *e, usando o desenho como guia, esculpiu sobre a superfície da pedra partes do peixe antes escondidas. Quando enfim exposto, o fóssil correspondia ao sonho e ao desenho, e meu marido conseguiu classificá-lo com facilidade.*

EXERCÍCIO PRÁTICO

CONQUISTE UMA NOVA IMAGEM MENTAL DE SI

A personalidade infeliz, do tipo fracasso, não consegue desenvolver uma nova autoimagem apenas por meio da força de vontade, ou arbitrariamente decidindo fazê-lo. É fundamental que haja algum fundamento, alguma justificativa ou razão para que a pessoa decida que a velha imagem do "eu" está errada e que uma nova imagem é apropriada. Não é possível imaginar uma nova autoimagem, a menos que sinta que ela está baseada na verdade.

A experiência tem mostrado que, quando uma pessoa muda a autoimagem, ela tem a sensação de que, por uma razão ou outra, enxerga ou percebe a verdade sobre si mesma.

A verdade deste capítulo pode libertá-lo de uma autoimagem velha e inadequada, se for lido com frequência, pensado com foco em suas implicações e tiver tais ideias marteladas em sua memória.

A ciência agora confirmou o que filósofos, místicos e outras pessoas intuitivas há muito declaram: todo ser humano foi projetado para o sucesso pelo Criador. Todo ser humano tem acesso a um poder maior que ele mesmo.

Isso significa *você*.

Como disse Emerson: "Não há grandes nem pequenos".

Se você foi projetado para o sucesso e a felicidade, então a velha autoimagem como indigno de felicidade, uma pessoa destinada ao fracasso, deve ser errada.

Psicocibernética

Leia este capítulo pelo menos três vezes por semana nos primeiros 21 dias. Estude-o e assimile-o. Procure exemplos, em suas experiências e nas experiências de seus amigos, que ilustrem o mecanismo criativo em ação.

Memorize os princípios básicos apresentados a seguir, pelos quais seu mecanismo de sucesso opera. Você não precisa ser um engenheiro eletrônico ou um físico para operar seu próprio servomecanismo, assim como não precisa ser capaz de projetar um automóvel para dirigir, ou tornar-se um engenheiro elétrico para ligar a luz do quarto. Na verdade, precisa estar familiarizado com os conceitos porque, quando memorizados, lançarão uma nova luz sobre o que está por vir:

1. Seu mecanismo de sucesso integrado deve ter um objetivo ou alvo. Pense nesse objetivo como "já existente agora", na forma real ou possível. Ele opera (1) direcionando você para um objetivo já existente ou (2) descobrindo algo já existente.

2. O mecanismo automático é teleológico, isto é, opera ou deve ser orientado para objetivos com resultados finais. Não desanime porque o *modo de fazer* talvez não se revele. É função do mecanismo automático fornecê-lo quando você lhe der o objetivo. Pense em termos de finalidade, e o modo de fazer muitas vezes cuidará de si mesmo.

> Os meios pelos quais seu mecanismo de sucesso opera, com frequência, cuidam de si mesmos e o fazem sem esforço quando você fornece o objetivo ao cérebro. As etapas precisas de ação chegarão até você sem gerar estresse, tensão ou preocupação sobre como conquistará o resultado que procura. Muitas pessoas cometem o erro de interferir no próprio mecanismo de sucesso,

> exigindo algo antes que um objetivo esteja cla-
> ramente estabelecido. Depois de formar uma
> imagem mental do objetivo que almeja, o como
> chegará a você – não antes. Permaneça calmo e
> relaxado, e as respostas aflorarão. Qualquer ten-
> tativa de forçar que as ideias despontem não vai
> funcionar. Como Brian Tracy escreveu, "em todos
> os trabalhos mentais, o afã derrota a ele mesmo".

3. Não receie cometer erros ou fracassos temporários. Todos os servo-mecanismos alcançam um objetivo por meio de *feedback* negativo – ou seja, indo para a frente, errando e imediatamente corrigindo a rota.

4. O aprendizado de qualquer tipo de habilidade acontece por tentativa e erro, até que um movimento bem-sucedido ou uma realização sejam alcançados. Depois disso, conquistam-se aprendizados e sucesso contínuo, o que leva ao esquecimento dos erros passados e recordações das reações bem-sucedidas, de modo que possam ser imitadas.

5. Aprenda a confiar que seu mecanismo criativo cumprirá o papel dele; não o bloqueie por meio de preocupação exagerada, ansiedade em saber se ele irá funcionar, ou ainda tentativas de forçá-lo com um empenho consciente exacerbado. Deixe-o trabalhar em vez de forçá-lo a isso. Essa confiança é necessária, pois o mecanismo criativo opera abaixo do nível da consciência, e você jamais saberá o que se passa abaixo da superfície. Além disso, é da natureza dele operar espontaneamente, de acordo com a necessidade presente. Portanto, você não terá garantias antecipadas. Ele começa a operar à medida que você age e que, por meio de ações, faz demandas. Não espere provas para começar a agir. Aja confiante de que o mecanismo de sucesso fará o resto. "Realize a tarefa e encontrará o poder", disse Emerson.

PONTOS-CHAVE PARA RELEMBRAR

Resuma aqui:

1. ....
....
....
....
....

2. ....
....
....
....
....

3. ....
....
....
....
....

4. ....
....
....
....

5. ....
....
....
....
....

HISTÓRICO DE CASO

Redija uma experiência pessoal explicada pelos princípios apresentados neste capítulo:

....

....

....

....

....

....

....

....

....

....

....

....

....

....

....

....

....

....

....

....

....

....

....

....

....

TRÊS

Imaginação: a primeira chave para o mecanismo de sucesso

A imaginação desempenha um papel muito mais relevante em nossa vida do que a maioria de nós percebe. Minha prática comprova isso. Um caso memorável se refere a um paciente que foi forçado pela família a visitar meu consultório. Era um sujeito de mais ou menos quarenta anos, solteiro, que mantinha um trabalho rotineiro durante o dia e, à noite, ficava sozinho em casa. Não saía para lugar algum e nunca fazia nada. Ao longo dos anos, ele tivera muitos empregos, nos quais nunca permanecia muito tempo. Vivia atormentado pelo fato de ter nariz e orelhas grandes. Considerava-se feio e esquisito, imaginando que as pessoas com quem convivia no trabalho riam e cochichavam sobre ele. A coisa toda ganhou uma proporção tão grande que o homem temia o convívio social a tal ponto que dificilmente se sentia seguro, até mesmo na própria casa. O infeliz chegava a imaginar que a família se envergonhava dele, da aparência bizarra, diferente.

Na verdade, as imperfeições faciais do homem nem se destacavam tanto. O nariz era do tipo romano clássico, e as orelhas, mesmo um pouco grandes, não atraíam mais atenção do que as de milhares de pessoas com orelhas semelhantes. Em desespero, sua família o trouxe até meu consultório em busca de ajuda, e logo constatei que ele não precisava de cirurgia, apenas do entendimento de que sua imaginação acabara afetando-lhe tanto a autoimagem que ele perdera de vista a verdade. Não era de fato feio. As pessoas não o consideravam esquisito nem riam dele em razão da aparência. A imaginação, a única responsável por tanto tormento, criara um mecanismo de fracasso dentro dele, automático e negativo, que estava operando a todo vapor e desencadeando extrema infelicidade.

Até que, por fim, depois de várias sessões comigo e com a ajuda da família, ele gradualmente conseguiu não só perceber que o poder de sua imaginação era a causa do estado em que vivia, mas também construir uma autoimagem autêntica e alcançar a confiança de que precisava por meio da prática da imaginação criativa, não da destrutiva.

> O Dr. Maltz mostra como temos objetivos e estamos usando nossa imaginação, pensemos ou não nisso. Ou usamos nossa imaginação construtiva ou a destrutiva. O fundamental é que nos conscientizemos da maneira como usamos a nossa, aprimorando-a diariamente.

A imaginação criativa não pertence apenas aos poetas, filósofos, inventores. Está presente em todos os nossos atos, pois determina a imagem do objetivo para o qual nosso mecanismo automático funciona. Agimos, ou deixamos de agir, não por vontade, como em geral se acredita, mas devido à imaginação.

O ser humano age, sente e atua de acordo com aquilo que ele imagina ser verdadeiro sobre si mesmo e sobre o ambiente onde vive. Aí está a lei básica e fundamental da mente. É assim que somos construídos.

Ao vermos essa lei mental demonstrada graficamente em um sujeito hipnotizado, inclinamo-nos a pensar que existe alguma coisa oculta ou supranormal em ação. Na verdade, estamos testemunhando o processo natural de funcionamento do cérebro e do sistema nervoso humanos.

Por exemplo, se informam à pessoa hipnotizada que ela está no Polo Norte, não apenas tremerá e parecerá sentir frio, mas seu corpo reagirá da mesma forma, com a pele toda arrepiada. Demonstrou-se o mesmo fenômeno em universitários bem despertos, pedindo-lhes que imaginassem uma de suas mãos imersa em água gelada. O termômetro registrou que a temperatura caía na mão alvo da experiência. Diga a um sujeito hipnotizado que seu dedo está queimando, e ele não apenas fará uma careta de dor quando tocado, mas também seus sistemas cardiovascular e linfático reagirão como se o dedo de fato estivesse queimado, chegando, inclusive, a inflamar e sair uma bolha na pele. Quando instruíram universitários bem despertos a imaginar que um lugar em suas testas estava quente, o termômetro indicou um aumento real na temperatura da pele.

Nosso sistema nervoso não distingue a diferença entre uma experiência imaginada e uma real. Em ambos os casos, ele reage automaticamente às informações que lhe damos, por meio do nosso prosencéfalo. Em outras palavras, nosso sistema nervoso reage adequadamente ao que pensamos ou imaginamos ser verdade.

O SEGREDO DO PODER HIPNÓTICO

O Dr. Theodore Xenophon Barber conduziu uma extensa pesquisa sobre os fenômenos da hipnose, tanto quando associado ao departamento de psicologia da American University em Washington, D.C., quanto depois de se associar ao Laboratório de Relações Sociais de Harvard. Escrevendo na *Science Digest*, ele afirmou:

Descobrimos que pessoas hipnotizadas são capazes de fazer coisas surpreendentes apenas quando convencidas de que as palavras do hipnotizador são verdadeiras [...]. Conforme o hipnotizador as guia até o ponto em que se convencem de que as palavras dele são declarações verdadeiras, elas se comportam de modo diferente porque pensam e acreditam de modo diferente.

Os fenômenos hipnóticos sempre pareceram misteriosos, pois era difícil entender como a crença pode provocar um comportamento tão inusitado. Sempre parecia que deveria haver algo mais em ação, alguma força ou poder insondável.

Entretanto, a pura verdade é que, quando um sujeito está convencido de ser surdo, ele se comporta como se fosse surdo; quando está convencido de ser insensível à dor, ele pode ser operado sem anestesia. Inexistem força ou poder misterioso. ("Could You Be Hypnotized?" ["Você poderia ser hipnotizado?"] Science Digest, janeiro de 1958)

Ponderemos: é muito bom para nós sentirmos e agirmos de acordo com o que acreditamos ou imaginamos ser verdade.

A VERDADE DETERMINA A AÇÃO E O COMPORTAMENTO

O cérebro e o sistema nervoso humanos são projetados para reagir de maneira automática e coerente com os problemas e desafios do ambiente. Por exemplo, caso encontre um urso durante uma caminhada, um homem não precisa parar e pensar que o instinto de sobrevivência exija que ele corra. Não precisa decidir ficar com medo. A reação de medo é automática e adequada. Primeiro, faz com que ele queira fugir. Em seguida, dispara mecanismos corporais que alimentam seus músculos para que ele corra mais rápido do que jamais correu antes. Os batimentos cardíacos aceleram. A adrenalina, um poderoso estimulante muscular, é despejada na corrente sanguínea. Todas as funções corporais inúteis para o ato de correr paralisam. O estômago para de funcionar, e todo o sangue disponível é enviado para os músculos. A respiração fica mais rápida, e intensifica-se o suprimento de oxigênio para os músculos.

Todo esse processo nada tem de novo. A maioria de nós o aprendeu na escola. No entanto, não fomos tão rápidos em perceber que o cérebro e o sistema nervoso que reagem automaticamente ao ambiente são o mesmo cérebro e sistema nervoso que nos dizem o que é o ambiente. As reações do homem ao encontrar o urso são, em geral, consideradas como resultantes da emoção, e não das ideias. No entanto, foi uma ideia – informação recebida do mundo exterior e avaliada pelo prosencéfalo – que provocou as chamadas *reações emocionais*. Portanto, a ideia, ou a crença, foi o verdadeiro agente causador, e não a emoção – que aflorou como resultado. Em síntese, o homem diante do urso reagiu ao que ele pensou, acreditou ou imaginou ser o ambiente.

As mensagens que chegam do ambiente até nós consistem em impulsos nervosos dos vários órgãos dos sentidos. Tais impulsos são decodificados, interpretados e avaliados no cérebro, chegando ao nosso conhecimento na forma de ideias ou imagens mentais. Em última análise, reagimos a essas imagens.

Agimos e sentimos não de acordo com o que as coisas na verdade são, mas de acordo com nossa imagem mental de como são. Você tem imagens mentais de si mesmo, do seu mundo e das pessoas que o cercam; comporta-se como se essas imagens fossem a verdade, a realidade, e não as coisas que elas representam.

Por exemplo, vamos supor que o homem não tenha encontrado um urso de verdade, mas alguém com uma fantasia de urso. Se ele pensasse e imaginasse o sujeito como um urso, suas reações emocionais e nervosas seriam as mesmas. Ou suponhamos que ele tenha encontrado um enorme cão peludo, confundido com um urso pela imaginação dominada pelo medo. Mais uma vez, ele reagiria automaticamente ao que acreditava ser verdade sobre si mesmo e seu ambiente.

Conclui-se daí que, se nossas ideias e imagens mentais sobre nós mesmos forem distorcidas ou irreais, nossa reação ao ambiente também será inadequada.

POR QUE NÃO IMAGINAR QUE VOCÊ É BEM-SUCEDIDO?

A percepção de que nossas ações, sentimentos e comportamentos resultam de nossas próprias imagens e crenças nos dá a alavanca de que a psicologia sempre precisou para mudar a personalidade; abre uma nova porta psicológica para conquistarmos habilidade, sucesso e felicidade.

Os quadros mentais nos oferecem a oportunidade de praticar novas características e atitudes, o que de outra forma não conseguiríamos. Isso é possível porque, mais uma vez, nosso sistema nervoso não distingue uma experiência real de uma vividamente imaginada. Portanto, se nos imaginarmos atuando de uma determinada maneira, isso será bem semelhante ao ato verdadeiro. A prática mental nos ajuda a alcançar a perfeição.

Em um experimento controlado, o psicólogo R. A. Vandell provou que a prática mental de jogar dardos em um alvo – ou seja, a pessoa se sentar por um período todos os dias diante do alvo e imaginar arremessar dardos nele – melhora tanto a mira quanto o lançamento de dardos de verdade.

A *Research Quarterly* relatou um experimento sobre os efeitos da prática mental no aperfeiçoamento da habilidade do arremesso no basquete. Determinaram-se três grupos de alunos. O primeiro praticou arremesso de bola durante vinte dias, sendo pontuado no dia inicial e no último. O segundo também seguiu o mesmo critério de pontuação, mas sem qualquer tipo de prática. O terceiro grupo foi pontuado no primeiro dia, embora tenha passado vinte minutos diários apenas imaginando que arremessasse a bola. Ao errarem, imaginavam que corrigiam o arremesso.

Estes foram os resultados: o primeiro grupo, com práticas diárias de vinte minutos, melhorou os arremessos em 24%. O segundo, sem qualquer tipo de prática, não apresentou melhora. O terceiro, que praticou tão somente usando a imaginação, melhorou em 23%.

> Randy Sullivan, treinador de uma academia de arremessos, convidou-me para ajudá-lo com o "jogo mental" para seus jogadores de beisebol do ensino médio e do superior, muitos dos quais tinham o objetivo de arremessar a bola a mais de 140 quilômetros por hora. Randy disse: "Quando um atleta está a poucos quilômetros por hora da Terra Prometida, chegar lá é mais uma atividade mental do que física". Presenciei muitos atletas lutando com todas as forças

> para arremessar em tal velocidade, sem êxito. No entanto, depois que lhes ensinei uma série de imagens mentais e exercícios de relaxamento, eles conseguiram relaxar os corpos e atingir a marca de 140 quilômetros. Em seguida, as autoimagens deles, ajustadas à taxa de velocidade, facilitou-lhes atingir tal objetivo. Passados dezoito meses da implementação das técnicas psicocibernéticas, o número de jogadores que ultrapassou 140 quilômetros por hora nas instalações de Randy disparou de 18 para 98.

COMO A PRÁTICA DA IMAGINAÇÃO VENCEU O CAMPEONATO DE XADREZ

A *Reader's Digest* reeditou o artigo do *The Rotarian*, de Joseph Phillips, intitulado "Chess: They Call It a Game" (Xadrez: eles chamam de jogo), no qual o autor relata como o grande campeão de xadrez Capablanca era tão superior a todos os competidores que os especialistas acreditavam que ele nunca seria derrotado. No entanto, acabou perdendo o campeonato para um jogador sem destaque, Alekhine, que não deu indício algum de que representava uma séria ameaça ao excepcional Capablanca.

O mundo do xadrez ficou desconcertado com a virada, que hoje se compararia a um finalista do Golden Gloves[1] derrotando o peso pesado campeão do mundo.

---

1. Golden Gloves, luvas de ouro em português, são competições amadoras de boxe nos Estados Unidos. (N.T.)

Phillips relata que Alekhine treinou para o torneio de modo muito parecido com um boxeador preparando-se para uma luta. Ele se afastou de tudo, parou de fumar e beber e dedicou-se à calistenia, isto é, um conjunto de exercícios físicos que usam apenas o peso do corpo. "Durante três meses, ele jogou xadrez apenas na mente, ganhando força para o momento em que enfrentaria o campeão."

AS IMAGENS MENTAIS TÊM POTENCIAL PARA INCREMENTAR AS VENDAS

Charles B. Roth, autor de *Segredos do fechamento de vendas*, relatou em um de seus livros a maneira como um grupo de vendedores em Detroit colocou em prática uma nova ideia que aumentou as vendas em 100%. Outro grupo, em Nova York, aumentou-as em 150%. E vendedores individuais, usando a mesma ideia, aumentaram as vendas em até 400%.

E a que mágica todos eles recorreram?

Ao *role-playing*, e deve-se aprendê-la para incrementar as vendas.

O que é *role-playing*?

Bem, consiste simplesmente em se imaginar em várias situações de vendas e, em seguida, resolvê-las mentalmente, até que se saiba o que dizer e o que fazer sempre que as situações se materializarem na vida real. É o que se chama de *interpretação de papéis*, ou ensaio comportamental. E a razão pela qual se consegue incrementar as vendas é apenas uma questão de criar situações.

Cria-se uma situação toda vez que se fala com um cliente. Ele diz algo ou faz uma pergunta ou levanta uma objeção. Se você souber como contradizer o que ele diz, ou responder à pergunta, ou lidar com a objeção, conseguirá vender.

Por meio do *role-playing*, à noite, quando estiver sozinho, um vendedor criará essas situações. Ele vai imaginar variados contextos e descobrirá a melhor resposta para todos os casos.

Não importa qual a situação. Prepare-se imaginando você e seu cliente potencial cara a cara. Enquanto ele levanta objeções e cria problemas, você lida de modo adequado com cada situação.

QUADROS MENTAIS POSSIBILITAM UM EMPREGO MELHOR

William Moulton Marston, psicólogo, advogado e inventor (talvez mais lembrado como o criador da Mulher-Maravilha, sob o pseudônimo Charles Moulton), recomendou o que chamou de *prática de ensaio* a homens e mulheres que o procuravam para ajudá-los a progredir na carreira. Se você for enfrentar uma entrevista importante, por exemplo, para um emprego, ele aconselha: planeje a entrevista com antecedência. Repasse na mente todas as várias perguntas que talvez lhe façam. Pense nas respostas. Então ensaie a entrevista mentalmente. Mesmo que não lhe façam nenhuma das perguntas que ensaiou, a prática do ensaio ainda fará maravilhas, vai dar-lhe confiança. E mesmo que na vida real não existam palavras definidas para serem recitadas, como em uma peça de teatro, a prática do ensaio o ajudará a improvisar e reagir espontaneamente a qualquer situação, porque você praticou reagir de modo espontâneo.

"Não seja um ator amador", dizia o Dr. Marston ao explicar que nós sempre desempenhamos algum papel na vida. Por que não selecionar o papel certo, o de uma pessoa de sucesso, e estudá-lo?

Na revista *Your Life*, o Dr. Marston escreveu: "Quase sempre, o próximo passo em sua carreira não deve ser dado sem primeiro conquistar alguma experiência no trabalho para o qual o chamarão. Blefar pode abrir a porta para um trabalho que você desconhece, mas, em nove a cada dez casos, não o impedirá de ser demitido assim que a inexperiência se evidenciar. Só conheço uma maneira de projetar seu conhecimento prático além de sua ocupação atual: o planejamento de ensaios".

UM PIANISTA CONCERTISTA PRATICA "NA CABEÇA"

Artur Schnabel, pianista concertista mundialmente famoso, teve aulas durante apenas sete anos. Ele odiava praticar e quase nunca o fazia no piano real. Quando o questionaram nesse sentido, ele respondeu: "Pratico na minha cabeça".

C. G. Kop, da Holanda, reconhecida autoridade no ensino de piano, recomenda a todos os pianistas que "pratiquem na cabeça" e afirma que uma nova composição deve ser primeiro passada na mente. Deve ser memorizada e tocada em pensamento antes que o pianista inicie a prática no teclado.

Clayton, um violinista virtuoso, convencera-se de que precisava se aposentar, em parte devido a uma lesão no pulso. A prática estava complicada, e isso pesava muito em sua mente. Como ele seria bom sem praticar? Em uma sessão de coaching, pedi-lhe que tocasse violino sem o instrumento. Ele assim o fez e, uma semana depois, brilhou na melhor apresentação de sua vida. Vibrou tanto com sua performance que descartou a ideia da aposentadoria.

A PRÁTICA NA IMAGINAÇÃO PODE MELHORAR
OS RESULTADOS NO GOLFE

A revista *Time* relatou que, quando o campeão de golfe Ben Hogan participava de um torneio, ele ensaiava mentalmente cada tacada pouco antes de realizá-la. Fazia o arremesso em sua imaginação – sentia a cabeça do taco bater na bola exatamente como deveria, sentia-se na performance do *follow-through* perfeito –, só então se aproximava da bola e confiava na memória muscular para realizar o tiro exatamente como havia imaginado.

Alex Morrison, talvez o professor de golfe mais célebre do mundo, elaborou um sistema de prática mental que aprimora as jogadas. Consiste em se sentar em uma poltrona e praticar em pensamento o que ele chamou de "Sete chaves de Morrison". O lado mental do golfe representa 90% do jogo, disse ele, o lado físico, 8%, e o lado mecânico, 2%. Em seu livro *Better Golf Without Practice* (Melhore no golfe sem a prática), Morrison contou como ensinou o comediante e escritor Lew Lehr a alcançar noventa pela primeira vez, sem qualquer prática real.

Morrison fez Lehr sentar-se em uma poltrona na sala de estar e relaxar enquanto lhe demonstrava o balanço correto e lhe dava uma rápida palestra sobre as Chaves de Morrison. Então, instruiu a Lehr que não se engajasse em nenhuma prática real, mas, em vez disso, passasse cinco minutos por dia relaxando na poltrona, visualizando-se testar as Chaves de forma correta.

Vários dias depois, sem nem mesmo qualquer preparação física, Lehr juntou-se aos seus companheiros de jogo e surpreendeu-os com resultados fantásticos.

O ponto central do método Morrison é ter uma visão mental clara da ação correta antes de realizá-la com sucesso. Desse modo,

Morrison possibilitou que Paul Whiteman e muitas outras celebridades melhorassem seus níveis de pontuação.

Johnny Bulla, célebre golfista profissional, escreveu um artigo em que relatou que ter uma imagem mental clara de aonde queria que a bola fosse e o que queria que ela fizesse era mais importante no golfe do que a flexão. A maioria dos profissionais, dizia Bulla, apesar de ter uma ou mais falhas graves de flexão, consegue jogar bem.

Segundo sua teoria, caso imaginasse o resultado final – visse a bola indo aonde queria que fosse – e tivesse a confiança de que ela faria o que se pretendia, o subconsciente assumiria o controle e direcionaria os músculos de modo correto. Se a pegada do taco estivesse errada e a flexão não estivesse na melhor forma, ainda assim o subconsciente direcionaria os músculos para fazer o que fosse necessário para compensar o erro.

O VERDADEIRO SEGREDO DA IMAGEM MENTAL

Homens e mulheres bem-sucedidos sempre recorreram a imagens mentais e práticas de ensaio para chegar ao sucesso. Napoleão, por exemplo, praticou o serviço militar na própria imaginação por muitos anos antes de enfrentar um campo de batalha real. Webb e Morgan, em seu livro *Making the Most of Your Life* (Fazendo o melhor em sua vida), relatam que "as observações que Napoleão redigiu de suas leituras durante anos de estudo, quando impressas, totalizaram quatrocentas páginas. Imaginava-se como comandante e desenhava mapas da ilha de Córsega mostrando não só como posicionaria as defesas, mas também calculando tudo com precisão matemática".

Conrad Hilton imaginava-se administrando um hotel muito antes de comprar o primeiro. Quando criança, ele costumava brincar que era proprietário de hotéis.

Henry Kaiser dizia que cada um de seus empreendimentos industriais foi realizado na imaginação antes de virar realidade. Portanto, não surpreende que a arte da representação mental tenha sido, no passado, às vezes associada à magia.

Entretanto, está na nova ciência da cibernética o *insight* de por que a representação mental produz resultados tão fantásticos e ainda a comprovação de que eles não decorrem da magia, mas do funcionamento natural e normal da mente.

A cibernética considera o cérebro, o sistema nervoso e o sistema muscular humanos como um servomecanismo altamente complexo: uma máquina automática centrada na busca de objetivos, que conduz seu percurso para um alvo ou objetivo usando dados de *feedback* e informações armazenadas e, quando necessário, consegue corrigir de modo automático seu curso.

Como já afirmado antes, esse conceito não significa que você é uma máquina, mas que seu cérebro e corpo físicos funcionam como uma máquina que você opera.

Esse mecanismo criativo automático funciona de apenas um jeito: precisa de um alvo em que disparar. Como afirmou Alex Morrison, devemos primeiro visualizar com clareza uma coisa em nossa mente antes de poder realizá-la. Quando isso acontece, o mecanismo de sucesso criativo assume o controle e executa o trabalho muito melhor do que o faríamos por meio do esforço consciente ou da força de vontade.

Portanto, em vez de nos empenharmos em um esforço consciente para uma ação determinada pela força de vontade, o tempo todo nos preocupando e imaginando tudo que pode dar errado, é preciso que relaxemos, paremos de tentar agir movidos por esforço, imaginemos o alvo que de fato desejamos atingir e, então, deixemos nosso mecanismo de sucesso criativo assumir o controle. Imaginar o resultado final desejado leva você a recorrer ao pensamento positivo. Você não será liberado do esforço e do trabalho, mas usará seu esforço para levá-lo em direção ao seu objetivo e não se perderá no inútil conflito mental que resulta de quando você quer e tenta fazer uma coisa, mas imagina outra para si mesmo.

A DESCOBERTA DO MELHOR EM VOCÊ

O mesmo mecanismo criativo o ajudará a alcançar seu melhor "eu" possível caso forme, em sua imaginação, uma imagem do "eu" que deseja ser e visualize-se nesse novo papel. Aí está uma condição necessária para a transformação da personalidade, independentemente do método de terapia utilizado. De alguma forma, antes que alguém consiga mudar, deve se ver em um novo papel.

Edward McGoldrick, fundador do Departamento de Terapia Alcoólica de Nova York na década de 1940, usou essa técnica como elemento de auxílio para os alcoólatras atravessarem a ponte do antigo para o novo "eu". Todos os dias, ele fazia os alunos fecharem os olhos, relaxarem os corpos e criarem um filme mental de si mesmos, de como gostariam de ser. Nele, as pessoas se veriam sóbrias e responsáveis, de fato aproveitando a vida sem o álcool.

Eu mesmo testemunhei autênticos milagres de transformação da personalidade quando um indivíduo muda a própria autoimagem. Entretanto, hoje estamos apenas no princípio do processo de vislumbrar o potencial poder criativo decorrente da imaginação humana e, particularmente, de nossa autoimagem. Considere as implicações, por exemplo, no seguinte release à imprensa, que apareceu na *Associated Press*:

Apenas se imagine são

SÃO FRANCISCO – Alguns doentes mentais podem melhorar a própria vida e talvez permanecer menos tempo em hospitais apenas imaginando que são normais, relataram dois psicólogos da Administração de Veteranos em Los Angeles.

Os doutores Harry M. Grayson e Leonard B. Olinger disseram à Associação Americana de Psicologia que empregaram essa ideia em 45 homens hospitalizados com distúrbios neuropsiquiátricos.

Primeiro, submeteram os pacientes ao teste de personalidade usual. Depois, solicitaram-lhes que o repetissem e respondessem às perguntas relativas ao que fariam se fossem "uma pessoa exteriormente típica e bem-ajustada".

Três quartos deles apresentaram uma performance aprimorada, com alterações positivas de personalidade.

Para que tais pacientes respondessem às perguntas como "uma pessoa exteriormente típica e bem-ajustada" responderia, tiveram de imaginar como alguém assim agiria. E isso bastou para fazê-los começarem a agir e a se sentirem como alguém bem-ajustado.

Podemos começar a compreender por que o Dr. Albert Edward Wiggam, autor de *Marks of a Clear Mind* (Marcas de uma mente clara) e outros livros sobre a mente, chamou a própria imagem mental de "a energia mais forte dentro de você".

O CONHECIMENTO DA VERDADE SOBRE SI MESMO

O objetivo da psicologia da autoimagem não é criar um "eu" fictício todo-poderoso, arrogante, egoísta e superimportante. Tal imagem é tão inadequada e irreal quanto uma autoimagem negativa. Nosso objetivo é encontrar o "eu" real e alinhar as imagens mentais de nós mesmos com os objetos representados por nossos objetivos. No entanto, é de conhecimento comum entre os psicólogos que a maioria de nós se subestima. Na verdade, inexiste um complexo de superioridade. As pessoas que parecem tê-lo sofrem de sentimentos de inferioridade – o "eu" superior não passa de ficção, um pretexto para esconderem de si e dos outros seus profundos sentimentos de inferioridade e insegurança.

Como podemos saber a verdade sobre nós mesmos? Como podemos fazer uma avaliação verdadeira? Parece-me que aqui a psicologia deve se voltar para a religião. As Escrituras nos dizem que Deus criou o homem "um pouco menor que os anjos" e "o coroaste de glória e honra"; que Deus criou o homem à sua própria imagem. Se realmente acreditamos em um Criador onisciente, todo-poderoso e amoroso, é justo que tiremos algumas conclusões lógicas sobre o que Ele criou – o homem.

Em primeiro lugar, um Criador onisciente e todo-poderoso não criaria produtos inferiores, assim como um mestre da pintura não pintaria telas inferiores. Tal Criador não projetaria intencionalmente sua criação para o fracasso, assim como um fabricante de carros não construiria deliberadamente falhas no veículo. Os fundamentalistas afirmam que o propósito principal e a razão de viver do homem é glorificar a Deus, enquanto os humanistas dizem que o principal propósito do homem é expressar-se plenamente.

Entretanto, se considerarmos a premissa de que Deus é um Criador bondoso, com o mesmo interesse por sua criação que um pai terreno nutre pelos filhos, então me parece que as afirmações dos fundamentalistas e dos humanistas significam a mesma coisa. O que traz mais glória, orgulho e satisfação a um pai do que ver os filhos conquistarem sucesso, expressando habilidades e talentos?

Você já se sentou ao lado do pai de uma estrela do futebol durante um jogo? Jesus expressou o mesmo pensamento quando nos disse que não acendêssemos nossa candeia para colocá-la debaixo da cama, mas que deixássemos nossa luz brilhar "para que vosso Pai seja glorificado". Não acredito que traga alguma glória a Deus quando seus filhos andam por aí com expressões deprimidas, miseráveis, com medo de levantar a cabeça e ser alguém.

Como o Dr. Leslie D. Weatherhead, teólogo cristão e autor de *As três vontades de Deus*, escreveu em *Prescrição para a ansiedade*:

Se... em nossas mentes paira uma autoimagem de alguém derrotado e assombrado pelo medo, devemos nos livrar dela e levantar nossa cabeça. Essa é uma imagem falsa, que precisa desaparecer. Deus nos vê como homens e mulheres em quem, e por meio de quem, pode fazer uma grande obra. Ele nos vê como serenos, confiantes e alegres. Ele nos vê não como vítimas patéticas da vida, mas como mestres da arte de viver; não querendo solidariedade, mas ajudando os outros e, portanto, pensando cada vez menos em nós mesmos; e ainda repletos não de interesse próprio, mas de amor, e riso, e desejo de servir [...]. Olhemos para os "eus" reais que estão se formando no momento em que acreditamos na existência deles. Devemos reconhecer a possibilidade de mudança e acreditar no "eu" que estamos no processo de nos tornar. A velha sensação de desmerecimento e fracasso precisa desaparecer. É falsa, e não devemos acreditar no que é falso.

EXERCÍCIO PRÁTICO

"Mantenha, por algum tempo e com determinação, uma imagem mental de si mesmo e será atraído para ela", afirmou o Dr. Harry Emerson Fosdick, célebre ministro liberal. "Imagine-se vividamente como derrotado, e a vitória se tornará impossível. Imagine-se vividamente como vencedor e estará contribuindo para o sucesso. Uma vida excepcional começa com uma imagem, mantida na imaginação, do que se gostaria de fazer ou ser."

Sua autoimagem atual construiu-se assentada na imaginação, com representações no passado, as quais surgiram de interpretações e avaliações que você experimentou. Agora, use o método que empregou para construir uma autoimagem inadequada e transformá-la em adequada.

Reserve trinta minutos por dia para ficar sozinho e longe de qualquer perturbação. Relaxe e sinta-se o mais confortável possível. Feche os olhos e exercite sua imaginação.

Muitas pessoas descobrem que alcançam resultados mais positivos caso se imaginem sentadas diante de uma grande tela de cinema, assistindo a um filme de si próprias. O importante é tornar as imagens vívidas e detalhadas. É importante que suas imagens mentais se aproximem o máximo possível da experiência real e, para isso, precisa prestar atenção aos pequenos detalhes, visões, sons e objetos em seu ambiente imaginado.

Uma de minhas pacientes recorria a esse exercício para superar o medo de dentista. Ela só teve sucesso quando começou a observar pequenos detalhes na projeção imaginada – o cheiro do antisséptico no consultório, a sensação do couro nos braços da cadeira, a visão das unhas bem cuidadas da dentista enquanto aproximava as mãos da boca da paciente etc.

Os detalhes do ambiente imaginado são muito relevantes neste exercício, porque, para todos os efeitos, você está criando uma experiência prática. Se a imaginação é vívida e detalhada, sua prática equivale a uma experiência real em relação ao sistema nervoso.

É também importante que, durante esses trinta minutos, você se veja agindo e reagindo de modo adequado, de preferência com sucesso. Não importa como agiu ontem. E não tente ter fé de que vai agir do modo ideal amanhã. Seu sistema nervoso cuidará disso no tempo certo, caso continue praticando.

Veja-se agindo, sentindo, sendo como você gostaria de ser. Não diga: "Vou agir deste jeito amanhã", mas sim: "Vou me imaginar agindo deste jeito agora – hoje, durante trinta minutos". Imagine como se sentiria se seu tipo de personalidade já fosse como deseja ser. Se você é reticente e tímido, veja-se movendo-se entre as pessoas com facilidade e equilíbrio, mas se sentindo bem nessa situação. Se você tem medo e ansiedade em certas situações, veja-se agindo com calma e deliberadamente, com confiança e coragem, e sentindo-se comunicativo e confiante, porque agora você assim é.

Esse exercício lhe permite criar novas memórias, ou seja, novos dados armazenados no mesencéfalo e no sistema nervoso central. Ele lhe permite construir uma nova autoimagem. Depois de praticá-lo por um tempo, você se surpreenderá ao descobrir que está agindo de forma diferente, mais ou menos de maneira automática e espontânea — sem passar por um processo penoso. É como deveria ser.

Você não precisa tentar ou esforçar-se agora para se sentir ineficaz e agir de forma inadequada. Seu atual sentimento e ação inadequados são automáticos e espontâneos em razão das memórias, reais e imaginadas, que construiu em seu mecanismo automático. Então, descobrirá que funcionará automaticamente em pensamentos e experiências tanto positivas quanto em negativas.

Algumas pessoas que seguem os princípios da psicocibernética, no início, hesitaram em relação a passar trinta minutos por dia imaginando quem querem ser. E ainda sentiram dificuldade em visualizar um objetivo com clareza. No entanto, quando formavam imagens mentais, descobriam que as mentes divagavam e se autojulgavam com rigidez por isso.

Essencialmente, como qualquer outra coisa, ficar bom em imaginar quem você quer ser demanda prática. Como o campeão olímpico e treinador Dan Gable disse: "O único lugar onde se começa no topo é cavando um buraco". Se a imagem mental não for clara quando você começa, isso não significa que não se tornará mais clara, mais vívida, mais detalhada e mais poderosa a cada momento de prática.

Assim que se iniciar neste método, examine seu corpo em busca de tensão e comece a relaxar conscientemente a cabeça, o tronco, a cintura, as pernas e assim por diante. Por mais estranho que talvez pareça, permita-se sorrir para seu cérebro e corpo, o que ajuda muito a relaxar. Ao começar o processo de relaxamento, concentre-se na respiração profunda. Acompanhe sua inspiração e expiração. Permita que a energia positiva o invada enquanto exala a negativa.

Depois de fazer isso, retorne ao seu passado e selecione uma recordação bem-sucedida, uma ocasião em que você fez alguma coisa que lhe trouxe a sensação de bem-estar. De novo, isso pode ser tão simples quanto amarrar o cadarço dos sapatos pela primeira vez ou escrever seu nome na escola.

A época em que aconteceu é irrelevante. A intensidade do sucesso também não importa. Importa apenas que a memória gere em você uma experiência positiva, feliz e de bem-estar. Repita e reviva a memória positiva; em seguida, vá para o futuro e imagine como você quer sentir o mesmo que vivenciou no passado. Acrescente emoção às imagens mentais que visualiza. Caso sua mente divague, não se aborreça nem seja rígido consigo. Relaxe e imagine mais uma vez. Sempre que sua mente divagar, traga-a de volta. Sem problemas.

E o tempo de trinta minutos? Talvez você experimente resultados positivos dedicando-se a esta prática por cinco ou dez minutos por dia. Visualizações que não se prolongam por mais de dez a quinze minutos também podem desencadear mudanças extraordinárias.

O mais importante está na periodicidade diária da prática. Uma vez que você cultivar esse hábito e estiver vendo e sentindo os resultados, será fácil encontrar mais tempo.

PONTOS-CHAVE PARA RELEMBRAR

Resuma aqui:

1. ....
....
....
....
....

2. ....
....
....
....
....

3. ....
....
....
....
....

4. ....
....
....
....
....

5. ....
....
....
....
....

HISTÓRICO DE CASO

Redija uma experiência pessoal explicada pelos princípios apresentados neste capítulo:

....

....

....

....

....

....

....

....

....

....

....

....

....

....

....

....

....

....

....

....

....

....

....

QUATRO

"Desipnotização" das falsas crenças

O Dr. Alfred Adler, psicoterapeuta e fundador da escola de psicologia individual, viveu uma experiência quando criança que ilustra o poder da crença no comportamento e na habilidade do indivíduo. Ele teve maus resultados em aritmética, e sua professora se convenceu de que o garoto era "burro para matemática". Então informou tal *fato* aos pais de Adler e disse-lhes que não esperassem muito do garoto. Eles também se convenceram. Adler aceitou passivamente a avaliação, comprovada pelas avaliações em aritmética. Um dia, porém, em um súbito *insight* de percepção, pensou ter visualizado como resolver um problema que a professora transcrevera na lousa e que nenhum dos outros alunos conseguia resolver. Disse isso à professora, e ela e o restante da turma riram. Então, indignado, caminhou até o quadro-negro e, para espanto geral, resolveu o problema. Com isso, percebeu ser capaz de entender aritmética. Sentiu uma nova confiança na própria capacidade e tornou-se um bom aluno na disciplina.

A experiência do Dr. Adler foi muito parecida com a de um paciente meu, alguns anos atrás, um empresário que desejava dominar a arte de falar em público porque queria transmitir sua experiência muito bem-sucedida em um assunto complicado. Apesar da voz adequada e do tema importante, não conseguia se expressar, bloqueado pela crença de que não conseguiria fazer uma boa palestra nem cativar o público, simplesmente porque acreditava que sua aparência não se assemelhava à de um executivo de sucesso. Essa crença se incorporara nele tão profundamente que o bloqueava toda vez que se levantava para falar diante de um grupo de pessoas. Equivocadamente concluiu que, se fizesse uma cirurgia para melhorar a aparência, conseguiria a confiança de que precisava. Uma cirurgia talvez surtisse esse efeito, ou talvez não... Minha experiência com outros pacientes mostrou que transformação física nem sempre garante mudança na personalidade. O homem só resolveu o problema quando se convenceu de que sua crença negativa o impedia de compartilhar as informações importantes de que dispunha. Conseguiu substituir a crença negativa por uma crença positiva: a de que a mensagem que só ele podia transmitir era tão importante que sua aparência não tinha relevância. No devido tempo, foi um dos palestrantes mais requisitados do mundo dos negócios. A única mudança ocorrida se assentou em sua crença e em sua autoimagem.

Agora, o ponto que quero enfatizar é o seguinte: Adler foi hipnotizado por uma falsa crença sobre si. Não de modo figurativo, mas literal – realmente hipnotizado. Lembre-se de que dissemos no capítulo anterior que o poder da hipnose é o poder da crença. Vou repetir aqui a explicação do Dr. Barber sobre o poder da hipnose: "Descobrimos que pessoas hipnotizadas são capazes de fazer coisas surpreendentes apenas quando convencidas de que as palavras do hipnotizador são verdadeiras [...]. Conforme o hipnotizador as guia até o ponto em que se convencem de que as palavras dele são declarações verdadeiras, elas se comportam de modo diferente porque pensam e acreditam de modo diferente".

O importante a saber é que pouco importa como se teve a ideia ou de onde ela veio. Você pode nunca ter encontrado um hipnotizador profissional, nunca ter sido formalmente hipnotizado. No entanto, se aceitou uma ideia – sua, de seus professores, seus parentes, amigos, de anúncios ou qualquer outra fonte – e, além disso, se está convencido de que essa ideia é verdadeira, ela tem o mesmo poder que as palavras do hipnotizador têm sobre o sujeito hipnotizado.

Pesquisas científicas mostraram que a experiência do Dr. Adler não foi uma em um milhão, mas típica de quase todos os alunos com notas baixas. No primeiro capítulo, contamos como Prescott Lecky trouxe uma melhora quase milagrosa nas avaliações de crianças em idade escolar, mostrando-lhes como mudar sua autoimagem. Após milhares de experimentos e muitos anos de pesquisa, Lecky concluiu que notas baixas na escola são, em quase todos os casos, devidas à autoconcepção e autodefinição dos alunos. Tais estudantes foram hipnotizados por ideias como "sou burro", "tenho uma personalidade fraca", "sou ruim em aritmética", "sou por natureza ruim em ortografia", "sou feio", "não tenho uma mente do tipo mecânico" etc. Com esses tipos de autodefinição, o aluno tinha que tirar notas baixas para ser fiel a si mesmo. Tirar notas baixas se tornou inconscientemente uma questão moral. Do seu ponto de vista, tirar notas altas seria tão errado quanto roubar, caso tivesse se definido como uma pessoa honesta.

O CASO DO VENDEDOR HIPNOTIZADO

No livro *Secrets of Successful Selling* (Segredos de um vendedor bem--sucedido), John D. Murphy relata como Elmer Wheeler usou a teoria de Lecky para fomentar os ganhos de um vendedor:

Elmer Wheeler foi admitido para atuar em uma empresa como consultor de vendas. O gerente de vendas chamou sua atenção para um caso singular. Um vendedor sempre conseguia ganhar quase 5 mil dólares por ano, não importando a região que lhe atribuíssem ou a comissão que recebesse.

Por ter se saído bem em uma região pequena, o vendedor recebeu uma região maior e melhor. Mas, no ano seguinte, sua comissão foi quase igual à que havia recebido na anterior: 5 mil dólares. No outro ano, a empresa aumentou a comissão de todos os vendedores, mas o sujeito continuou nos 5 mil dólares. Designado para uma das regiões mais pobres da empresa, novamente ganhou os usuais 5 mil dólares.

Conversando com ele, Wheeler descobriu que o problema não estava nas regiões, mas na autoavaliação do vendedor. Ele se considerava um homem que ganhava 5 mil dólares por ano, e, enquanto mantivesse esse conceito de si, as condições externas não importariam muito.

Quando o designaram para uma região pobre, trabalhou duro para atingir os 5 mil. Quando lhe atribuíam uma boa região, encontrava todos os tipos de subterfúgios quando atingia os 5 mil. Certa vez, ao atingir tal objetivo, adoeceu e não pôde mais trabalhar naquele ano, embora os médicos não encontrassem nada de errado com ele, e milagrosamente se recuperou no primeiro dia do ano seguinte.

COMO UMA FALSA CRENÇA ENVELHECEU UM HOMEM

Em um livro anterior, *Adventures in Staying Young* (As aventuras de se permanecer jovem), apresentei um histórico detalhado de como o Sr. Russell (pseudônimo), em razão de uma ideia falsa, envelheceu vinte anos quase da noite para o dia e recuperou a juventude tão rapidamente ao aceitar a verdade.

Resumindo, a história é esta: fiz uma cirurgia no lábio inferior do Sr. Russell por um valor irrisório, sob a condição de que ele dissesse à namorada que a operação lhe custara todas as economias da vida. A namorada não fazia objeção a ele gastar dinheiro com ela, mas dizia que, apesar de amá-lo, nunca se casariam devido ao lábio inferior proeminente dele. No entanto, quando o Sr. Russel a lembrou do que dizia e exibiu com orgulho o novo lábio, a moça reagiu exatamente como eu esperava, mas não como o Sr. Russell previra. Histérica, chamou-o de tolo por ter gastado todo o dinheiro e lhe disse em termos inequívocos que nunca o amara e jamais o amaria, que apenas o fizera de otário enquanto tinha dinheiro para gastar com ela. Assim, foi mais longe do que eu esperava. Em sua cólera, afirmou também que estava lançando uma maldição sobre ele.

O Sr. Russell e a namorada haviam nascido em uma ilha nas Índias Ocidentais, na qual o vodu era praticado por pessoas simplórias e supersticiosas. A família dele era muito abastada, com sólida formação cultural, e ele tinha curso superior. Quando, no auge da raiva, a moça o amaldiçoou, ele se sentiu desconfortável, mas não deu muita importância.

No entanto, pouco tempo depois, reviveu a cena ao sentir um pequeno e estranho inchaço no interior do lábio. Um amigo que sabia da discussão insistiu que ele se consultasse com um certo Dr. Smith, que prontamente o assegurou de que o inchaço era o temido "inseto africano", que lentamente lhe consumiria toda vitalidade e força. Preocupado, o Sr. Russel passou a procurar sinais de falta de energia e não tardou a encontrá-los: perda de apetite e de sono.

Eu soube de tudo isso quando ele voltou ao meu consultório várias semanas depois que lhe dei alta. Minha enfermeira não o reconheceu, e não era de se admirar. O Sr. Russell que vira antes era um sujeito impressionante – lábios um pouco grandes demais, assim como ele todo. Media cerca de um metro e noventa, físico de atleta e porte e maneiras que revelavam dignidade interior e lhe conferiam uma personalidade magnética. Parecia exalar uma vitalidade animalesca.

No entanto, o homem parecia ter envelhecido pelo menos vinte anos. As mãos tremiam como as de um idoso. Os olhos e as bochechas estavam encavados. Perdera talvez trinta quilos. As mudanças todas indicavam o processo que a ciência médica, por falta de um nome melhor, chama de *envelhecimento*.

Após examiná-lo, assegurei ao Sr. Russell que poderia livrá-lo do "mal do inseto africano" em menos de trinta minutos e assim o fiz. O inchaço responsável por todo o problema era apenas um fragmento de tecido cicatricial da operação. Depois de removê-lo, mostrei-o ao Sr. Russel, que suspirou aliviado e pareceu passar por uma mudança quase imediata na postura e expressão. O importante foi ele ter visto a verdade e acreditado nela.

Semanas depois, recebi uma bela carta do Sr. Russell, acompanhada por uma fotografia dele com a esposa, seu amor de infância. Ele voltara à terra natal, onde havia se casado. O homem na foto era o primeiro Sr. Russell, rejuvenescido novamente da noite para o dia. Uma falsa crença o envelhecera vinte anos. A verdade não apenas o libertou do medo e restaurou sua confiança, mas também reverteu o processo.

Se vissem o Sr. Russell como eu vi, antes e depois, nunca mais teriam dúvidas sobre o poder da crença ou de que uma ideia aceita como verdadeira, não importa a fonte, possa ser tão poderosa quanto a hipnose.

TODO MUNDO ESTÁ HIPNOTIZADO?

Não é exagero dizer que, até certo ponto, todo ser humano está hipnotizado, seja por ideias que aceitou acriticamente de outros, seja por ideias que repetiu para si mesmo e se convenceu de que são verdadeiras. Essas ideias negativas têm o mesmo efeito em nosso comportamento que as ideias negativas implantadas na mente de uma pessoa sob efeito de um hipnotizador profissional. Você já viu uma demonstração de hipnose? Se não, deixe-me descrever apenas alguns dos fenômenos mais simples que resultam da sugestão do hipnotizador.

Ele diz a um jogador de futebol que sua mão está grudada na mesa e que ele não consegue levantá-la. A questão não é o jogador não tentar, mas o fato de ele simplesmente não conseguir. Tenta e se esforça até que os músculos do braço e ombro percam a força, ainda que a mão permaneça firmemente encravada na mesa.

O hipnotizador diz a um campeão halterofilista que ele não consegue levantar um lápis. E, embora levante um peso de duzentos quilos acima da cabeça, ele agora não consegue levantar o pequeno objeto.

Por mais curioso que seja, nos casos relatados, a hipnose não debilita os atletas, que continuam fortes como sempre. Mas, sem perceber de forma consciente, eles trabalham contra si mesmos. Por um lado, tentam levantar a mão, ou o lápis, por esforço voluntário e contraem os músculos adequados. Mas, por outro, a ideia infligida por "você não consegue fazer isso" faz com que músculos contrários se contraiam independentemente de sua vontade. A ideia negativa os leva a derrotarem a si mesmos – não conseguem expressar ou colocar em jogo a força real de que dispõem.

A força de preensão palmar de um terceiro atleta foi testada em um dinamômetro e descobriu-se que era de 45 quilos. Todo o seu esforço e empenho não conseguiram mover a agulha além dessa marca. Agora, hipnotizado, lhe disseram: "Você está muito, muito forte. Mais forte do que nunca. Muito, muito mais forte. Está até surpreso com sua força". Repetido o teste, ele, sem maior esforço, fez com que a agulha chegasse à marca de 57 quilos.

Mais uma vez, talvez soe estranho, mas a hipnose não acrescentou nada à força real. Foi a sugestão hipnótica que levou o atleta a superar uma ideia negativa que antes o impedia de usar toda a sua força. Em outras palavras, o atleta em estado desperto se impôs uma limitação pela crença negativa de que só conseguia chegar a 45 quilos. Coube ao hipnotizador eliminar esse bloqueio mental e permitir ao atleta expressar sua verdadeira força. A hipnose o "desipnotizou" temporariamente das crenças autolimitantes que impunha a si mesmo.

Como disse o Dr. Barber, é muito fácil supor que o próprio hipnotizador tenha algum poder mágico quando se veem coisas milagrosas acontecerem durante uma sessão hipnótica. O gago fala fluentemente. O tímido, retraído e reservado Caspar Milquetoast[2] torna-se extrovertido, equilibrado e faz um discurso emocionante. Outro que não é bom em somar números, usando lápis e papel, multiplica, de cabeça, dois números de três dígitos. Aparentemente, tudo isso acontece apenas porque o hipnotizador lhes diz que conseguem e os motiva a ir em frente que terão êxito.

Para os espectadores, as palavras do hipnotizador têm um poder mágico. Mas não é isso. O poder, a capacidade básica, de fazer essas coisas estava inerente aos hipnotizados o tempo todo, mesmo antes

---

2. Caspar Milquetoast é um personagem de história em quadrinhos criado por H. T. Webster para sua série de desenhos animados *The Timid Soul*. Webster descreveu Caspar Milquetoast como "o homem que fala baixinho e é atingido por um grande pedaço de pau". O nome do personagem é derivado de um alimento sem graça e bastante inofensivo, a torrada de leite, que, leve e fácil de digerir, é apropriada para alguém com estômago fraco ou nervoso. (N.T.)

de conhecerem o hipnotizador. No entanto, eram incapazes de usar esse poder por desconhecerem que o possuíam. Suas crenças negativas o encarceraram e o sufocaram. Sem perceber, hipnotizaram-se acreditando não conseguir fazer tais coisas. Seria mais verdadeiro dizer que o hipnotizador os "desipnotizou" em vez de os hipnotizar.

Em seu íntimo, quem quer que você seja, sem importar o fracasso que imagine ser, existe a capacidade e o poder de fazer o que for necessário para ser feliz e bem-sucedido. Dentro de você agora está o poder de fazer coisas que nunca sonhou serem possíveis. Esse poder aflora assim que se consegue mudar suas crenças, tão rápido quanto você pode se desipnotizar das ideias autolimitantes de "não posso", "não sou digno", "não mereço" e outras.

A CURA DO COMPLEXO DE INFERIORIDADE

Pelo menos 95% das pessoas têm suas vidas, até certo ponto, marcadas por sentimentos de inferioridade. Para milhões, esse sentimento constitui um sério entrave para o sucesso e a felicidade.

Em certo sentido, essa palavra implica que cada pessoa na face da Terra é inferior a alguma ou a outras pessoas. Sei que não posso levantar tanto peso quanto Paul Anderson, arremessar sete quilos tão longe quanto Parry O'Brien ou dançar tão bem quanto Arthur Murray, mas isso não me desperta sentimentos de inferioridade ou destroça minha vida. Apenas não me comparo com eles nem me sinto ser inferior apenas porque não consigo fazer certas coisas com tanta habilidade ou tão bem quanto eles. Também sei que, em algumas áreas, todas as pessoas que conheço, desde o jornaleiro da esquina até um presidente de banco, são superiores a mim. Mas nenhuma delas consegue reparar um rosto cheio de cicatrizes ou fazer muitas outras coisas tão bem quanto eu. E tenho certeza de que não se sentem inferiores por causa disso.

Sentimentos de inferioridade não se originam tanto de fatos ou experiências, mas de nossas conclusões sobre fatos e nossa avaliação de experiências. Por exemplo, é fato que sou inferior em levantamento de peso e como dançarino, mas isso não me torna uma pessoa inferior. A incapacidade de Paul Anderson e Arthur Murray de realizar cirurgias os torna inferiores como cirurgiões, mas não como pessoas. Tudo depende de quais e de quem são as normas pelas quais nos avaliamos.

Não é saber da nossa inferioridade em habilidade ou conhecimento o que nos provoca um complexo de inferioridade e interfere em nossa vida. É o sentimento de inferioridade.

E esse sentimento ocorre apenas por uma razão: julgamo-nos e nos mensuramos não segundo nossa própria norma, mas segundo a norma de outra pessoa. Quando fazemos isso, sempre, sem exceção, ficamos em segundo lugar. Mas por pensarmos, acreditarmos e presumirmos que devemos estar à altura da norma de outra pessoa, acabamos nos sentindo infelizes, de segunda categoria, e concluímos que existe alguma coisa errada conosco. A próxima conclusão lógica nesse processo distorcido de raciocínio é a de que não somos "dignos"; que não merecemos o sucesso, a felicidade, e que seria fora de propósito expressarmos plenamente nossas próprias habilidades e talentos, sejam quais forem, sem darmos desculpas ou sem nos sentirmos culpados por isso.

Tudo isso acontece porque nos deixamos hipnotizar pela ideia errônea de que deveríamos ser como fulano ou como todo mundo. Se analisada, a falácia da segunda ideia pode ser facilmente percebida, pois na verdade não há padrões fixos comuns a todos os outros. "Todo mundo" é composto de indivíduos, e não há dois iguais.

A pessoa com complexo de inferioridade invariavelmente agrava o erro ao lutar por superioridade. Seus sentimentos afloram da falsa premissa de que é inferior e, a partir daí, toda uma estrutura de pensamento lógico e sentimento é construída. Se ela se sente mal por ser inferior, o jeito é se tornar tão boa quanto todos os outros, e a maneira de se sentir bem é tornar-se superior. Essa luta pela superioridade a coloca em mais problemas, causa mais frustração e, às vezes, provoca uma neurose antes inexistente. Ela se torna mais miserável do que nunca e, quanto mais tenta, mais miserável se sente.

Inferioridade e superioridade são lados opostos da mesma moeda. A cura está em perceber que a própria moeda é espúria.

A verdade é:

Você não é inferior.
Você não é superior.
Você é simplesmente você.

Você, como personalidade, não está em competição com nenhuma outra personalidade simplesmente porque não existe mais ninguém na face da Terra como você. Você é um indivíduo. É único. Não é como qualquer outra pessoa e nunca se tornará como qualquer outra pessoa. Você não deveria ser como qualquer outra pessoa, e nenhuma outra pessoa deveria ser como você.

Deus não criou uma pessoa padrão e, de alguma forma, a rotulou dizendo "é isso". Fez cada ser humano individual e único, assim como fez cada floco de neve individual e único.

Deus criou pessoas baixas e altas, grandes e pequenas, magras e gordas, negras, amarelas, vermelhas e brancas. E nunca indicou preferir qualquer tamanho, forma ou cor. Abraham Lincoln disse uma vez: "Deus deve ter amado as pessoas comuns, pois fez muitas delas". Ele estava errado. Não existe um "homem comum" – um padrão comum e normalizado. Estaria mais perto da verdade se dissesse: "Deus deve ter amado as pessoas incomuns, pois fez muitas delas".

"Complexo de inferioridade" – e consequente redução de desempenho – pode ser simulado em experiências psicológicas. Tudo de que se precisa é estabelecer uma norma ou média e, então, convencer quem se está testando de que ele não está à altura delas. De acordo com um relatório da *Science Digest*, um psicólogo, no intuito de descobrir como os sentimentos de inferioridade afetavam a capacidade de resolução de problemas, dava aos alunos alguns testes de rotina e anunciava de modo solene que uma pessoa *mediana* poderia finalizá-los em cerca de um quinto do tempo que de fato era esperado. Quando, no decorrer do teste, tocava um sinal indicando que o tempo do homem médio havia acabado, alguns dos alunos mais brilhantes ficavam muito nervosos e se tornavam incompetentes, achando-se estúpidos.

Pare de se mensurar pelos padrões alheios. Você não é um deles e nunca vai poder atingi-los. Tampouco eles podem atingir os seus – e nem deveriam. Ao enxergar essa verdade simples e evidente, aceitá-la e acreditar nela, seus sentimentos de inferioridade desaparecerão.

O psiquiatra Dr. Norton L. Williams, discursando em uma convenção médica, disse que a ansiedade e a insegurança do homem moderno se originam da falta de autorrealização, enquanto a segurança interior só pode ser conquistada "encontrando em si mesmo uma individualidade, unicidade e particularidade semelhante à ideia de ser criado à imagem de Deus". Afirmou também que se pode alcançar a autorrealização por meio de "uma simples crença na própria singularidade como ser humano, um senso de ampla e profunda consciência de todas as pessoas e coisas, e um sentimento de influência construtiva de outros por meio da sua própria personalidade".

Maxwell Maltz

COMO USAR O RELAXAMENTO PARA DESIPNOTIZAR

O relaxamento físico desempenha um papel fundamental no processo de desipnotização. Nossas crenças, boas ou ruins, verdadeiras ou falsas, foram formadas sem esforço, sem tensão e sem o exercício da força de vontade. Nossos hábitos, bons ou ruins, foram formados da mesma maneira. Portanto, devemos empregar o mesmo processo na formação de novas crenças ou de novos hábitos – isto é, uma condição de relaxamento.

Tem sido amplamente demonstrado que o emprego de esforço ou força de vontade para mudar crenças ou curar maus hábitos desencadeia um efeito adverso, não benéfico. Émile Coué, farmacêutico francês que surpreendeu o mundo por volta de 1920 com os resultados que obteve com o poder da autossugestão, insistiu que o esforço era o grande motivo pelo qual a maioria das pessoas não conseguia utilizar seus poderes interiores. "Suas sugestões (objetivos ideais) devem ser feitas sem esforço para que sejam eficazes", disse. Outra famosa expressão de Coué foi o princípio do esforço reverso: "Quando a vontade e a imaginação estão em conflito, a imaginação invariavelmente vence".

O Dr. Knight Dunlap, psicólogo e ex-presidente da Associação Americana de Psicologia, estudou hábitos e processos de aprendizagem e talvez tenha realizado mais experimentos nessa área do que qualquer outro psicólogo. Seus métodos conseguiram curar hábitos como roer unhas e chupar o dedo, além de tiques faciais e de outros tipos mais sérios em que outros métodos falharam.

O cerne de seu sistema foi a descoberta de que o esforço constituía o único grande impedimento para abandonar um mau hábito ou aprender um novo. Em outras palavras, ele descobriu que o esforço de evitar um hábito o reforçava. Seus experimentos provaram que a melhor maneira de abandonar um hábito é a formação de uma imagem mental clara do resultado final desejado e a prática sem esforço para atingir esse objetivo. E também descobriu que tanto a prática positiva (abster-se do hábito) quanto a "prática negativa" (praticar o hábito de forma consciente e voluntária) teriam um efeito benéfico desde que o resultado final desejado fosse mentalizado constantemente.

"Se uma resposta ao hábito deve ser aprendida, ou se um padrão de resposta deve se tornar habitual", Dr. Dunlap escreveu em seu livro *Personal Adjustment* (Ajuste pessoal), "é essencial que quem está aprendendo tenha uma ideia da resposta que deve ser alcançada ou uma ideia da mudança que a resposta produzirá no ambiente [...]. Em resumo, o importante na aprendizagem é mentalizar um objetivo a ser alcançado, seja como um padrão de comportamento específico, seja como o resultado do comportamento em conjunto com o desejo de alcançar o objetivo".

Muitas vezes, o mero relaxar do esforço ou do empenho consciente basta para erradicar o padrão de comportamento negativo. O Dr. James S. Greene, fundador do Hospital Nacional de Distúrbios da Fala, na cidade de Nova York, tinha um lema: "Quando eles conseguem relaxar, conseguem falar". Dr. Matthew N. Chappell destacou, em seu livro *Domine suas preocupações*, que muitas vezes o esforço ou a força de vontade usados para combater ou resistir à preocupação perpetuam-na e a mantêm atuando.

O relaxamento físico, quando praticado no dia a dia, é acompanhado por um relaxamento mental e um comportamento tranquilo que nos permitem um melhor controle consciente de nosso mecanismo automático. O relaxamento físico, por si só, também tem uma poderosa influência em nos desipnotizar de atitudes negativas e padrões de reação.

EXERCÍCIO PRÁTICO

COMO USAR IMAGENS MENTAIS PARA RELAXAR?

Pratique por pelo menos trinta minutos todos os dias.

Sente-se de modo confortável em uma poltrona ou deite-se de costas. Conscientemente, relaxe os vários grupos musculares o máximo possível, sem fazer muito esforço. Apenas conscientemente preste atenção às várias partes do seu corpo e relaxe um pouco. Você verá que sempre consegue relaxar de forma voluntária até certo ponto. Consegue parar de franzir a testa e deixá-la relaxar. Consegue aliviar um pouco a tensão das mandíbulas. Deixe mãos, braços, ombros e pernas ficarem um pouco mais relaxados.

Aguarde cerca de cinco minutos assim e depois pare de prestar atenção aos seus músculos. É só até aí que vai tentar chegar pelo controle consciente. De agora em diante, você relaxará cada vez mais usando seu mecanismo criativo para automaticamente buscar uma condição relaxada. Em resumo, você usará imagens de objetivos, mantidas na imaginação, e deixará seu mecanismo automático realizar esses objetivos para você.

Imagem mental 1

Mentalmente, veja-se deitado na cama. Forme uma imagem de suas pernas como se fossem de concreto. Veja-se deitado com duas pernas de concreto muito pesadas. Veja essas pernas afundando no colchão. Agora imagine seus braços e mãos também feitos de concreto, muito pesados, afundando na cama e exercendo uma pressão tremenda contra ela. Veja um amigo entrar no cômodo e tentar levantar essas pernas. Ele segura os pés e tenta levantá-los, mas são muito pesados; ele não consegue. Repita isso com braços, pescoço etc.

Imagem mental 2

Seu corpo é um grande boneco de marionete. Fios frouxos estão amarrados entre suas mãos e seus pulsos. Seu antebraço está conectado por um fio frouxo ao seu braço. Seu braço está conectado por um fio frouxo ao seu ombro. Seus pés, panturrilhas, coxas também estão conectados com um único fio. Seu pescoço é um fio frouxo. Os fios que controlam sua mandíbula e mantêm seus lábios juntos afrouxaram e se esticaram a tal ponto que seu queixo caiu largado contra o peito. Todos esses vários fios que conectam as várias partes do seu corpo estão soltos e moles, e seu corpo está apenas esparramado sobre a cama.

Imagem mental 3

Seu corpo consiste em uma série de balões de borracha inflados. Duas válvulas se abrem em seus pés, e o ar começa a escapar de suas pernas. Elas começam a esvaziar até que se tornam apenas tubos de borracha vazios, largados sobre a cama. Em seguida, uma válvula é aberta em seu peito e, à medida que o ar escapa, todo o seu tronco começa a esvaziar contra a cama. Continue para os braços, cabeça e pescoço.

Imagem mental 4

Muitas pessoas acharão este o mais relaxante de todos. Basta buscar na memória alguma cena relaxante e agradável do passado. Há sempre algum momento na vida de todos em que nos sentimos relaxados, à vontade e em paz com o mundo. Escolha essa imagem e busque pormenores da lembrança. A sua pode ser uma cena pacífica em um lago de montanha, onde foi pescar. Nesse caso, preste atenção especial às pequenas coisas no ambiente. Lembre-se das ondulações tranquilas na água. Que sons escutou? Você ouviu o suave farfalhar das folhas? Talvez se lembre de sentar-se perfeitamente relaxado, e um pouco sonolento, diante de uma fogueira a céu aberto há muito tempo. A lenha estalava e faiscava? Que outras visões e sons se destacavam ali? Talvez sua escolha seja se lembrar de relaxar em uma praia. Como foi a sensação da areia contra o seu corpo? Sentiu o sol quente e relaxante tocar seu corpo quase como uma coisa física? Uma brisa soprando? Havia gaivotas na praia? Quanto mais detalhes você conseguir lembrar e imaginar para si mesmo, mais bem-sucedido será.

A prática diária tornará essas imagens mentais, ou lembranças, cada vez mais nítidas. O efeito da aprendizagem também será cumulativo. A prática fortalecerá o elo entre a imagem mental e a sensação física. Você se tornará cada vez mais proficiente em relaxamento, e isso será lembrado em futuras sessões.

> Ao deitar-se para praticar, muitos adormecem. Se você adormecer, não terá o mesmo nível de benefícios. Devido ao meu treinamento em artes marciais em Tai Chi e Qi Gong, prefiro fazer todos os exercícios sentado ou em pé. Em qualquer posição, usando sua imaginação e relaxando,

você ainda pode fazer com que suas pernas, braços e todo o corpo fiquem pesados. Você também pode deixar o ar sair das válvulas e inflar ou desinflar suas várias partes do corpo, como balões.

Isso exclui a prática de deitar? De forma alguma. Uma vez que você esteja fundamentado nessas técnicas, poderá praticar em outras posições. No entanto, se estiver se sentindo fraco ou indisposto, praticar enquanto está deitado é o ideal.

Você poderá experimentar resultados positivos rapidamente, em apenas dez minutos, ainda mais quando se soltar e realmente se permitir relaxar. Uma vez adquirido o hábito diário, trinta minutos bastarão.

Muitas pessoas começam com uma prática matinal. Depois de um mês ou mais, podem naturalmente passar para uma rotina de duas vezes ao dia.

Alguns acham que os melhores momentos para praticar são logo ao acordar e antes de dormir, momentos em que cérebro e sistema nervoso são mais susceptíveis a novas sugestões. No entanto, se houver apenas tempo durante a hora do almoço ou em uma pausa programada durante o dia, fazê-lo é muito melhor do que não praticar por estar muito cansado ao acordar ou pouco antes de dormir.

A prática diária é a chave para obter resultados. Evite julgar a si mesmo neste processo. Independentemente de onde começar, você melhorará com a prática.

PONTOS-CHAVE PARA RELEMBRAR

Resuma aqui:

1. ....

2. ....

3. ....

4. ....

5. ....

HISTÓRICO DE CASO

Redija uma experiência pessoal explicada pelos princípios apresentados neste capítulo:

CINCO

Modos de utilização do poder do pensamento racional

Muitos de meus pacientes ficam desapontados quando lhes prescrevo um método tão simples quanto usar o poder da razão dado por Deus para mudarem crenças e comportamentos negativos. Para alguns, parece um caminho bastante ingênuo e não científico. No entanto, há uma vantagem: funciona. E, como veremos mais adiante, o método se baseia em sólidas descobertas científicas. Existe uma falácia amplamente aceita de que o pensamento racional, lógico e consciente não exerce poder sobre processos ou mecanismos inconscientes – e que, para mudar crenças, sentimentos ou comportamentos negativos, é necessário cavar e desenterrar material do inconsciente.

Nosso mecanismo automático, ou o que os freudianos chamam de *inconsciente*, é impessoal, funciona como uma máquina e não tem vontade própria. Ele sempre tenta reagir de modo apropriado às nossas crenças e interpretações correntes sobre o meio ambiente. Sempre procura nos dar sentimentos apropriados para atingir os objetivos que conscientemente determinamos. E funciona apenas com os dados com que o alimentamos na forma de ideias, crenças, interpretações e opiniões.

O pensamento consciente constitui o botão de controle da máquina inconsciente. Foi por meio dele, ainda que talvez irracional e irrealista, que a máquina inconsciente desenvolveu padrões de reação negativos e inadequados, e é por meio do pensamento racional consciente que se podem afetar os padrões de reação automática.

O Dr. John A. Schindler, autor de *Como viver 365 dias por ano* e responsável pela introdução do conceito de doença emocionalmente induzida, ficou conhecido por seu notável sucesso em ajudar pessoas infelizes e neuróticas na recuperação da alegria de viver e na conquista de uma vida produtiva e feliz, alcançando um percentual de curas que excedeu em muito a da psicanálise.

Um dos elementos fundamentais para o método de tratamento proposto por ele era o controle consciente do pensamento. "Independentemente das omissões e comissões do passado", disse ele, "uma pessoa tem de começar no presente para conquistar alguma maturidade e, assim, tornar o futuro melhor que o passado. O presente e o futuro dependem do aprendizado de novos hábitos e de novas formas de encarar velhos problemas. Apenas não há futuro em cavar continuamente o passado [...]. O problema emocional subjacente tem o mesmo denominador comum em todos os pacientes: eles esqueceram, ou talvez nunca tenham aprendido, o controle do pensamento atual para produzir o prazer da vida".

NÃO CUTUQUE A ONÇA COM VARA CURTA

O fato de existirem, enterradas no inconsciente, lembranças de fracassos passados, experiências desagradáveis e dolorosas, não significa que elas devam ser desenterradas, expostas ou examinadas para que ocorram mudanças de personalidade. Como apontamos antes, todo aprendizado de habilidades é realizado por tentativa e erro: uma tentativa, erramos o alvo, lembramos conscientemente o grau de erro e fazemos a correção na próxima tentativa, até chegarmos a um acerto ou tentativa bem-sucedida. O padrão de reação bem-sucedido é então lembrado e imitado em tentativas futuras.

Isso vale, por exemplo, para um homem que está aprendendo a jogar ferraduras, dardos ou golfe, a cantar, dirigir um carro, conviver socialmente com outros seres humanos ou qualquer outra habilidade. Também vale para um rato aprendendo seu caminho através de um labirinto. Assim, em todos os servomecanismos, por sua própria natureza, existem memórias de erros passados, fracassos, vivências dolorosas e negativas. Tais experiências não inibem, mas contribuem para o processo de aprendizagem, desde que utilizadas adequadamente como dados de *feedback* negativo e entendidas como desvios do objetivo positivo desejado.

No entanto, assim que o erro for reconhecido e a correção de curso feita, é também importante que o erro seja conscientemente esquecido, e a tentativa bem-sucedida, lembrada e adotada. Essas memórias de fracassos não nos prejudicam enquanto nosso pensamento e atenção conscientes focam o objetivo positivo a ser alcançado. Portanto, é melhor não cutucar a onça com vara curta.

Nossos erros, enganos, fracassos e, às vezes, até nossas humilhações constituem etapas fundamentais no processo de aprendizado. No entanto, deveriam atuar como meios para um fim – e não um fim em si. Tão logo sirvam ao seu propósito, precisam ser esquecidos. Se conscientemente insistirmos no erro, ou nos sentirmos culpados por ele e continuarmos nos repreendendo por causa disso, sem querer o próprio erro ou fracasso se transformam no objetivo conscientemente perpetuado na imaginação e na memória. O mais infeliz dos mortais é aquele que insiste em reviver o passado na imaginação – sempre se criticando pelos erros, sempre se culpando por seus pecados.

Jamais vou me esquecer de uma paciente que se torturava tanto em razão do passado infeliz que destruiu qualquer chance de felicidade no presente. Ela viveu durante anos amargurada e ressentida, em decorrência de um grave caso de lábio leporino que a fazia evitar as pessoas. Desenvolveu uma personalidade fragilizada, ranzinza e contrária ao mundo e tudo que há nele. Não tinha amigos porque imaginava que ninguém desejaria aproximar-se de uma pessoa que parecia tão "horrível". Deliberadamente evitava os outros e, o que é pior, afastava-os ao assumir uma atitude amarga e defensiva. A cirurgia resolveu seu problema físico. Ela tentou ajustar-se e começar a conviver em harmonia e afabilidade, mas descobriu que as vivências passadas ainda a prejudicavam. Sentia que, apesar da nova aparência, não conseguia fazer amigos e ser feliz, porque ninguém a perdoaria pelo que fora antes da cirurgia.

Portanto, acabou cometendo os mesmos erros de antes e sentia-se mais infeliz do que nunca. Só começou de fato a viver quando aprendeu a parar não só de se condenar pelo que fora, mas também de reviver na imaginação toda a amargura que a havia levado ao meu consultório para a cirurgia.

Criticarmo-nos com frequência por erros do passado, além de não nos ajudar, gera a tendência de perpetuarmos o comportamento que mudaríamos. Em outras palavras, memórias de fracassos podem afetar negativamente o desempenho presente, caso insistamos nelas e concluamos de modo tolo: "Eu fracassei ontem, portanto, fracassarei hoje". No entanto, isso não prova que os padrões de reação inconscientes tenham em si mesmos poder para se repetir e se perpetuar, ou que todas as memórias enterradas de fracassos devam ser erradicadas para que o comportamento possa ser alterado.

Se somos vitimados, é em função de nossa mente consciente e racional, não inconsciente. Afinal, é por meio da parte racional de nossa personalidade que chegamos a conclusões e selecionamos as imagens-alvo em que nos focaremos. No momento em que mudamos nossa mente e paramos de potencializar o passado, ele, junto com todos nossos erros, perde poder sobre nós.

IGNORE OS FRACASSOS DO PASSADO E SIGA EM FRENTE

Neste momento, mais uma vez, a hipnose nos fornece uma prova convincente. Quando informam um hipnotizado tímido e excluído socialmente de que é um orador ousado e autoconfiante, e ele acredita nisso, seus padrões de reação se alteram de imediato. Ele age conforme acredita ser e direciona sua atenção para o objetivo positivo desejado, sem nenhum pensamento ou consideração pelos fracassos anteriores.

Dorothea Brande conta em seu fascinante livro *Desperta e vive* como essa ideia possibilitou que se tornasse mais produtiva e bem-sucedida na carreira de escritora, valendo-se de talentos e habilidades que nem mesmo sabia possuir. Ela ficou curiosa e surpresa depois de testemunhar uma demonstração de hipnose e, após ler uma frase do psicólogo F. M. H. Myers, afirmou que sua vida mudara. Myers explicava que os talentos e as habilidades que vinham à tona nos sujeitos hipnotizados se justificavam pela purgação da memória de erros passados.

Se isso era possível sob hipnose, ou seja, se as pessoas comuns carregavam em si talentos, habilidades e poderes não usados apenas em razão de lembranças de fracassos, Brande perguntou a si mesma por que uma pessoa desperta não poderia usar esses mesmos poderes ignorando os fracassos e agindo como se fosse impossível não alcançar o sucesso. Então, determinou-se a tentar. Ela agiria como se os poderes e as habilidades estivessem à sua disposição em vez de adotar uma postura hesitante. Em um ano, sua produção literária e as vendas de seus livros passaram por significativo incremento. E mais: ela ainda descobriu talento para a oratória, o que lhe garantiu muitos convites como palestrante, enquanto antes não demonstrava qualquer talento para palestras; na verdade, detestava palestrar. Sentia-se realizada.

O MÉTODO DE BERTRAND RUSSEL

Em seu livro *A conquista da felicidade*, Bertrand Russell afirma: "Não nasci feliz. Quando criança, meu lema favorito era: 'Farto do mundo e oprimido pelo peso de meus pecados'. [...] Na adolescência, odiava a vida e estava continuamente à beira do suicídio. O que me salvou foi meu desejo de aprender matemática. Agora, pelo contrário, desfruto a vida; quase posso dizer que, a cada ano, essa prazerosa disposição aumenta mais. [...] Em grande parte, isso se deve ao fato de me preocupar menos comigo mesmo. Como outros que tiveram uma educação puritana, eu tinha o hábito de refletir sobre meus pecados, loucuras e falhas. Considerava-me, sem dúvida com razão, um ser miserável. No entanto, aos poucos, aprendi a ser indiferente a mim e às minhas deficiências; passei a centrar minha atenção cada vez mais em objetos externos: o estado do mundo, os vários ramos do conhecimento, as pessoas de quem gostava".

No mesmo livro, Russell descreve seu método para modificar os padrões de reação automática com base em falsas crenças:

É bem possível superar sugestões infantis do inconsciente, e até mesmo mudar o conteúdo delas, empregando a técnica certa. Quando você começa a sentir remorsos por um ato que a razão lhe garante que não é mau, examine as causas da sensação e convença-se de uma vez por todas de que é absurda. Deixe que suas crenças conscientes se tornem tão vivas e insistentes a ponto de causar no subconsciente uma marca bastante forte para contrapor as marcas deixadas por sua mãe ou sua babá na época da infância. Não se conforme com a alternância entre momentos de racionalidade e irracionalidade. Encare o irracional, resolvido a não o respeitar e não deixar que ele o domine. Sempre que ele impelir para a mente consciente pensamentos ou sentimentos absurdos, arranque-os pela raiz; examine-os e os rechace. Não se resigne a ser uma pessoa vacilante, que oscila entre a razão e as tolices infantis.

Mas, para que a rebelião tenha êxito, para que traga felicidade aos indivíduos e lhes permita viver de maneira consistente de acordo com um determinado critério – e não hesitante entre dois outros ou mais –, é necessário que o indivíduo pense e sinta profundamente o que a sua razão lhe diz. [...] A maioria dos homens, quando rechaça superficialmente as superstições de sua infância, crê que já não lhe resta nada mais a fazer. Não percebe que tais superstições continuam à espreita, ameaçando-os. Quando aparece uma convicção racional, é preciso assumi-la com energia, aceitar suas consequências, examinar se ainda não restaram crenças que não batem com essa nova convicção [...]. Sugiro que um homem deve decidir com ênfase no que ele acredita racionalmente e nunca permitir que crenças irracionais contrárias passem sem ser contestadas, ou mesmo que o dominem, por mais breve que seja. Trata-se de raciocinar nesses momentos em que é tentado a se tornar infantil, e tal raciocínio, se for suficientemente enfático, pode ser muito breve.

IDEIAS NÃO MUDAM PELA VONTADE, MAS EM RAZÃO DE OUTRAS IDEIAS

Percebe-se que a técnica de Bertrand Russell – buscar ideias que são incoerentes em relação a alguma convicção profunda – é em essência a mesma do método testado clinicamente com surpreendente sucesso por Prescott Lecky. O método de Lecky consistia em fazer o sujeito enxergar que algum conceito negativo dele era incoerente com outra crença arraigada. Lecky acreditava ser inerente à própria natureza da mente a necessidade de todas as ideias e conceitos que compõem o conteúdo total da personalidade parecerem coerentes entre si. Se a incoerência de uma determinada ideia for conscientemente reconhecida, ela deve ser rejeitada.

Um dos meus pacientes era um vendedor que morria de medo ao atender importantes figurões. No entanto, superou toda essa situação de temor e nervosismo em apenas uma sessão de aconselhamento, durante a qual lhe perguntei:

"Você ficaria fisicamente de quatro e rastejaria até o escritório do homem, prostrando-se diante de um personagem superior?"

"Claro que não!", ele exclamou.

"Então por que você se encolhe mentalmente e rasteja?"

Outra pergunta:

"Você entraria no escritório de um homem com a mão estendida e pediria a ele dinheiro para um café?"

"Com toda certeza, não."

"Você não vê que está fazendo essencialmente a mesma coisa quando vai visitar um cliente, parecendo muito preocupado quanto a ele o aprovar ou não? Não consegue ver que estende a mão, implorando que o cliente o aprove e aceite como pessoa?"

Lecky descobriu a existência de duas poderosas alavancas para mudar crenças e conceitos. Há determinadas convicções padrão, que são defendidas por quase todos: (1) o sentimento ou a crença de que alguém é capaz de fazer sua parte, mantendo certa independência e (2) a crença de que há algo dentro de nós que deveríamos permitir passar por indignidades.

EXAMINE E REAVALIE SUAS CRENÇAS

O pensamento racional é usado raras vezes, e aí está uma das razões de ele ser pouco reconhecido.

Identifique a crença sobre si mesmo, sobre o mundo ou sobre outras pessoas, que subjaz ao seu comportamento negativo. Algo sempre acontece que o leva a perder exatamente quando o sucesso parece ao seu alcance? Talvez você se sinta indigno de sucesso. Não fica à vontade perto de outras pessoas? Talvez acredite que é inferior a elas ou que são hostis e pouco amáveis. Sente ansiedade e medo sem uma boa justificativa em uma situação relativamente segura? Talvez acredite que o mundo onde vive é um lugar hostil, perigoso, ou mesmo que você merece ser punido.

Lembre-se de que comportamento e sentimento surgem da crença. Para erradicar a crença responsável por eles, pergunte-se: "Por quê?". Há alguma tarefa que você gostaria de realizar, algum canal por meio do qual gostaria de se expressar, mas recua por sentir que não pode? Pergunte-se: "Por quê? Por que acredito que não posso?". E depois se pergunte: "Essa crença se baseia em um fato ou em uma suposição – ou em uma conclusão falsa?". Então, pergunte-se:

1. Existe alguma razão racional que justifique tal crença?
2. Será que estou enganado com relação a essa crença?

3. Eu chegaria à mesma conclusão se isso estivesse acontecendo com outra pessoa?
4. Por que devo continuar a agir e sentir como se essa crença fosse verdade, se não há nenhuma boa razão para acreditar nela?

Não responda a essas perguntas de modo displicente. Enfrente-as com firmeza. Pense muito nelas. Emocione-se. Você consegue entender que se ludibriou e se subestimou não por causa de um fato, mas apenas por causa de alguma crença estúpida? Se sim, tente despertar em si indignação ou até mesmo raiva. Indignação e raiva às vezes podem atuar como libertadoras de ideias falsas. Alfred Adler, depois de ficar bravo consigo e com sua professora, foi capaz de descartar uma definição negativa de si mesmo. Esta experiência não é incomum.

Um velho fazendeiro disse que abandonou o hábito de fumar no dia em que percebeu que esquecera o tabaco em casa e começou a andar mais de três quilômetros para pegá-lo. No caminho, notou que o vício o usava de modo humilhante. Muito aborrecido, deu meia-volta, retornou para a roça e nunca mais fumou.

Clarence Darrow, célebre advogado, disse que seu sucesso começou no dia em que se enfureceu ao tentar obter uma hipoteca para comprar uma casa. No processo do término da transação, a esposa do credor disse: "Não seja idiota. Ele nunca vai ter dinheiro suficiente para pagar isso". O próprio Darrow tinha sérias dúvidas nesse sentido, mas algo aconteceu quando ouviu tal comentário: indignou-se com a mulher e consigo mesmo e decidiu que alcançaria sucesso na vida.

Um amigo meu, empresário, viveu uma experiência semelhante. Ainda se sentindo um fracasso aos quarenta anos, continuamente se preocupava com como as coisas seriam, com as próprias imperfeições, com as chances de conseguir ou não concluir cada empreendimento. Com medo, ansioso, estava tentando comprar algumas máquinas a crédito, quando a esposa do vendedor se opôs, alegando não acreditar que pagaria o maquinário. No início, sentiu-se frustrado; depois, indignado. Quem era ele para ser tratado assim? Quem era ele para se esgueirar pelo mundo, sempre receando o fracasso?

A experiência despertou um novo "eu" dentro dele. Imediatamente percebeu que a observação da mulher, assim como a opinião que mantinha sobre si mesmo, era uma afronta a essa nova personalidade. Apesar de não ter dinheiro, crédito ou uma forma de alcançar o que queria, acabou encontrando um jeito e, em três anos, tornou-se mais bem-sucedido do que jamais sonhara ser – não em um negócio, mas em três.

O PODER DO DESEJO PROFUNDO

Para ser eficaz na mudança de crenças e comportamentos, o pensamento racional precisa vir acompanhado de sentimento e desejos profundos.

Imagine o que você gostaria de ser e ter e, por um instante, presuma que essas coisas são possíveis. Desperte um desejo profundo por elas. Entusiasme-se. Dedique-se a elas enquanto as revisa mentalmente. Suas atuais crenças negativas se formaram por pensamentos e sentimentos. Crie emoção suficiente, ou sentimento profundo, e seus novos pensamentos e ideias aniquilarão os anteriores.

Analise tal situação e compreenderá que está usando um processo que já empregou muitas vezes antes – preocupação –, com a única diferença de alterar os objetivos negativos para positivos. Quando você se preocupa, em primeiro lugar, imagina vividamente algum resultado ou objetivo indesejável no futuro. Você não faz esforço algum, não se empenha em força de vontade, mas continua pensando no resultado final. Pensa nisso e remói a ideia, imaginando-a como uma possibilidade; ou seja, brinca com a ideia de que pode acontecer.

Essa repetição constante – e pensar em termos de possibilidade – faz com que o resultado final lhe pareça cada vez mais real. Depois, com o tempo, geram-se automaticamente as emoções apropriadas – medo, ansiedade, desânimo –, elementos adequados ao resultado final indesejável com o qual se preocupa. Agora, mude a imagem do objetivo e facilmente gerará boas emoções. Caso se imagine e pense reiteradamente em um resultado final desejável, fará a possibilidade parecer mais real e, mais uma vez, serão geradas emoções apropriadas de entusiasmo, alegria, encorajamento e felicidade. "Ao formarmos bons hábitos emocionais e eliminar os maus", disse o Dr. Knight Dunlap, "temos de lidar sobretudo com pensamentos e hábitos de pensamento. Como um homem pensa, assim ele é no coração".

O QUE O PENSAMENTO RACIONAL PODE E NÃO PODE FAZER

Lembre-se de que seu mecanismo automático pode funcionar tão facilmente como um mecanismo de fracasso quanto como um mecanismo de sucesso, dependendo dos dados que lhe fornece para processar e dos objetivos que define. Ele é um mecanismo de busca de objetivos, ainda que trabalhe com os objetivos que você define. Muitos de nós, inconscientemente e de modo involuntário – mantendo atitudes negativas e imaginando o fracasso para nós mesmos –, estabelecemos metas de fracasso.

Lembre-se também de que seu mecanismo automático não raciocina sobre os dados com que é alimentado e nem os questiona; apenas os processa e reage adequadamente a eles. É muito importante que lhe sejam oferecidos dados verdadeiros relativos ao meio ambiente. Este é o trabalho do pensamento racional consciente: conhecer a verdade, formar avaliações, estimativas e opiniões corretas.

Nesse sentido, a maioria de nós tende a nos subestimar e superestimar a natureza da dificuldade que enfrentamos. "Sempre pense no que você tem que fazer como algo fácil e assim será", disse Émile Coué, psicólogo e farmacêutico que introduziu um método popular de psicoterapia e autoaperfeiçoamento baseado na autossugestão otimista.

O psicólogo Daniel W. Josselyn seguiu a mesma linha em seu livro *Why Be Tired?* (Por que se cansar?):

Fiz extensos experimentos para descobrir as causas comuns desse esforço consciente que congela a mente pensante. E parece sempre ser devido à tendência de exacerbar a dificuldade e a importância dos trabalhos mentais, levá-los muito a sério e temer que o considerem incapaz. Pessoas eloquentes em conversas descontraídas tornam-se imbecis quando sobem num palco. Simplesmente aprenda que, se você pode despertar o interesse em alguém, pode interessar a todos, ao mundo, e não seja paralisado por magnitudes.

Uma pessoa que teme falar em público quase sempre não teme falar abertamente com amigos de confiança. O fato de você conseguir falar abertamente com amigos significa que tem habilidade de falar em público. Portanto, basta que traga a mesma pessoa que fala com facilidade com os amigos para o espaço onde você falará diante de uma multidão. Imagine-se falando abertamente com seu grupo reduzido, depois amplifique as imagens em sua mente para abranger uma plateia maior, e então falar em público se tornará fácil.

NUNCA SE SABE, ATÉ TENTAR

Cabe ao pensamento racional e consciente examinar e analisar mensagens recebidas, para aceitar as verdadeiras e rejeitar as falsas. Muitas pessoas se impressionam com o comentário casual de um amigo, como "você não parece tão bem hoje". Se elas são rejeitadas ou repreendidas por alguém, engolem sem ressalvas o que imaginam ser o significado disso: são inferiores. A maioria de nós está sujeita a insinuações negativas todos os dias. Se nossa mente consciente está no trabalho, não temos de aceitá-las sem critério. "Não é necessariamente assim" é um bom lema.

É função da mente racional consciente formar conclusões lógicas e corretas. "Falhei uma vez, então provavelmente vou falhar no futuro" não é um pensamento lógico nem racional. Concluir de antemão que não é possível avançar, sem tentar ou ter qualquer evidência que embase a inevitabilidade do fracasso, não é racional. Deveríamos ser mais parecidos com o homem a quem perguntaram se sabia tocar piano.

"Não sei", respondeu ele.

"O que você quer dizer com não sabe?"

"Nunca tentei", o sujeito retrucou.

DECIDA O QUE VOCÊ QUER, NÃO O QUE NÃO QUER

É função do pensamento racional consciente decidir o que você quer, selecionar os objetivos que deseja alcançar e focar-se neles, e não naquilo que você não deseja. Não é racional dispender tempo e esforço focando-se naquilo que não se quer. Quando o presidente Eisenhower era general na Segunda Guerra Mundial, perguntaram-lhe qual seria o efeito sobre a causa aliada se as tropas invasoras tivessem se lançado de volta ao mar das praias da Itália. "Seria muito ruim", disse ele, "mas nunca permito que minha mente pense dessa maneira."

MANTENHA O FOCO

Cabe ainda à mente consciente prestar estrita atenção à tarefa que tem em mãos, ao que está fazendo e ao que está acontecendo ao redor, para que essas mensagens sensoriais mantenham o mecanismo automático informado sobre o ambiente e permitam que ele reaja espontaneamente. Em síntese, mantenha o foco.

No entanto, não é função da mente racional consciente criar ou executar a tarefa que nos cabe. Metemo-nos em apuros quando deixamos de usar o pensamento consciente do jeito que deveria ser usado ou quando tentamos usá-lo do jeito que nunca deveria ser usado. Não podemos espremer o pensamento criativo do mecanismo automático por meio de um esforço consciente. Não podemos executar esse trabalho por meio de esforços conscientes. Porque tentamos e não conseguimos, ficamos preocupados, ansiosos, frustrados.

Lembremos: o mecanismo automático é inconsciente. Não vemos as rodas girando; não sabemos o que está acontecendo sob a superfície. Porque ele opera espontaneamente ao reagir a necessidades, não podemos ter garantia certificada de que ele dará uma resposta. Somos obrigados a adotar uma posição de confiança. Só confiando e agindo recebemos sinais.

Em suma, o pensamento racional consciente seleciona o objetivo, reúne informações, conclui, avalia, estima e coloca as rodas em movimento. Mas não é responsável pelos resultados. Precisamos aprender a fazer nosso trabalho, agir conforme as melhores suposições disponíveis e deixar os resultados cuidarem de si mesmos.

PONTOS-CHAVE PARA RELEMBRAR

Resuma aqui:

1. ....
....
....
....
....

2. ....
....
....
....
....

3. ....
....
....
....
....

4. ....
....
....
....
....

5. ....
....
....
....
....

HISTÓRICO DE CASO

Redija uma experiência pessoal explicada pelos princípios apresentados neste capítulo:

SEIS

Fique tranquilo, e o mecanismo de sucesso fará o trabalho

A palavra *estresse*, hoje, está na boca de todos. Vivemos na era do estresse. Preocupação, ansiedade, insônia e úlceras estomacais passaram a ser aceitas como uma parte inevitável do mundo onde vivemos. No entanto, estou convencido de que não precisa ser assim.

Seria possível minimizar um imenso fardo de preocupações e ansiedade se conseguíssemos reconhecer a simples verdade de que nosso Criador fez generosas provisões para que vivêssemos com sucesso nesta ou em qualquer outra era, fornecendo-nos um inerente mecanismo criativo. Mas o ignoramos. Tentamos fazer tudo e resolver todos os problemas pelo pensamento consciente, ou pensamento do prosencéfalo.

O prosencéfalo se compara ao operador de um computador ou qualquer outro tipo de servomecanismo. É com ele que pensamos no "eu" e sentimos a noção de identidade. É com ele que exercitamos a imaginação ou estabelecemos objetivos. Usamos o prosencéfalo para coletar informações, fazer observações e avaliar os dados das sensações recebidas, elaborar julgamentos.

Psicocibernética

No entanto, o prosencéfalo é incapaz de criar, incapaz de executar o trabalho a ser feito, assim como o operador de um computador não pode executar a operação. É função do prosencéfalo representar problemas e identificá-los, mas, por sua própria natureza, não foi projetado para resolver problemas.

NÃO SEJA MUITO CAUTELOSO

No entanto, é precisamente isso que o homem moderno tenta fazer: resolver todos os problemas por meio do pensamento consciente.

Jesus disse: "Ora, qual de vós, por mais ansioso que esteja, pode acrescentar um côvado à sua estatura?". O Dr. Norbert Wiener nos relata que o homem não pode nem mesmo realizar uma operação tão simples como pegar uma caneta em uma mesa por meio do pensamento consciente ou da vontade.

Por depender quase inteiramente do prosencéfalo, o homem moderno se torna muito cauteloso, ansioso, e teme resultados. As palavras de Jesus para "não pensar no amanhã", ou as de São Paulo, "não estejais inquietos por coisa alguma", são encaradas como um absurdo impraticável.

No entanto, este é precisamente o conselho que William James, decano dos psicólogos americanos, nos deu anos atrás. No ensaio *O evangelho do relaxamento* (apresentado no livro *On Vital Reserves* [Em reservas vitais]), disse, em 1899, que o homem moderno vivia tenso, preocupado com os resultados, ansioso, e que existia um caminho mais fácil:

Se desejamos que nossos mecanismos de encadeamento de ideias e tomada de decisão sejam copiosos, variados e eficazes, devemos desenvolver o hábito de libertá-los da influência inibidora da reflexão sobre eles, da preocupação egoísta com seus resultados. Tal hábito, como outros, pode ser desenvolvido. Prudência, dever e autoestima, emoções de ambição e emoções de ansiedade têm, é claro, um papel necessário a desempenhar em nossa vida. Mas confine-os tanto quanto possível para ocasiões em que você estiver elaborando suas resoluções gerais e decidindo seus planos de ação. Mantenha-os fora dos detalhes. Quando uma decisão for tomada e a execução estiver na ordem do dia, descarte toda a responsabilidade e se preocupe com o resultado. Liberte, por assim dizer, sua maquinaria intelectual e prática e deixe-a correr livre; o serviço que ela trará a você será duas vezes melhor.

VITÓRIA POR RENDIÇÃO

Mais tarde, em suas famosas conferências Gifford (reunidas em *As variedades da experiência religiosa*), James citou exemplos de pessoas que tentaram em vão, durante anos, por meio de esforços conscientes, se livrar de ansiedades, preocupações, inferioridades, sentimento de culpa, apenas para descobrir que só conseguiriam sucesso quando conscientemente desistissem da luta e parassem de tentar resolver problemas pelo pensamento consciente.

Segundo James,

Nessas circunstâncias, o caminho para o sucesso, conforme comprovado por inúmeros relatos pessoais autênticos, é de [...] rendição [...] passividade, não atividade — relaxamento, não obstinação —, o que deveria agora ser a regra. Abandone o sentimento de responsabilidade, deixe seu apego, entregue o cuidado de seu destino a poderes superiores, seja mesmo indiferente ao que vem de tudo isso [...] não é nada mais do que dar um descanso ao seu "eu" convulsivo particular e descobrir que há um "Eu" maior. Os resultados — vagarosos ou imediatos, grandes ou pequenos — do

otimismo e da expectativa combinados, os fenômenos regenera-
tivos que se seguem ao abandono do esforço, permanecem firmes
como fatos da natureza humana.

O SEGREDO DO PENSAMENTO E DA AÇÃO CRIATIVOS

A prova da veracidade do que dizemos pode ser vista na experiência de escritores, inventores e outros profissionais criativos. Invariavelmente, eles nos dizem que as ideias não afloram de forma consciente, pelo pensamento do prosencéfalo, mas surgem automática e espontaneamente, como um *insight* que vem do nada, quando a mente consciente se afasta do problema e se engaja em outra coisa. E ideias criativas não surgem sem a existência de algum pensamento consciente preliminar sobre o problema.

Todas as evidências apontam para a conclusão de que, para ter uma inspiração ou um pressentimento, precisamos, antes de tudo, estar muito interessados em resolver um determinado problema ou obter uma resposta. Devemos pensar nisso conscientemente, reunir todas as informações que pudermos sobre o assunto, considerar todos os cursos de ação possíveis. E, acima de tudo, precisamos nutrir um desejo ardente de resolver o problema. Depois de tê-lo equacionado, temos de mentalmente visualizar o resultado final desejado, assegurar todas as informações e fatos que conseguimos; esforço, aborrecimento e preocupação não ajudam, ao contrário, parecem comprometer a solução.

Henri Fehr, célebre cientista suíço, disse que quase todas as boas ideias lhe ocorreram quando não estava ativamente engajado em trabalhar em um problema; que a maioria das descobertas de seus contemporâneos ocorreu quando estavam afastados do posto de trabalho.

É bem sabido que, ao se angustiar diante de um problema, Thomas A. tirava um cochilo.

Charles Darwin, contando como, de repente, teve um *flash* intuitivo depois de meses de pensamento consciente não terem resultado nas ideias de que precisava para *A origem das espécies*, escreveu: "Consigo me lembrar exatamente do ponto da estrada onde estava minha carruagem quando, para minha alegria, a solução me ocorreu".

Lenox Riley Lohr, ex-presidente da National Broadcasting Company, relatou na *American Magazine* como lhe ocorreram as ideias que o ajudaram nos negócios. "As ideias, eu acho, vêm mais prontamente quando se está fazendo algo que mantém a mente alerta sem a pressionar com estresse. Fazer a barba, dirigir um carro, serrar uma prancha, pescar ou caçar, por exemplo. Ou se envolver com algum amigo em uma conversa estimulante. Algumas das minhas melhores ideias vieram de informações coletadas de forma casual e sem qualquer relação com meu trabalho."

C. G. Suits, ex-chefe de pesquisa da General Electric, disse que quase todas as descobertas em laboratórios vieram como *insights* durante um período de relaxamento, após um tempo de intensiva reflexão e coleta de dados.

Bertrand Russell escreveu em seu livro *A conquista da felicidade*: "Descobri, por exemplo, que, se tiver que escrever sobre algum tópico bastante difícil, o melhor plano é pensar nele com muita intensidade – a maior de que sou capaz – por algumas horas ou dias e, ao final desse tempo, determinar, por assim dizer, que o trabalho seja feito no subconsciente. Depois de alguns meses, volto conscientemente ao tema e vejo que o trabalho foi feito. Antes de descobrir essa técnica, costumava passar os meses seguintes me preocupando por não estar fazendo nenhum progresso; não conseguia, de forma rápida, encontrar a solução para essa preocupação, e os meses transcorridos até então eram desperdiçados, mas agora posso dedicá-los a outras atividades".

> Muitos profissionais criativos dizem que têm as melhores ideias durante o banho, enquanto caminham pela praia ou quando estão dentro ou perto da água. Talvez o fluxo da água ative o fluxo de ideias.
>
> Outra atividade que muitas vezes leva a *insights* criativos é dormir. Se você tiver uma pergunta para a qual gostaria de obter uma resposta ou um projeto em que está trabalhando e gostaria que transcorresse com mais facilidade, antes de ir para a cama, instrua sua mente para estar receptiva a informações úteis e se lembrar delas ao acordar.
>
> Uma boa ideia é manter um bloco de notas e uma caneta na mesa de cabeceira para registrar eventuais *insights* assim que ocorram. Ao usar essa abordagem, poderá rapidamente obter ideias que superem qualquer coisa que lhe ocorra enquanto estiver acordado.

VOCÊ É UM TRABALHADOR CRIATIVO

Cometemos o equívoco de supor que esse processo de "cerebração inconsciente" é exclusivo de escritores, inventores e trabalhadores criativos. Na verdade, somos todos trabalhadores criativos, sejam donas de casa, professores, estudantes, vendedores ou empresários. Todos temos o mesmo mecanismo de sucesso interno, que atuará na resolução de problemas pessoais, na administração de um negócio ou nas vendas, assim como na criação de um romance ou em uma invenção.

Bertrand Russell recomendou que o mesmo método que usou para escrever fosse empregado por seus leitores para resolver problemas pessoais do dia a dia. O Dr. J. B. Rhine, botânico e autor de *Extrasensory Perception and Parapsychology: Frontier Science of the Mind* (Percepção extrassensorial e parapsicologia: ciência de fronteira mental), disse que tendia a pensar que o que chamamos de *gênio* é um processo, uma maneira natural a que a mente humana recorre para resolver qualquer problema. Portanto, de maneira equivocada, empregamos o termo *gênio* apenas quando o processo é usado para escrever um livro ou pintar um quadro.

O SEGREDO DO COMPORTAMENTO E DA HABILIDADE NATURAIS

O mecanismo de sucesso interno pode funcionar da mesma maneira para produzir a ação criativa e também ideias criativas. A habilidade em qualquer performance – nos esportes, no piano, na conversação ou na venda de mercadorias – não consiste em pensar dolorosa e conscientemente em cada ação à medida que ela é executada, mas em relaxar e deixar que o trabalho se realize por si através de nós.

A performance criativa é espontânea e natural, em oposição à autoconsciente e calculada. O pianista mais habilidoso do mundo nunca conseguiria tocar uma composição simples se tentasse conscientemente pensar em qual dedo deveria tocar qual tecla enquanto executa a música. O pensamento consciente nesse assunto aconteceu anteriormente – enquanto aprendia –, e ele praticou até que suas ações se tornassem automáticas e habituais. Só foi capaz de se transformar em um artista habilidoso quando cessou o esforço consciente e passou o ato de tocar para o mecanismo do hábito inconsciente, que é parte do mecanismo de sucesso.

NÃO EMPERRE A MAQUINARIA CRIATIVA

O esforço consciente inibe e emperra o mecanismo criativo automático. A razão pela qual algumas pessoas são inseguras e desajeitadas em situações sociais está em uma excessiva preocupação consciente e ansiedade em fazer a coisa certa; ou seja, estão dolorosamente conscientes de cada movimento que fazem. Cada ação é pensada. Cada palavra dita é calculada em função de seu efeito.

Definimos tais pessoas como inibidas, e com razão. Mas seria mais verdadeiro dizermos não que a pessoa é inibida, mas que inibiu o próprio mecanismo criativo. Caso se liberassem, parassem de tentar, não se importassem e não pensassem em seu comportamento, poderiam agir de forma criativa, espontânea e ser elas mesmas.

> Ao definir uma meta, é muito importante ter em mente que, na maioria das vezes, você estará no modo jornada. Isso significa que, na maior parte do tempo, estará focado no processo e nas ações que precisa realizar para chegar aonde deseja. Se seu objetivo é escalar o Monte Everest, e pensa apenas em chegar ao topo, você bloqueia seu mecanismo de sucesso no presente. Preocupe-se com cada passo ao longo do caminho. Foque mais a jornada – e ocasionalmente (uma ou duas vezes por dia, quando visualizar) foque o objetivo. Em seguida, volte ao modo jornada e apenas entregue seu objetivo ao subconsciente, ou mecanismo de sucesso, para guiá-lo até lá sem esforço.

> Pessoas que desejam melhorar sua situação financeira devem seguir o mesmo conselho. Se ficar o tempo todo obcecado sobre onde está e aonde quer chegar financeiramente, é menos provável que consiga. Programe o objetivo, então se ocupe com o processo – e, se ainda não conhece o processo, dê a si mesmo espaço para permitir que o "como" chegue até você. Ele lhe ocorrerá quando estiver relaxado – não enquanto estiver tenso ou querendo forçar seu caminho.

CINCO REGRAS PARA LIBERTAR A MÁQUINA CRIATIVA

1. "Preocupe-se antes de fazer sua aposta, não depois que a roda começar a girar."

A frase transcrita, de um executivo de negócios cuja fraqueza era o jogo de azar, funcionou como mágica para ajudá-lo a superar suas preocupações e, ao mesmo tempo, atuar de forma mais criativa e bem-sucedida. Por acaso, citei para ele o conselho de William James, aqui já mencionado, no sentido de que as emoções de ansiedade têm seu lugar no planejamento e na decisão sobre um curso de ação, mas, "quando uma decisão é tomada e a execução é o pedido do dia, descarte absolutamente toda a responsabilidade e se preocupe com o resultado. Liberte, por assim dizer, sua máquina intelectual e prática; deixe-a correr livre".

Algumas semanas depois, ele irrompeu em meu consultório tão entusiasmado com sua descoberta quanto um colegial que descobriu o primeiro amor.

"De repente me ocorreu", ele disse, "durante uma visita a um cassino em Las Vegas. Fiquei tentando e funcionou".

"O que lhe ocorreu e o que funcionou?", perguntei.

Aquele conselho de William James. Não me impressionou muito quando você me contou, mas, enquanto eu estava jogando roleta, recordei-me dele. Notei um grande número de pessoas que não pareciam preocupadas antes de apostar. Aparentemente, as probabilidades não significavam nada para elas. Mas, uma vez que a roleta começou a girar, congelaram e começaram a se preocupar se o resultado seria o número em que apostaram ou não. Que bobagem, pensei. O receio, a preocupação, o cálculo das probabilidades deveriam ser uma decisão tomada antes da aposta. Nessa hora, você pode pensar a respeito, pode encontrar as melhores chances possíveis ou decidir não correr o risco. Mas, depois que as apostas são feitas e o jogo começa, você precisa relaxar e se divertir; pensar nessas coisas não vai trazer nada de bom; será um desperdício de energia.

Então comecei a pensar que eu mesmo estava fazendo a mesma coisa em minha vida profissional e pessoal. Muitas vezes tomei decisões ou executei ações sem a preparação adequada, sem considerar todos os riscos envolvidos e a melhor alternativa possível. Mas, depois de colocar as roletas em movimento, por assim dizer, sempre me preocupava com o que aconteceria e se tinha feito a coisa certa. Naquele momento, decidi que passaria a considerar todas as minhas preocupações, usar todo o meu prosencéfalo, antes de tomar uma decisão e que, depois de tomada e durante os giros da roleta, "descartaria absolutamente toda responsabilidade" e me preocuparia com o resultado. Acredite ou não, funcionou. Não apenas me sinto melhor, durmo e trabalho melhor, mas também meu negócio não enfrenta dificuldades.

Descobri ainda que o mesmo princípio funciona de uma centena de pequenas maneiras pessoais diferentes. Por exemplo, costumava me preocupar e irritar por ter que ir ao dentista ou fazer outras tarefas desagradáveis. Então concluí: "Isso é bobagem. Sei a chatice que é antes de decidir. Se o aborrecimento é tanto que causa uma preocupação pouco justificada, posso apenas decidir não ir. Mas, se a decisão tem fundamento, mesmo que carregada de um pouco de aborrecimento, então é melhor esquecer. Já considerei o risco antes que a roleta começasse a girar". Quando tinha que falar em uma reunião do conselho, costumava me preocupar já na noite anterior. Então pensei: "Ou vou e falo, ou não falo. Se a decisão é falar, então não há necessidade de pensar em não falar – ou mentalmente tentar fugir dela". Descobri que muito nervosismo e ansiedade são causados pela tentativa mental de escapar ou fugir de algo que decidi fazer. Se for tomada a decisão de seguir em frente – e não fugir fisicamente – por que continuar considerando ou esperando, na mente, uma fuga? Eu costumava detestar reuniões sociais e as frequentava apenas para agradar à minha esposa ou por motivos de negócios. Ia, mas mentalmente resistia e, em geral, ficava mal-humorado e pouco comunicativo. Então decidi que, se a decisão era seguir em frente fisicamente, eu poderia muito bem seguir em frente também mentalmente – e descartar toda a resistência mental. Ontem à noite, não só fui ao que eu antes chamaria de uma reunião social estúpida, mas ainda me surpreendi por estar gostando muito.

2. Crie o hábito de reagir conscientemente ao aqui e agora.

Pratique de forma consciente o hábito de "não ficar ansioso pensando no amanhã", mas, sim, focar toda a sua atenção ao momento presente. Seu mecanismo criativo não pode funcionar ou trabalhar amanhã. Só no presente, hoje. Faça planos de longo prazo para amanhã, mas não tente viver no amanhã ou no passado. A vida criativa significa responder e reagir espontaneamente ao ambiente. E o mecanismo criativo só reagirá com sucesso ao ambiente atual se você voltar toda sua atenção para ele e fornecer-lhe informações sobre o que está acontecendo agora.

Planeje tudo o que deseja para o futuro. Prepare-se para isso. Mas não se preocupe em como reagirá amanhã ou mesmo daqui a cinco minutos. O mecanismo criativo reagirá adequadamente ao agora se você focar o que está acontecendo. Fará o mesmo amanhã. Ele não reagirá com sucesso ao que pode acontecer, mas só ao que já acontece.

Viva em compartimentos de um dia

O Dr. William Osler, autor de *Uma filosofia de vida*, disse que um hábito simples, que poderia ser formado como qualquer outro hábito, era o único segredo da felicidade e do sucesso. "Viva a vida em compartimentos de um dia", aconselhou a seus alunos. Não olhe para frente nem para trás além de um ciclo de 24 horas. Viva hoje da melhor maneira que puder. Ao viver bem hoje, fará o máximo ao seu alcance para tornar o amanhã melhor.

William James, comentando sobre essa mesma filosofia como um princípio fundamental da psicologia e da religião para o tratamento da preocupação, disse: "Dizem que Santa Catarina de Gênova tomava conhecimento das coisas apenas quando lhe eram apresentadas em sucessão, momento a momento". Para sua alma sagrada, o momento divino era o presente. E, após avaliar o momento presente, as implicações que trazia e cumprir o que tivesse que ser feito, esquecia-o como se nunca tivesse existido e dava lugar aos rostos e deveres do momento seguinte".

Nos Alcoólicos Anônimos, usam o mesmo princípio quando dizem: não tente parar de beber para sempre, diga apenas: "Não vou beber hoje".

Pare, olhe e ouça!

Pratique tornar-se mais consciente do seu ambiente atual. Que visões, sons, odores estão presentes nele agora, dos quais você não tem consciência?

Pratique conscientemente olhar e ouvir. Fique atento à sensação dos objetos. Há quanto tempo você não sente de verdade o chão sob seus pés enquanto caminha? Os nativos americanos e os primeiros pioneiros sempre precisavam estar atentos a sons e sensações do ambiente para sobreviver. O mesmo acontece com o homem moderno, embora por razões diferentes: os perigos de distúrbios nervosos oriundos de raciocínio confuso, a incapacidade de viver criativa e espontaneamente e de reagir de modo adequado ao ambiente.

Tornar-se mais consciente do que está acontecendo agora e tentar reagir apenas a isso tem resultados quase mágicos no alívio da turbulência. Da próxima vez que você sentir que está ficando tenso e nervoso, reaja e diga: "A que devo reagir aqui e agora? O que possa fazer a respeito?". A causa de grande parte do nervosismo está em involuntariamente tentar fazer algo que não pode ser feito aqui e agora. Você está preparado para um agir que não é possível.

Tenha sempre em mente que o trabalho do mecanismo criativo é reagir apropriadamente ao ambiente presente. Muitas vezes, se não pararmos e pensarmos sobre isso, continuaremos a reagir automaticamente a algum ambiente passado. Não reagimos ao momento e à situação do presente, mas a algum evento semelhante anterior. Em suma, não reagimos à realidade, mas a uma ficção. O reconhecimento pleno disso e a percepção do que estamos fazendo podem quase sempre levar a uma cura incrivelmente rápida.

Não lute contra fantasmas do passado

Por exemplo, um paciente meu ficava agitado e ansioso em qualquer reunião formal: de negócios, teatros, igreja etc. Grupos de pessoas eram o denominador comum. Sem perceber, reagia a algum ambiente do passado ligado a reuniões. Lembrou-se de que, ainda criança, havia urinado nas calças na escola, e um professor cruel o obrigou a ir diante da turma toda na classe, em um ato de humilhação e vergonha. Agora, frente à situação de enfrentar grupos de pessoas, reagia da mesma maneira. Ao ter consciência de que estava agindo como se fosse um estudante de dez anos, como se toda reunião se resumisse a uma turma escolar e como se todo líder de grupo fosse o cruel professor, a ansiedade desapareceu.

Outros exemplos típicos são a mulher que responde a cada homem que conhece como se ele fosse alguém de seu passado, ou o sujeito que reage a cada pessoa em posição de autoridade como se fosse alguma autoridade individual previamente conhecida.

3. Tente fazer apenas uma coisa de cada vez.

Outra causa de confusão e dos resultantes sentimentos de nervosismo, afobação e ansiedade é o hábito absurdo de tentar fazer muitas coisas ao mesmo tempo. O aluno estuda e assiste à TV simultaneamente. O empresário, em vez de se focar e tentar apenas ditar a carta que está preparando, pensa, no fundo da mente, em tudo que deveria fazer no dia, ou talvez na semana, e, sem perceber, tenta mentalmente cumprir tudo de uma vez.

O hábito é insidioso porque raramente o reconhecemos como tal. Quando nos sentimos nervosos, preocupados ou ansiosos ao pensar no acúmulo de trabalho que nos aguarda, os sentimentos de nervosismo não estão sendo causados pelo trabalho, mas por nossa atitude mental: "Eu deveria ser capaz de fazer tudo isso ao mesmo tempo". Ficamos nervosos porque estamos tentando fazer o impossível, tornando inevitável o sentimento de frustração.

A verdade é esta: só conseguimos fazer uma coisa de cada vez. Convencermo-nos totalmente dessa verdade simples e óbvia nos permite parar mentalmente de tentar realizar aquilo que está por vir e focar toda a nossa consciência, toda a nossa capacidade de reação, em uma única coisa que estejamos fazendo. Quando trabalhamos com essa atitude, ficamos relaxados, livres dos sentimentos de afobação e ansiedade, e somos capazes de nos focar e obter o melhor de nosso pensar.

A lição da ampulheta

O Dr. James Gordon Gilkey fez um sermão em 1944 chamado *Gaining Emotional Poise* (Conquistando equilíbrio emocional), depois reeditado na *Reader's Digest*, que se tornou um clássico quase da noite para o dia. Ele descobriu, em muitos anos de aconselhamento, que uma das principais causas de colapso nervoso, preocupação e outros tipos de problemas pessoais era o péssimo hábito mental de sentir que deveríamos estar fazendo muitas coisas aqui e agora. Olhando para a ampulheta em sua escrivaninha, ele teve uma inspiração. Assim como apenas um grão de areia consegue passar pelo gargalo da ampulheta, também só conseguimos fazer uma coisa de cada vez. Não é o trabalho, mas a maneira como insistimos em pensar no trabalho que causa o problema.

Psicocibernética

A maioria de nós se sente afobada e atormentada, disse o Dr. Gilkey, porque formamos uma falsa imagem mental de nossos deveres, obrigações e responsabilidades. Parece haver uma dúzia de coisas diferentes pressionando-nos a todo momento; uma dúzia de coisas diferentes para fazer; uma dúzia de problemas diferentes para resolver; uma dúzia de tensões diferentes para suportar. Não importa quão afobado ou atormentado nosso cotidiano possa ser, afirmou o Dr. Gilkey, essa imagem mental é falsa. Mesmo no dia mais agitado, as horas mais sobrecarregadas chegam a nós uma de cada vez; não importa quantos problemas, tarefas ou tensões enfrentemos, sempre chegam até nós em fila única, pois é a única maneira de chegarem. Para obtermos uma imagem mental verdadeira, ele sugeriu que visualizemos uma ampulheta, com os muitos grãos de areia caindo um a um. Isso nos trará equilíbrio emocional, enquanto a falsa imagem mental desencadeará inquietação emocional.

Outro dispositivo mental semelhante que achei muito útil para meus pacientes foi dizer a eles: "Seu mecanismo de sucesso pode ajudá-lo a fazer qualquer trabalho, realizar qualquer tarefa, resolver qualquer problema. Pense em si mesmo como se alimentasse seu mecanismo de sucesso com trabalhos e problemas, como um cientista alimenta um computador com um problema. O funil do mecanismo pode lidar com apenas um trabalho por vez. Assim como um computador não pode dar a resposta certa se três problemas diferentes forem misturados e alimentados ao mesmo tempo, o mecanismo de sucesso também não pode. Alivie a pressão. Pare de tentar forçar no maquinário mais de um trabalho por vez".

> Ainda que você tenha muitos objetivos, focar apenas um de cada vez o ajudará a realizar muito mais do que tentar focar muitos ao mesmo tempo. Acenda o fogo do desejo dentro de um objetivo determinado, e a chama se espalhará naturalmente para os outros, sem que tenha de forçá-la.

4. Leve-o para dormir com você.

Se você esteve debatendo um problema o dia todo sem fazer nenhum progresso aparente, tente tirá-lo da mente e adiar a tomada de decisão até surgir a oportunidade de dormir com ele. Lembre-se de que o mecanismo criativo funciona melhor quando não há muita interferência do "eu" consciente. Se você já rodou as roletas, o sono constituirá a oportunidade ideal para o mecanismo criativo trabalhar livre da interferência consciente.

Lembra-se da fábula dos Irmãos Grimm *O sapateiro e os elfos*? O sapateiro descobriu que se cortasse o couro e desenhasse os padrões antes de se recolher, pequenos elfos viriam e montariam os sapatos enquanto ele dormia.

Muitos trabalhadores criativos usaram técnica muito semelhante. A Sra. Thomas A. Edison disse que, todas as noites, seu marido recapitulava mentalmente as coisas que esperava realizar no dia seguinte. Às vezes, listava os trabalhos que queria fazer e os problemas que esperava resolver.

Dizem que, sempre que suas ideias não se concretizavam, Walter Scott pensava: "Não importa, resolverei isso até amanhã às sete horas da manhã".

Vladimir Bekhterev, neurologista russo considerado o pai da psicologia objetiva, disse: "Aconteceu várias vezes; quando à noite focava um assunto que havia colocado em forma poética, de manhã precisava apenas pegar minha caneta, e as palavras fluíam, por assim dizer, espontaneamente. Cabia a mim apenas as aprimorar mais tarde".

As conhecidas sonecas de Edison eram muito mais do que meras pausas devido à fadiga. Em *The Psychology of the Inventor* (A psicologia do inventor), Joseph Rossman disse: "Quando em dificuldade com alguma coisa, ele se deitava em seu ateliê de Menlo e, meio cochilando, lhe vinha uma ideia para ajudá-lo a superar a dificuldade".

J. B. Priestley sonhou três ensaios completos em todos os detalhes: *The Berkshire Beast* (A besta de Berkshire), *The Strange Outfitter* (O rapaz das roupas esquisitas) e *The Dream* (O sonho).

Fredrick Temple, arcebispo de Canterbury, disse: "Todo pensamento decisivo acontece nos bastidores; raramente sei quando acontecem... muitos deles certamente durante o sono".

Henry Ward Beecher, uma vez, pregou todos os dias por dezoito meses seguidos. Seu método? Mantinha uma série de ideias incubadas e, todas as noites, antes de dormir, selecionava uma para remexer ao pensar intensamente sobre ela. Na manhã seguinte, estava pronta para um sermão.

August Kekulé descobriu o segredo da molécula de benzeno enquanto dormia; a descoberta de Otto Loewi, ganhador do Prêmio Nobel (o papel da acetilcolina como neurotransmissor endógeno) em

1936, e os "Brownies"[3] de Robert Louis Stevenson, que ele disse que lhe deram todas as suas ideias de enredo enquanto dormia, são todos bem conhecidos.

Menos conhecido é o fato de muitos empresários usarem a mesma técnica. Por exemplo, Henry Cobbs, que começou seu negócio no início da década de 1930 com uma nota de dez dólares e construiu um negócio multimilionário de entregas de frutas a domicílio, mantinha um caderno ao lado da cama para anotar ideias criativas imediatamente ao acordar.

Vic Pocker saiu da Hungria e chegou à América sem dinheiro e sem falar inglês. Conseguiu um emprego como soldador, foi aprender inglês na escola noturna e economizou cada centavo. Apesar de perder todas as economias na Grande Depressão, em 1932 começou uma pequena oficina própria de soldagem, chamada Steel Fabricators, que se tornou uma empresa lucrativa de um milhão de dólares. "Descobri que você tem que fazer suas próprias pausas", disse. "Às vezes, em meus sonhos, tenho ideias para resolver problemas e acordo todo animado. Muitas vezes saio da cama às duas da manhã e desço até a oficina para ver se uma ideia funcionaria."

5. Relaxe enquanto trabalha.

---

3. Stevenson, relatando exemplos de sonhos particularmente vívidos – "aquele pequeno teatro do cérebro" –, postula as maquinações noturnas de presenças ("players") que lhe legaram inspiração. Ele os identifica como Brownies, seres benignos geralmente associados a famílias. Se tratados gentilmente, eles realizam tarefas domésticas úteis, limpeza, polimento e assim por diante. (N.T.)

EXERCÍCIO PRÁTICO

No Capítulo 4, você aprendeu como induzir o relaxamento físico e mental enquanto descansa. Continue com essa prática e acabará se tornando cada vez mais proficiente. Enquanto isso, tente induzir algo dessa sensação de relaxamento e da atitude tranquila enquanto realiza suas atividades diárias; para tanto, desenvolva o hábito de recordar mentalmente a sensação agradável de relaxamento que induziu.

Pare vez ou outra durante o dia – só é necessário um instante – e lembre-se em detalhes das sensações de relaxamento. Lembre-se da sensação nos braços, nas pernas, nas costas, no pescoço, no rosto. Às vezes, formar uma imagem mental de si mesmo deitado na cama ou sentado em uma poltrona ajuda a lembrar as sensações. Repetir mentalmente várias vezes "sinto-me cada vez mais relaxado" também ajuda.

Pratique essa lembrança fielmente várias vezes ao dia. Você se surpreenderá com o quanto isso reduz a fadiga e com como conseguirá lidar melhor com as situações. Afinal, ao relaxar e manter uma atitude relaxada, você elimina estados de preocupação, tensão e ansiedade excessivos, os quais interferem na operação eficiente do mecanismo criativo. Com o tempo, essa atitude relaxada se tornará um hábito, e você não precisará mais praticá-la de forma consciente.

PONTOS-CHAVE PARA RELEMBRAR

Resuma aqui:

1. ....
....
....
....
....

2. ....
....
....
....
....

3. ....
....
....
....
....

4. ....
....
....
....
....

5. ....
....
....
....
....

HISTÓRICO DE CASO

Redija uma experiência pessoal explicada pelos princípios apresentados neste capítulo:

_____ SETE

A conquista do hábito de ser feliz

N este capítulo, discuto o tema da felicidade não sob a ótica filosófica, mas sob a médica. O Dr. John A. Schindler define a felicidade como "um estado de espírito em que nosso pensamento é agradável em parte significativa do tempo". Do ponto de vista médico, e também ético, não acredito que essa definição possa ser aprimorada.

A FELICIDADE É UM EXCELENTE REMÉDIO

A felicidade é inata na mente humana e na máquina física. Pensamos melhor, atuamos melhor, sentimo-nos melhor e somos mais saudáveis quando estamos felizes. Até mesmo nossos órgãos sensoriais físicos funcionam melhor. O psicólogo russo K. Kekcheyev fez testes com pessoas no momento em que possuíam pensamentos agradáveis e desagradáveis. E descobriu que, ao mergulharem em pensamentos agradáveis, os órgãos dos sentidos se aprimoravam: visão, paladar, olfato, audição e tato. O Dr. William Bates provou que a visão melhora de imediato no indivíduo com pensamentos agradáveis, ou quando visualiza cenas agradáveis. A educadora de visão Margaret Corbett descobriu que o aprimoramento da memória e a tranquilidade mental levam o sujeito a pensamentos agradáveis. A medicina psicossomática provou que nosso estômago, fígado, coração e todos os órgãos internos funcionam melhor quando estamos felizes. Milhares de anos atrás, o sábio e velho Rei Salomão disse em seus Provérbios: "O coração alegre serve de bom remédio, mas o espírito abatido resseca os ossos". É significativo também que o judaísmo e o cristianismo prescrevam felicidade, regozijo, gratidão e alegria como meios para a retidão e a boa vida.

Psicólogos de Harvard, depois de estudarem a correlação entre felicidade e criminalidade, concluíram ser cientificamente verdadeiro o antigo provérbio: "As pessoas felizes nunca são más". Eles descobriram que a maioria dos criminosos provinha de lares infelizes e tinha um histórico de relacionamentos humanos também infeliz. Um estudo na Universidade de Yale, o qual se prolongou por dez anos, centrado no tema frustração, mostrou que a causa de muito do que chamamos de *imoralidade* e *hostilidade* para com os outros é nossa própria infelicidade.

O Dr. Schindler afirma que está na infelicidade a única causa de todos os males psicossomáticos – e que a felicidade é a única cura. Portanto, a própria palavra "doença" significa um estado de infelicidade. Uma pesquisa recente mostrou que, em geral, empresários otimistas e alegres, que olhavam para o lado positivo das coisas, eram mais bem-sucedidos do que os pessimistas.

Parece que, em nossa forma popular de pensar sobre a felicidade, temos de colocar a carroça na frente dos bois. "Seja bom e você será feliz", costumamos dizer. E ainda dizemos a nós mesmos: "Eu ficaria feliz se fosse bem-sucedido e saudável"; "seja gentil e amoroso com outras pessoas e você será feliz". Talvez estivesse mais próximo da verdade se disséssemos: "Seja feliz e você será bom, mais bem-sucedido e mais saudável; sentirá e agirá de modo mais benevolente para com os outros".

EQUÍVOCOS COMUNS SOBRE A FELICIDADE

Felicidade não é alguma coisa que se conquiste ou mereça. Não é uma questão moral, assim como a circulação sanguínea não é. Ambas são necessárias à saúde e ao bem-estar. Felicidade é apenas "um estado de espírito em que nosso pensamento é agradável em parte significativa do tempo". Se você esperar até que mereça ter pensamentos agradáveis, com certeza terá pensamentos desagradáveis sobre sua própria indignidade. "A felicidade não é o prêmio da virtude", disse Spinoza em seu livro *Ética*, "mas a própria virtude; e não gozamos dela porque reprimimos os impulsos viciosos, mas, pelo contrário, porque gozamos dela, podemos reprimi-los".

A busca da felicidade não é egoísta

Muitas pessoas sinceras são dissuadidas de buscar a felicidade por acharem que seria egoísta ou errado. O altruísmo contribui para a felicidade, pois não apenas direciona nossa mente para fora de nós mesmos e de nossa introspecção – falhas, pecados, problemas (pensamentos desagradáveis) ou orgulho de nossa benevolência –, mas também nos permite a expressão criativa e a autorrealização por meio da ajuda aos outros.

Um dos pensamentos mais agradáveis para qualquer ser humano envolve saber que é necessário, importante e competente para auxiliar e maximizar a felicidade alheia. No entanto, se considerarmos a felicidade uma questão moral e a concebermos como alguma coisa a ser conquistada em prol da recompensa por sermos altruístas, tenderemos a nos sentir culpados por almejá-la. Ela decorre, sim, de ser e agir de forma altruísta – como um acompanhamento natural do ser e agir, não como um lucro ou prêmio. Se formos recompensados em razão de nosso altruísmo, o próximo passo lógico é nossa admissão de que, quanto mais abnegados e miseráveis nos tornarmos, mais felizes seremos. A premissa conduz à conclusão absurda de que o jeito de ser feliz é ser infeliz.

Se há aí o envolvimento de alguma questão moral, diz respeito à felicidade e não à infelicidade. Segundo William James, "A atitude de infelicidade não é apenas dolorosa, mesquinha e feia. O que pode ser mais vil e indigno do que o estado de ânimo definhando, pulsando e resmungando, independentemente de quais males externos o engendraram? O que é mais nocivo para os outros? O que é menos útil como saída para a dificuldade? Ele apenas ata e perpetua o problema que a ocasionou e incrementa o infortúnio da situação".

A felicidade está no aqui e agora, não no futuro

"Nunca vivemos, mas esperamos viver; e, preparando-nos sempre para ser felizes, é inevitável que nunca o sejamos", disse Blaise Pascal, matemático e filósofo do século XVII.

Descobri que uma das causas mais comuns de infelicidade de meus pacientes é o fato de eles tentarem viver no plano do pagamento adiado. Assim, não vivem ou desfrutam a vida aqui e agora, mas ficam à espera de algum evento futuro. Serão felizes quando se casarem, quando conseguirem um emprego melhor, quando quitarem a casa, quando os filhos estiverem na faculdade, quando concluírem alguma tarefa ou conquistarem alguma vitória. Invariavelmente se desapontam.

A felicidade é um hábito mental, uma atitude mental que, se não for aprendida e praticada no presente, nunca será vivenciada. Ela não deve ser condicionada à resolução de um problema externo; afinal, sabemos que, assim que superamos um problema, surge outro. A vida se constitui de uma série deles. Se deseja ser feliz, seja-o – ponto-final! Não feliz "por causa de".

"Já reino há mais de cinquenta anos em vitória ou paz", disse o califa Abd al-Rahman I, governante da Península Ibérica no século VIII, "amado por meus súditos, temido por meus inimigos e respeitado por meus aliados. Riquezas e honras, poder e prazer atenderam ao meu chamado, e nenhuma bênção terrena parece ter faltado à minha felicidade. Nesta situação, contei diligentemente os dias de pura e genuína felicidade que me couberam; eles somam catorze".

FELICIDADE: HÁBITO MENTAL QUE PODE SER CULTIVADO E DESENVOLVIDO

> A maioria das pessoas é tão feliz quanto decide ser.
> *– Abraham Lincoln*

"A felicidade é puramente interior", nas palavras do psicólogo Dr. Matthew N. Chappell, autor de *In the Name of Common Sense* (Em nome do bom senso) e *Back to Self-Reliance* (De volta à autorresiliência). "É produzida não por objetos, mas por ideias, pensamentos e atitudes que podem ser desenvolvidos e construídos pelas próprias atividades do indivíduo, sem importar aí o ambiente."

Ninguém, exceto um santo, pode ser cem por cento feliz o tempo todo. E, como gracejou George Bernard Shaw, provavelmente seríamos infelizes se isso acontecesse. Mas podemos, pensando e tomando uma decisão simples, ser felizes e ter pensamentos agradáveis na maior parte do tempo, considerando essa multidão de pequenos eventos e circunstâncias do cotidiano que agora nos torna infelizes. Em grande medida, reagimos por hábito a insignificantes contratempos, frustrações e coisas semelhantes com mau humor, insatisfação, ressentimento e irritabilidade. Por tanto tempo praticamos reagir dessa maneira que se tornou habitual.

Muito dessa reação de infelicidade corriqueira se originou de algum evento que interpretamos como um golpe em nossa autoestima. Um motorista buzina para nós sem necessidade; alguém nos interrompe e não presta atenção enquanto falamos; alguém não nos trata como achamos que deveria. Até mesmo eventos impessoais são muitas vezes interpretados como afrontas à nossa autoestima: o ônibus atrasado; a chuva quando planejamos uma atividade; o trânsito complicado quando precisamos pegar o avião. Reagimos com raiva, ressentimento, autopiedade ou, em outras palavras, infelicidade.

NÃO PERMITA QUE AS COISAS PRESSIONEM VOCÊ

O mais eficiente remédio que encontrei para esse tipo de coisa é recorrer à própria arma da infelicidade: autoestima. Perguntei a um paciente: "Você já assistiu a um programa de TV e viu um assistente manipular o público? Ele levanta uma placa que diz 'aplausos', e todos aplaudem. Outra diz 'risadas', e todos riem. O auditório reage docilmente como ovelhas, como escravos, como mandam que se porte. Você está agindo da mesma maneira, deixando eventos externos e outras pessoas determinarem como deve se sentir e também reagir. Age como um escravo obediente, submetendo-se de imediato quando algum evento ou circunstância sinaliza para você: 'Fique com raiva'; 'Fique chateado'; 'Sinta-se infeliz'."

Aprendendo o hábito da felicidade, você se torna mestre em vez de escravo, ou, como disse Robert Louis Stevenson: "O hábito de ser feliz nos liberta, pelo menos em parte, da dominação das condições exteriores".

OPINIÕES PODEM MAXIMIZAR EVENTOS INFELIZES

Mesmo em condições trágicas e nos mais adversos contextos, quase sempre conseguimos ser mais felizes, ou até plenamente felizes, caso não somemos ao infortúnio nossos sentimentos de autopiedade, ressentimento e nossas próprias opiniões desfavoráveis.

"Como posso ser feliz?", perguntou-me a esposa de um alcoólatra.

"Não sei", respondi. "Mas você pode ser mais feliz se decidir não acrescentar ressentimento e autopiedade a esse infortúnio."

"Como posso ser feliz?", perguntou-me um empresário. "Acabei de perder uma fortuna no mercado de ações. Estou falido e desacreditado."

"Você pode ser mais feliz", respondi, "se não resolver dar sua opinião sobre tal evento. É um fato que perdeu uma fortuna, mas é sua opinião que está falido e desacreditado".

Sugeri ainda que ele memorizasse uma frase de Epicteto, a qual sempre admirei: "O que perturba os homens não são as coisas, e sim as opiniões que eles têm em relação às coisas".

Quando afirmei que queria ser médico, disseram-me que seria impossível, pois meus pais não poderiam arcar com os custos. Era um fato: minha mãe não tinha dinheiro. Era apenas uma opinião: eu nunca poderia ser médico. Mais tarde, disseram-me que eu nunca conseguiria especializar-me na Alemanha e que seria impossível um recém-diplomado cirurgião plástico abrir seu próprio negócio em Nova York. Fiz tudo isso, o que me ajudou a rememorar que os impossíveis eram opiniões, não fatos. Não só alcancei meus objetivos, mas também me senti feliz durante todo o processo de conquistá-los, mesmo quando tive de penhorar meu sobretudo para comprar livros da área e abdicar de almoços para comprar cadáveres.

Eu me apaixonei por uma linda garota; ela se casou com outro. Aí estavam os fatos. Mas me empenhava em lembrar que toda a catástrofe não passava de minha opinião e que a vida era digna de ser vivida. Superei toda essa situação, o que acabou sendo uma das melhores coisas que me aconteceram.

A ATITUDE QUE LEVA À FELICIDADE

Já foi citado antes que o ser humano luta por objetivos, razão pela qual funciona natural e normalmente quando está orientado para algum objetivo positivo, empenhado na conquista de algo desejável. A felicidade é um sintoma do funcionamento normal e natural, e, ao agir como um conquistador de objetivos, o homem tende a se sentir bastante feliz, independentemente das circunstâncias.

Meu jovem amigo executivo estava muito infeliz porque havia perdido uma fortuna. Thomas A. Edison, sem seguro, perdeu um laboratório no valor de milhões em um incêndio. Alguém lhe perguntou: "O que você vai fazer agora?". "Vamos começar a reconstruí-lo amanhã de manhã", respondeu Edison. Ou seja, ele manteve uma atitude ativa; ainda tinha um objetivo, apesar do infortúnio. E, porque manteve esse tipo de atitude em busca de objetivos, é válido pensar que jamais se sentiu infeliz diante da perda.

O psicólogo H. L. Hollingworth afirmou que a felicidade exige a ocorrência de problemas, além de uma atitude mental pronta para refutar a angústia com a tomada de uma ação que leve a uma saída.

William James escreveu em *Variedades da experiência religiosa*: "Muita coisa do que denominamos *mal* se deve inteiramente ao modo com que os homens encaram o fenômeno. Ele muitas vezes se converte num bem estimulante e tônico por simples mudança da atitude interna daquele que sofre, que passa do medo à luta; seu ferrão tantas vezes desaparece e transforma-se em prazer quando, depois de procurar em vão evitá-lo, concordamos em enfrentá-lo e suportá-lo com alegria. O homem se vê simplesmente obrigado, até por uma questão de honra, diante de muitos fatos que parecem, de início, perturbar-lhe a paz, a adotar esse modo de fuga. Recusa-se a admitir-lhes a maldade; despreza-lhes o poder; não dá importância à sua presença; desvia a atenção para outro lado; e, de qualquer maneira, no que concerne a si próprio, embora os fatos ainda existam, o seu caráter perverso já deixou de existir. Visto ser a pessoa quem os faz má ou boa pelos próprios pensamentos, governá-los há de ser a sua principal preocupação".

Revendo meu passado, concluo que alguns dos anos mais felizes foram aqueles em que batalhava como estudante de medicina, vivendo sem dinheiro em meus primeiros dias de prática médica. Muitas vezes sentia fome e frio; andava malvestido. Trabalhava duro um mínimo de doze horas por dia e muitas vezes nem sabia de onde viria o dinheiro para pagar meu aluguel, mas tinha um objetivo, um desejo intenso de alcançá-lo e uma determinação que me manteve trabalhando para isso.

Contei tudo isso ao jovem executivo e sugeri que a verdadeira razão de sua infelicidade não era ter perdido tal fortuna, mas ter perdido seu objetivo. Perdendo uma atitude ativa, acabava cedendo à situação, em vez de reagir agressivamente.

Mais tarde, ele me disse: "Devo ter sido louco ao permitir que me convencesse de que minha infelicidade não decorria da perda de dinheiro, mas estou muito feliz que o tenha feito". Ele parou de lastimar sobre seu infortúnio, enfrentou-o, determinou outro objetivo e começou a trabalhar para realizá-lo. Em cinco anos, não só acumulara mais dinheiro do que nunca, mas pela primeira vez atuava em um negócio de que gostava.

EXERCÍCIO PRÁTICO

Crie o hábito de reagir de maneira determinada e positiva diante de ameaças e problemas. Mantenha-se sempre focado em objetivos, independentemente do que aconteça. Para isso, pratique uma atitude determinada e positiva, tanto em situações reais do cotidiano quanto em sua imaginação. Veja-se em ações positivas e inteligentes para resolver um problema ou conquistar um objetivo. Veja-se reagindo às ameaças, não fugindo ou evadindo-se, mas enfrentando-as de modo ativo e inteligente, lidando com elas. "A maioria das pessoas é corajosa apenas nos perigos aos quais se acostuma, na imaginação ou na prática", afirmou Bulwer-Lytton, romancista inglês.

PRATIQUE SISTEMATICAMENTE UMA MENTALIDADE SAUDÁVEL

> A medida da saúde mental é a disposição de encontrar o lado bom em todas as partes.
> *- Ralph Waldo Emerson*

Quando sugiro a meus pacientes a ideia de que a felicidade, ou manter pensamentos agradáveis na maior parte do tempo, pode ser deliberada e sistematicamente cultivada por meio de uma prática mais ou menos a sangue frio, noto que lhes soa meio ridícula. No entanto, a experiência mostrou não apenas que isso é viável, mas também que é a única maneira de cultivar o hábito da felicidade. Em primeiro lugar, a felicidade não é uma coisa que nos acontece, mas algo que fazemos e determinamos. Se esperarmos que ela nos alcance, ou simplesmente aconteça, ou nos seja trazida por outros, é provável que vivamos uma longa espera. Ninguém pode decidir quais serão nossos pensamentos, exceto nós mesmos. Caso aguardemos até que as circunstâncias justifiquem nossos pensamentos agradáveis, provavelmente esperaremos para sempre. Todos os dias mesclam eventos bons e maus; nada é cem por cento bom.

Há elementos e fatos presentes no mundo e em nossa vida pessoal, em todos os momentos, que justificam uma perspectiva pessimista e mal-humorada ou otimista e feliz; a escolha nos cabe e envolve, em grande parte, uma questão de seleção, atenção e decisão, não de sermos intelectualmente honestos ou desonestos. O bem é tão real quanto o mal; portanto, decidamos nossas prioridades e quais pensamentos manteremos na mente.

Escolher de modo intencional ter pensamentos agradáveis é mais do que um paliativo, pois pode desencadear resultados bastante práticos. Segundo Carl Erskine, célebre arremessador de beisebol, o pensamento negativo o levou a perder mais pontos do que o arremesso errado. Conforme citado em *Faith Made Them Champions* (A fé os tornou campeões), de Norman Vincent Peale, ele disse: "Um sermão me ajudou a superar a tensão com mais eficiência do que o conselho de um treinador. Assentava-se na essência de que, como um esquilo reunindo nozes, devemos armazenar nossos momentos de felicidade e triunfo para que, em uma crise, recorramos a essas memórias como elemento de ajuda e inspiração. Quando criança, costumava pescar em um riacho nos arredores da minha cidade natal. Lembro-me vividamente do local no centro de uma pastagem verdejante e árvores frondosas. Sempre que a tensão se acumula dentro ou fora do campo, foco-me nessa cena relaxante, e os nós em mim se desfazem".

Gene Tunney, pugilista americano, contou como o foco nos fatos errados quase o fez perder sua primeira luta com Jack Dempsey. Uma noite, ele acordou de um pesadelo. "Via-me sangrando, ferido e indefeso, afundado na lona; o juiz já na contagem. Tremia incontrolavelmente. Ali eu já havia perdido aquela luta que significava tudo para mim – o campeonato... O que poderia fazer diante de tal terror? Mas consegui discernir a causa: pensava na luta da maneira errada. Todos os jornais diziam que Tunney perderia. Por meio deles, eu estava perdendo o combate em minha própria mente. Parte da solução era óbvia: parar de ler os jornais; parar de pensar na ameaça Dempsey, no soco e na ferocidade dele. Então, simplesmente cerrei as portas da minha mente para pensamentos destrutivos – e desviei meu pensamento para outras coisas."

UM VENDEDOR QUE PRECISAVA MAIS DE UMA CIRURGIA NOS PENSAMENTOS DO QUE NO NARIZ

Um jovem vendedor colocara na cabeça que abandonaria o emprego quando me consultou sobre uma cirurgia plástica no nariz, com certeza meio maior que o normal, mas não "repulsivo", como o rapaz insistia em dizer. Ele sentia que os clientes riam ou o encaravam com aversão. Fato: o nariz era grande. Fato: três clientes haviam ligado para reclamar do comportamento grosseiro e hostil dele. Fato: seu chefe o colocara em um período de experiência, e ele não fizera nem sequer uma venda em duas semanas.

Em vez de uma cirurgia no nariz, sugeri que fizesse uma cirurgia no próprio pensamento. Durante trinta dias, deveria bloquear todos os pensamentos negativos, ignorar por completo os fatos desagradáveis e focar-se em pensamentos agradáveis. Passado tal período, ele não apenas se sentiu melhor, mas também descobriu que os clientes se tornaram muito mais amigáveis; as vendas estavam aumentando, e seu chefe o parabenizou publicamente em uma reunião de trabalho.

UM CIENTISTA TESTA A TEORIA DO PENSAMENTO POSITIVO

O Dr. Elwood Worcester, em seu livro *Body, Mind and Spirit* (Corpo, mente e espírito), relata o testemunho de um cientista mundialmente renomado:

Até os cinquenta anos, eu era um homem infeliz e improdutivo. Nenhuma das obras sobre as quais repousa minha reputação havia sido publicada. [...] Eu vivia uma constante sensação de tristeza e fracasso. Talvez o meu mais doloroso sintoma fosse uma terrível dor de cabeça que me atingia, em geral, dois dias por semana, durante os quais eu não conseguia fazer nada.

Já havia lido um pouco da literatura do Novo Pensamento[4], que naquela época parecia um disparate, e algumas colocações de William James sobre direcionar a atenção para o que é bom e útil e ignorar o resto. Uma frase ficou registrada em minha mente; ela dizia mais ou menos o seguinte: "Talvez tenhamos que desistir de nossa filosofia do mal, mas o que é isso em comparação com ganhar uma vida de bondade?". Até então, essas doutrinas me pareciam apenas misticismo, mas, percebendo que minha alma adoecia cada vez mais e que minha vida era intolerável, decidi colocá-las à prova. [...] Resolvi limitar o período de esforço consciente a um mês, pois achava que bastaria para me provar seu valor ou sua inutilidade. Durante esse período, decidi impor certas restrições aos meus

---

4. Também chamado Movimento Novo Pensamento, eclodiu nos Estados Unidos no final do século XIX e enfatiza crenças metafísicas. Consiste de um grupo livremente formado por denominações religiosas, organizações seculares, autores, filósofos e indivíduos que compartilham um conjunto de crenças metafísicas referentes aos efeitos do pensamento positivo, lei da atração, cura, força vital, visualização criativa e poder pessoal. (N.T.)

pensamentos. Se pensasse no passado, tentaria deixar minha mente focada apenas em felicidade e prazer, nos dias luminosos da minha infância, na inspiração dos meus professores e na lenta revelação do trabalho de minha vida. Ao pensar no presente, voltaria intencionalmente minha atenção aos elementos desejáveis: meu lar, as oportunidades que minha solidão me ofertava para trabalhar, coisas assim, e como deliberei aproveitar ao máximo essas oportunidades e ignorar o fato de que pareciam não levar a nada. Ao pensar no futuro, decidi me fixar em todas as ambições dignas e possíveis ao meu alcance. Por mais ridículo que isso parecesse na época, em vista do que me ocorreu desde então, vejo que a única falha no meu plano era que ele aspirava a muito pouco.

O cientista então relata como as dores de cabeça cessaram em uma semana e como se sentiu mais feliz e disposto do que nunca. Mas acrescenta:

As mudanças exteriores de minha vida, decorrentes da mudança de pensamento, surpreenderam-me mais do que as mudanças interiores, ainda que delas tenham aflorado. Havia, por exemplo, certos homens eminentes, por cujo reconhecimento eu ansiava profundamente. O mais célebre deles, por meio de uma carta, convidou-me para atuar como seu assistente. Meus trabalhos foram todos publicados e ainda criaram uma base para publicar tudo o que eu escrevesse no futuro. Os homens com quem tenho trabalhado se mostram prestativos e cooperativos, sobretudo por causa da minha mudança de disposição. Antigamente eles não me suportariam. [...] Ao rememorar todas essas mudanças, parece-me que, de alguma forma, tropecei em uma trilha da vida e coloquei para trabalhar a meu favor forças que antes atuavam contra mim.

COMO UM INVENTOR USOU "PENSAMENTOS FELIZES"

O professor Elmer Gates, do Instituto Smithsonian, foi um dos inventores mais bem-sucedidos que este país já conheceu e um gênio renomado. Praticava todos os dias evocar ideias e lembranças agradáveis, coisa que acreditava ajudá-lo em seu trabalho. Segundo ele, se uma pessoa quer se autoaprimorar, "que ela evoque esses sentimentos mais sutis de benevolência e utilidade, que, na verdade, são apenas de vez em quando lembrados. Deixe-a fazer disso um exercício regular, como erguer halteres. Deixe-a aumentar gradualmente o tempo dedicado a tais exercícios psíquicos, e, ao fim de um mês, ela se surpreenderá com a mudança em si mesma. A alteração transparecerá em suas ações e pensamentos. Moralmente falando, viverá um excepcional aprimoramento de seu antigo 'eu'."

> A prática do professor Elmer Gates de evocar "ideias e memórias agradáveis" é um dos aspectos fundamentais da psicocibernética. Quando paramos de recordar bons momentos, nossas épocas melhores da vida, é como se nos desconectássemos da fonte de todas as coisas boas. No entanto, tão logo nos lembramos e sentimos como era estar no nosso melhor, mais uma vez a acionamos. Estamos reconectados e começamos a experimentar a felicidade interior e exteriormente. Nossos pensamentos não se limitam ao positivo, assim como nossos sentimentos, e, curiosamente, a maioria das circunstâncias que seriam negativas no passado agora é agradável, harmoniosa e vibrante.

Psicocibernética

COMO APRENDER O HÁBITO DA FELICIDADE

Nossa autoimagem e nossos hábitos tendem a andar juntos. Mude um e mudará automaticamente o outro. A palavra "hábito" originalmente significa traje ou vestuário. E ainda falamos, por exemplo, de hábitos de equitação ou vestimentas. Isso nos possibilita compreender a verdadeira natureza do hábito. Portanto, podemos dizer que nossos hábitos são literalmente as roupas de nossa personalidade. Não são acidentais ou casuais. Nós os temos porque eles se ajustam em nós, coerentes com nossa autoimagem e com todo o nosso padrão de personalidade. Quando desenvolvemos consciente e deliberadamente hábitos novos e mais aprimorados, nossa autoimagem tende a superar os antigos e desenvolver-se no novo padrão.

Vejo muitos pacientes se encolherem de medo quando menciono a mudança de hábitos ou de padrões de ação, ou a encenação de novos padrões de comportamento até que se tornem automáticos. Na verdade, confundem hábito com vício. O vício nos compele e causa sintomas graves de abstinência. Tratá-lo está além do escopo deste livro.

Por outro lado, hábitos são meras reações e respostas que aprendemos a ter automaticamente, sem que envolvam pensamento ou decisão. Eles são executados pelo nosso mecanismo criativo. Noventa e cinco por cento do nosso comportamento, sentimento e reação são habituais.

O pianista não decide que teclas tocar. A bailarina não decide que pé movimentará para onde. A reação é automática e impensada.

Da mesma forma, nossas atitudes, emoções e crenças tendem a se tornar habituais. No passado, aprendemos que certas atitudes, modos de sentir e pensar eram apropriados a determinadas situações. Agora, tendemos a pensar, sentir e agir da mesma maneira sempre que nos vemos diante do que interpretamos como o mesmo tipo de situação.

Precisamos entender que hábitos, ao contrário de vícios, podem ser modificados, mudados ou revertidos simplesmente com o trabalho de tomar uma decisão consciente e, depois, praticar ou encenar a nova reação ou comportamento. O pianista, caso deseje, pode decidir tocar uma tecla diferente. O bailarino pode decidir aprender um novo passo, e isso não implica sofrimento. Demanda, sim, vigilância e prática constantes até que o novo padrão de comportamento seja plenamente aprendido.

EXERCÍCIO PRÁTICO

Habitualmente, você calça primeiro o sapato direito ou o esquerdo. Habitualmente, amarra os sapatos passando o cadarço da direita para a esquerda, ou vice-versa. Amanhã de manhã, determine que sapato calçará primeiro e como amarrará os cadarços. Agora, conscientemente, decida que, nos próximos 21 dias, vai formar um novo hábito, colocando primeiro o outro sapato e amarrando o cadarço de um jeito diferente. Todas as manhãs, quando decidir calçar os sapatos de uma determinada maneira, deixe que esse simples ato sirva como um lembrete para que mude outras maneiras habituais de pensar, agir e sentir ao longo do dia. Diga enquanto amarra os sapatos: "Estou começando o dia de uma maneira nova e melhor". Então, conscientemente decida para o decorrer do dia:

1. Serei o mais bem disposto possível;
2. Vou tentar me sentir e agir de modo um pouco mais amigável com os outros;
3. Serei um pouco menos crítico e um pouco mais tolerante com outras pessoas, com suas falhas, imperfeições e erros. Interpretarei do melhor modo possível as ações delas;
4. Na medida do possível, vou agir como se os sucessos fossem inevitáveis e já sou o tipo de personalidade que desejo ser. Praticarei agir e sentir como essa nova personalidade;
5. Não vou permitir que minha opinião pinte os fatos de forma pessimista ou negativa;
6. Praticarei sorrir pelo menos três vezes;

7. Não importa o que aconteça, reagirei com calma e de modo tão inteligente quanto possível;
8. Vou ignorar completamente e fechar minha mente para todos aqueles fatos pessimistas e negativos que não posso fazer nada para mudar.

Simples? Sim. Mas cada uma dessas formas habituais de agir, sentir e pensar exerce uma influência benéfica e construtiva em sua autoimagem. Faça os exercícios durante 21 dias. Experimente-os e veja se a preocupação, a culpa, a hostilidade não se atenuaram e se a confiança não se maximizou.

PONTOS-CHAVE PARA RELEMBRAR

Resuma aqui:

1. ....
....
....
....
....

2. ....
....
....
....
....

3. ....
....
....
....
....

4. ....
....
....
....
....

5. ....
....
....
....
....

HISTÓRICO DE CASO

Redija uma experiência pessoal explicada pelos princípios apresentados neste capítulo:

OITO

Os componentes da personalidade de tipo sucesso e como conquistá-los

A ssim como um médico aprende a diagnosticar doenças a partir de certos sintomas, o fracasso e o sucesso também podem ser diagnosticados. Isso ocorre porque uma pessoa não apenas encontra o sucesso ou chega ao fracasso, mas carrega as sementes de ambos em sua personalidade e caráter.

Descobri que um dos meios mais eficazes de ajudar as pessoas a alcançarem uma personalidade adequada, ou de sucesso, é, antes de tudo, proporcionar-lhes uma imagem explícita da personalidade bem-sucedida. Lembre-se: o mecanismo de orientação criativa é um mecanismo de busca de objetivos, e, portanto, o primeiro requisito para usá-lo é ter um objetivo ou um alvo claro para atingir. Muitas pessoas querem se aprimorar e anseiam por uma personalidade melhor, mas não definem uma direção para o encontro dessa melhoria, ou do que vem a ser uma boa personalidade. Esta, na verdade, é aquela que nos permite lidar de maneira eficaz e adequada com o ambiente e a realidade, além de nos satisfazermos ao atingir objetivos que nos são importantes.

Vejo com frequência pessoas desnorteadas e infelizes recuperarem o ânimo quando descobrem um objetivo e uma direção a seguir. Por exemplo, o publicitário de quarenta e poucos anos que estranhamente se sentia inseguro e insatisfeito consigo mesmo, logo após receber uma promoção importante.

NOVOS PAPÉIS EXIGEM NOVAS AUTOIMAGENS

"Não faz sentido", disse o publicitário. "Batalhei sonhando com esse cargo. É tudo o que sempre quis. Sei que posso me sair bem, e, no entanto, por alguma razão, minha autoconfiança está abalada. De repente acordo, como se de um sonho, e me pergunto: 'O que diabos um peixinho como eu está fazendo em um trabalho como este?'." Ele havia se tornado supersensível à sua aparência e pensava que talvez o queixo afilado fosse a causa do desconforto. "Não pareço um executivo", dizia. E então acreditava que na cirurgia plástica estaria a resposta para seu problema.

Outro caso se refere a uma mãe e dona de casa enlouquecida pelos filhos e tão irritada com o marido que explodia com ele, sem motivo, pelo menos uma vez por semana. "Qual é meu problema?", perguntava-se. "Meus filhos são uns amores de crianças; deveria me orgulhar deles. Meu marido é, de verdade, uma boa pessoa, e sempre me envergonho depois de uma explosão." Achava que um *lifting* facial lhe daria mais confiança e faria com que sua família gostasse mais dela.

O problema com essas pessoas, e muitas outras desse tipo, não é a aparência física, mas a autoimagem. Quando expostas a um novo papel, elas se sentem incertas sobre o tipo de pessoa que deveriam ser, ou então nunca desenvolveram uma autoimagem clara de si mesmas em qualquer papel.

A IMAGEM DO SUCESSO

Neste capítulo, vou lhe prescrever a mesma receita que receberia se viesse ao meu consultório.

Percebi que uma imagem fácil de lembrar, referente à personalidade bem-sucedida, está expressa nas letras da própria palavra "sucesso", ou seja[5]:

Senso de direção
União e compreensão
Compaixão
Estima
Senso de autoconfiança
Senso de autoaceitação
Ousadia e coragem

Senso de direção

O publicitário corrigiu-se e recuperou a autoconfiança em pouco tempo, ao perceber que, durante vários anos, sua motivação viera de fortes objetivos pessoais que desejava alcançar – inclusive o de chegar à sua posição atual. Esses objetivos, que eram importantes para ele, lhe deram a direção. No entanto, ao ser promovido, deixou de pensar em termos do que queria, mas em termos do que esperavam dele ou se estava à altura de tais expectativas. Assim, assemelhava-se ao capitão que abdica do leme e espera que o navio siga no rumo certo. Ou ao alpinista que, enquanto almeja atingir o pico, sente e age com cora-

---

5. Aqui, adaptado. No texto original: senso de direção; compreensão; coragem; compaixão; estima; autoconfiança; autoaceitação. (N.T.)

gem e ousadia, mas, ao chegar lá, percebe que não há mais para onde ir e, olhando para baixo, sente medo. Ele estava agora na defensiva, garantindo sua posição atual, em vez de ser resiliente e partir para a ofensiva em busca de novos objetivos. Ao estabelecer novos alvos para si mesmo, recuperou o controle e começou a pensar: "Qual meu objetivo neste trabalho? O que quero alcançar? Aonde quero ir?".

Então, eu lhe disse: "Em termos de funcionalidade, um homem é como uma bicicleta, cujo equilíbrio apenas se mantém enquanto estiver avançando em direção a algo. Você tem uma boa bicicleta, mas tenta manter o equilíbrio com ela parada, sem saber que rumo tomar. Não à toa se sente vacilante".

Somos projetados como mecanismos de busca de objetivos. É da nossa natureza. Se não temos objetivo pessoal que nos interesse e que nos seja significativo, corremos o risco de andar em círculos, nos sentir perdidos e achar nossa vida sem propósito. Somos feitos para conquistar o meio ambiente, resolver problemas, atingir objetivos, e não encontramos satisfação ou felicidade real sem obstáculos a vencer e alvos a alcançar. Ao dizerem que a vida não vale a pena, certas pessoas estão, na verdade, dizendo que elas próprias não têm objetivos pessoais que valham a pena.

Prescrição: Arranje um objetivo pelo qual valha a pena trabalhar. Melhor ainda, atribua-se um projeto. Decida o que você quer de uma situação. Sempre tenha algo para buscar – pelo que trabalhar e desejar. Olhe para a frente, não para trás. Olhe para o futuro. Desenvolva uma nostalgia pelo futuro em vez de pelo passado. Essa atitude tem potencial para mantê-lo jovem. Até mesmo nosso corpo não funciona bem quando deixamos de ser buscadores de objetivos e não temos mais nada a esperar. Aí está por que muitos morrem logo depois da aposentadoria. Quando não buscamos objetivos, não olhamos para a frente, não estamos realmente vivendo. Além dos objetivos de caráter pessoal, tenha pelo menos um objetivo ou causa impessoal com que se identifique. Interesse-se por algum projeto de ajuda ao próximo – não por senso de dever, mas porque você quer.

> Ao longo de seu trabalho, o Dr. Maltz usou dois termos que algumas pessoas consideram mais benéficos do que a palavra "objetivo", que provoca uma reação negativa ou desperta tensão em alguns. O emprego dos termos "projeto" ou "causa" lhes facilita entender o que precisam fazer. Por exemplo, Bob Bly, escritor de sucesso e expert em marketing, insiste que nunca estabeleceu um objetivo na vida, mas sempre tem projetos em sua mesa, ou seja, algo que está trabalhando para alcançar. E, na mesma linha, quando perguntei à minha filha, Faith, o que ela queria fazer, a resposta foi: "Eu não sei". Então mudei minha pergunta para "o que você gostaria de fazer?". Imediatamente ela começou a dizer coisas em que queria ser boa – não apenas fazer. Se a palavra "objetivo" não for do seu agrado, use outra que o ajude em vez de prejudicá-lo na jornada.

União e compreensão

A compreensão depende de uma boa comunicação, elemento vital para qualquer sistema de orientação ou computador. Não reagimos adequadamente se a base das ações forem informações falhas ou mal com-

Psicocibernética

preendidas. Muitos médicos acreditam que a confusão é o componente básico da neurose. Para lidarmos de forma eficaz com um problema, precisamos compreender um pouco sua verdadeira natureza. A maioria de nossos fracassos nas relações humanas se deve a mal-entendidos.

Esperamos que outras pessoas reajam e cheguem às mesmas conclusões a que chegamos a partir de um determinado conjunto de fatos ou circunstâncias. Devemos lembrar o que foi dito em um capítulo anterior: ninguém reage às coisas como elas são, mas segundo as próprias imagens mentais. Quase sempre a intenção de uma reação ou de uma posição assumida pelo outro não é nos fazer sofrer, nem ocorre porque alguém é teimoso ou malvado, mas porque ele entende e interpreta a situação de modo diferente de nós. Assim, está apenas reagindo conforme o que, para ele, parece ser a verdade sobre a situação. Acreditar que a outra pessoa é sincera, ainda que equivocada, em vez de obstinada e maliciosa, pode suavizar as relações humanas e desencadear um melhor entendimento. Pergunte-se: "Como isso parece para ele?"; "Como ele interpreta essa situação?"; "Como ele se sente sobre isso?". Tente entender por que ele costuma agir da maneira que age.

Fato versus opinião

Muitas vezes, criamos confusão quando opinamos quanto aos fatos e chegamos à conclusão errada.

FATO: Um marido estala as articulações dos dedos.
OPINIÃO: A esposa conclui: "Ele faz isso porque acha que vai me incomodar".

FATO: O marido chupa os dentes depois de comer.

OPINIÃO: A esposa conclui: "Se ele tivesse alguma consideração por mim, agiria de modo mais educado".

FATO: Dois amigos estão sussurrando quando você se aproxima. De repente, param de falar e parecem um pouco constrangidos.
OPINIÃO: Você pensa: "Eles devem estar fofocando sobre mim".

A esposa aqui mencionada foi capaz de entender que os maneirismos irritantes do marido não eram atos deliberados e intencionais com o objetivo de irritá-la. Quando ela parou de reagir como se tivesse sido pessoalmente insultada, foi capaz de analisar a situação e escolher uma reação apropriada.

Disponha-se a vislumbrar a verdade

Muitas vezes, por medos, ansiedades ou desejos, colorimos os dados sensoriais que recebemos. Mas, para sermos eficazes no modo de lidar com o meio ambiente, devemos nos dispor a reconhecer a verdade sobre ele. Somente reagiremos de modo adequado quando entendermos o que ele é. Precisamos ser capazes de vislumbrar e aceitar a verdade, boa ou má. Bertrand Russell disse que uma razão para Hitler ter perdido a Segunda Guerra Mundial foi não ter compreensão plena dos acontecimentos. Portadores de más notícias eram punidos. Logo, ninguém se atrevia a dizer-lhe a verdade, e, por não a conhecer, ele não tomava as decisões adequadas.

Muitos de nós somos culpados do mesmo equívoco. Não gostamos de admitir nossos erros, enganos, deficiências, nem mesmo admitir que erramos. Não gostamos de reconhecer que uma situação é diferente do que gostaríamos que fosse. Então nos enganamos. Ao não vislumbrarmos a verdade, não agimos adequadamente. Já disseram que um bom exercício é admitir, todo dia, para nós mesmos, uma verdade dolorosa a nosso respeito. A personalidade do tipo de sucesso não engana e mente para outras pessoas; ela aprende a ser honesta consigo mesma. O que chamamos de *sinceridade* se baseia em autocompreensão e honestidade, pois ninguém que mente para si mesmo pode ser sincero se racionaliza ou conta mentiras pré-elaboradas a si mesmo.

Prescrição: Busque informações verdadeiras – boas ou más – sobre você, seus problemas, outras pessoas ou a situação. Adote o lema: "Não importa quem está certo, mas o que está certo". Um sistema de orientação automática corrige seu curso a partir de dados de *feedback* negativo. Ele reconhece os erros para corrigi-los e permanecer no curso. Você também deve fazê-lo. Admita seus enganos e erros, mas não fique chorando por eles. Corrija-os e siga em frente. Ao lidar com outras pessoas, una-se a elas no sentido de tentar ver a situação também do ponto de vista que adotaram.

Ousadia e coragem

Não basta ter um objetivo e entender a situação. É necessário também ter ousadia para agir, pois objetivos, desejos e crenças se concretizam por meio de ações

O lema pessoal do almirante William F. Halsey era uma citação de Nelson: "Nenhum capitão pode errar muito se colocar seu navio lado a lado com o do inimigo". "'A melhor defesa é um ataque forte' é um princípio militar", disse Halsey, "mas ultrapassa conflitos de guerra. Todos os problemas, pessoais, nacionais ou de combate, tornam-se menores se você os enfrenta. Toque um cardo timidamente, e ele o picará; agarre-o com ousadia, e seus espinhos se esfacelarão."

Alguém já disse que fé não é acreditar em algo apesar das evidências. É a ousadia, a coragem de agir independentemente das consequências.

Por que não apostar em si mesmo?

Nada neste mundo é absolutamente certo ou garantido. Muitas vezes, a diferença entre um homem de sucesso e um fracassado não são melhores competências ou ideias, mas a coragem de apostar em si, correr um risco calculado e agir.

Muitas vezes pensamos em coragem em termos de feitos heroicos no campo de batalha, em um naufrágio ou em um evento semelhante. Mas a vida cotidiana também requer coragem. Se diante de um problema ficamos parados, sem ação, nervosos, acabamos nos sentindo bloqueados, travados, o que pode até desencadear sintomas físicos.

Minha recomendação: estude bem a situação, repasse na imaginação as várias atitudes possíveis e as consequências que podem e devem advir de cada uma. Escolha a mais promissora e siga em frente. Caso esperemos até ter certeza e segurança antes de uma ação, nunca faremos nada. Toda vez que agimos, nos expomos ao erro. Qualquer decisão que tomarmos pode acabar sendo a errada, mas não devemos deixar que isso nos impeça de ir atrás de nosso objetivo. Portanto, tenha a coragem de se arriscar a cometer erros, a falhar, a ser humilhado. Um passo na direção errada é melhor do que ficar estacionado por toda a vida. Seguindo em frente, você poderá corrigir seu curso à medida que avança. O sistema de orientação automática não consegue guiá-lo quando você está estagnado.

Fé e coragem são instintos naturais

Você já se perguntou por que o impulso ou o desejo de jogar parece instintivo na natureza humana? Minha teoria se baseia no fato de que esse impulso universal é um instinto que, se usado corretamente, nos impele a apostar em nós mesmos, a arriscar em nossas potencialidades criativas. Quando temos fé e agimos com ousadia e coragem, estamos apostando nos talentos criativos que Deus nos deu e correndo riscos. Tenho também outra teoria: as pessoas que frustram esse instinto natural, recusando-se a viver criativamente e a agir com coragem, são as que desenvolvem a febre do jogo e se viciam. Um homem que não aposta em si mesmo tem que apostar em alguma coisa. E o homem que não age com coragem às vezes procura buscá-la em uma garrafa de bebida. Fé e coragem são instintos humanos naturais, e sentimos necessidade de expressá-los, de uma forma ou de outra.

Prescrição: Esteja disposto a cometer alguns erros, a sofrer um pouco para conseguir o que deseja. Não se venda por pouco. O general R. E. Chambers, chefe da Divisão de Consultores de Psiquiatria e Neurologia do Exército, disse: "A maioria das pessoas não sabe como são de fato corajosas. Na verdade, muitos heróis em potencial, homens e mulheres, vivem duvidando de si mesmos. Se soubessem desses recursos, teriam autoconfiança para enfrentar a maioria dos problemas, mesmo em uma grande crise". Você tem os recursos, mas nunca vai saber que os tem até agir – e dar a eles a chance de trabalhar para você.

Outra sugestão útil é praticar agir com ousadia e coragem em relação às pequenas coisas. Não espere pela oportunidade de ser um grande herói em algum conflito terrível. A vida diária também requer coragem, e, ao praticá-la nas pequenas coisas, você desenvolve o poder e o talento para agir bravamente em questões mais importantes.

Compaixão

Personalidades de sucesso têm algum interesse e consideração por outras pessoas, respeito pelos problemas e necessidades alheios, respeito pela dignidade da personalidade humana, e tratam os outros como se fossem seres humanos, não peões em um jogo de xadrez. Elas reconhecem que cada pessoa é um filho de Deus e um indivíduo único, que merece dignidade e respeito.

É um fato psicológico que os sentimentos que nutrimos por nós mesmos tendem a corresponder aos que as outras pessoas nos despertam. Assim que sentimos mais compaixão pelos outros, invariavelmente passamos a sentir mais compaixão por nós. Quem sente que as pessoas não são muito importantes não pode ter muito autorrespeito e autoestima, pois ela mesma é uma pessoa e, ao julgar os outros, de forma inconsciente é julgada na própria mente. Um dos métodos mais conhecidos de superar um sentimento de culpa é parar de condenar as outras pessoas, de julgá-las, de culpá-las e odiá-las pelos erros que cometem. Quando começar a sentir que elas são mais dignas, acabará aprimorando sua autoimagem.

A compaixão por outros também caracteriza a personalidade bem-sucedida, pois significa que a pessoa está lidando com a realidade. Pessoas são importantes e não podem ser tratadas como animais ou máquinas, nem como peões de um tabuleiro para garantir fins pessoais. Hitler descobriu isso. O mesmo acontecerá com outros tiranos, onde quer que sejam encontrados; em casa, nos negócios ou em relacionamentos individuais.

Prescrição: A prescrição para a compaixão é tripla: (1) tente desenvolver uma apreciação genuína pelas pessoas, percebendo a verdade sobre elas – são filhas de Deus, personalidades únicas, seres criativos; (2) dê-se ao trabalho de pensar nos sentimentos alheios, em seus pontos de vista, seus desejos e necessidades. Pare e pense mais no que o outro quer e em como deve se sentir. Um amigo meu brinca com a esposa ao responder quando ela questiona se ele realmente a ama: "Sim, sempre que paro e penso nisso". Há muita verdade em tais palavras. Não podemos sentir nada por outras pessoas a menos que paremos e pensemos sobre elas; (3) aja como se os outros fossem importantes e trate-os de acordo. Leve em consideração os sentimentos deles. Tendemos a nos sentir em relação aos outros da mesma maneira como os tratamos.

Estima

Há vários anos, escrevi uma contribuição para o artigo "Words to Live By", da *This Week Magazine*, baseado nas palavras de Carlyle: "Infelizmente! A descrença mais temível é a descrença em si mesmo". No artigo eu disse:

> *De todas as armadilhas e perigos da vida, o autodesprezo é o mais mortal e o mais difícil de superar, pois é um poço projetado e cavado por nossas próprias mãos, resumido na frase: "Não adianta. Não consigo fazer isso".*
>
> *O preço a pagar por sucumbir a ele é alto – tanto para o indivíduo, em termos de recompensas materiais perdidas, quanto para a sociedade, em ganhos e progresso não obtidos.*
>
> *Como médico, devo destacar também que o derrotismo tem ainda outro curioso aspecto raramente detectado. É mais do que possível que as palavras citadas sejam a própria confissão de Carlyle do segredo que estava por trás de sua própria assertividade exacerbada, seu temperamento tempestuoso, a voz irritante e sua terrível tirania doméstica.*

Carlyle, é claro, foi um caso extremo. Mas não é nos dias em que estamos mais sujeitos à temível descrença, quando mais duvidamos de nós mesmos e nos sentimos inadequados para nossa tarefa – não é exatamente aí que o convívio conosco é mais difícil?

Entendamos que ter uma opinião negativa de nós mesmos não é virtude, mas vício. O ciúme, por exemplo, o flagelo de muitos casamentos, quase sempre é causado pela dúvida. A pessoa com autoestima adequada não se sente hostil com os outros, não quer provar nada, compreende os fatos com mais clareza, não é tão exigente em suas reivindicações para com os outros.

Ao acreditar que um *lifting* facial poderia fomentar o amor do marido e dos filhos, uma dona de casa precisava, na verdade, valorizar-se mais. À meia-idade, algumas rugas e alguns cabelos grisalhos lhe provocaram a perda da autoestima, tornando-a supersensível a comentários e ações inocentes da própria família.

Prescrição: Pare de carregar uma imagem mental de si como alguém derrotado e sem valor. Deixe de mergulhar em dramas que o colocam como objeto de piedade e injustiça. Use os exercícios práticos deste livro para construir uma autoimagem adequada.

A palavra "estima" significa apreciar o valor. Por que os homens admiram as estrelas e a Lua, a imensidão do mar, a beleza de uma flor ou de um pôr do sol, e ao mesmo tempo se desvalorizam? Não foi o mesmo Criador que o fez? O próprio homem não é a criação mais maravilhosa de todas? Esse apreço por seu próprio valor não é egoísmo, a menos que se suponha ter criado a si próprio e deva receber parte do crédito. Não desvalorize o produto apenas por não o ter usado corretamente. Não seja infantil e culpe o produto por erros que são seus, como o estudante que disse: "Esta máquina de escrever não sabe soletração".

Mas o maior segredo da autoestima está em apreciar mais as outras pessoas; mostrar respeito por qualquer ser humano tão somente porque ele é um filho de Deus e, portanto, algo de valor. Pare e pense quando estiver lidando com pessoas, pois está lidando com uma criação única e individual do Criador. Pratique tratar os outros como se tivessem valor e ficará surpreendido com a maximização de sua autoestima. Afinal, a verdadeira autoestima não decorre das grandes coisas que você fez, das coisas que possui, das marcas que deixou, mas de uma apreciação de si mesmo pelo que você é: um filho de Deus. Quando chegar a essa percepção, inevitavelmente concluirá que todas as outras pessoas devem ser apreciadas pela mesma razão.

Senso de autoconfiança

A confiança se alicerça em uma experiência de sucesso. Ao começarmos qualquer empreendimento, é provável que tenhamos pouca confiança, porque ainda não vivemos a experiência do sucesso – o que se estende, inclusive, a andar de bicicleta, falar em público ou fazer uma cirurgia. É plenamente verdadeiro que sucesso gera sucesso. Mesmo um sucesso que soe insignificante pode ser usado como um trampolim para outro mais relevante. Os agentes de boxeadores são muito cuidadosos em programar suas lutas para que possam ter uma série gradual de experiências bem-sucedidas. Podemos usar a mesma técnica, começando aos poucos e experimentando o sucesso em pequena escala.

Outra técnica importante é criar o hábito de lembrar os sucessos já conseguidos e esquecer os fracassos. É assim que um computador e o cérebro humano devem operar.

> Podemos deletar pensamentos negativos de nossa mente com a mesma facilidade com que deletamos documentos ao arrastá-los para a lixeira na tela do computador.

A prática aprimora a habilidade e o sucesso em atividades esportivas, em vendas ou mesmo em outras não porque a "repetição" tenha algum valor intrínseco. Se isso fosse verdade, "aprenderíamos" nossos erros em vez de nossos "acertos". Por exemplo, uma pessoa que está aprendendo basquete errará a cesta muito mais vezes do que acertará. Se a mera repetição fosse a resposta para uma habilidade aprimorada, a prática deveria torná-la mais especialista em errar, pois é o que mais acontece. No entanto, embora os erros possam superar em dez vezes os acertos, com a prática eles diminuirão gradualmente e os acertos serão cada vez mais frequentes. A explicação é simples: o computador no cérebro lembra e reforça tentativas bem-sucedidas e esquece os erros.

É assim que um computador e o nosso mecanismo de sucesso aprendem a ser bem-sucedidos.

> Para acionar seu mecanismo de sucesso, repita os comandos que funcionam e lembre-se deles. Esqueça falhas e erros. Sempre que apertar o botão ou a tecla errada, refaça seus passos e repita os que foram bem-sucedidos.

No entanto, o que a maioria de nós faz? Destruímos nossa autoconfiança lembrando fracassos e sucessos passados. E ainda vamos

Psicocibernética

além: integramos os fracassos em nossa mente com emoção. Condenamo-nos. Esfolamo-nos de vergonha e remorso (emoções altamente egoístas e egocêntricas). E a autoconfiança se esvai.

Não importam quantas vezes você falhou no passado. O importante é a tentativa bem-sucedida, que deve ser lembrada, reforçada e mantida. Charles Kettering disse que qualquer jovem que queira ser cientista deve estar disposto a falhar 99 vezes antes de ter um sucesso, sem danos ao ego por causa disso.

Prescrição: Use erros e equívocos como uma forma de aprender; depois os descarte da mente. Lembre-se dos sucessos passados e imagine-os para si mesmo. Todo mundo já teve sucesso alguma vez em alguma coisa. Em especial ao iniciar uma nova tarefa, evoque os sentimentos que vivenciou em algum sucesso anterior, por menos significante que tenha sido.

O Dr. Winfred Overholser, psiquiatra e ex-presidente da Associação Psiquiátrica Americana, disse que relembrar momentos de coragem é uma maneira muito eficaz de restaurar a crença em si mesmo; que muitas pessoas tendem a deixar que um ou dois fracassos eliminem todas as boas lembranças. Disse que, se revivermos sistematicamente na memória nossos momentos de coragem, ficaremos surpresos ao ver que temos mais coragem do que pensávamos. O Dr. Overholser recomendou a prática de lembrar vividamente nossos sucessos e momentos de coragem como uma ajuda inestimável sempre que a autoconfiança estiver abalada.

> Quando questionadas sobre sucessos anteriores, algumas pessoas têm um branco. Literalmente não conseguem pensar em nenhum. Eu costumava ser da opinião de que tais pes-

soas estavam mentindo, praticando a astuta arte do autoengano, mas não enganando ninguém. Na verdade, acontece que os sucessos, muitas vezes, não são percebidos como seus. Por exemplo, quando questionado se formar-se em medicina era um sucesso, um sujeito disse que seus parentes queriam que ele fosse médico e, portanto, alcançou o objetivo deles, não o seu. Outro homem, que construiu a própria casa, não viu tal evento como um sucesso. Uma garota que só tirava nota máxima na escola não via isso como um sucesso, porque era o que se esperava dela. No entanto, quando se trocava a palavra "sucesso" por "momentos felizes", "momentos de coragem" ou "bons momentos", essas mesmas pessoas se lembravam de suas experiências de sucesso. Lembravam-se de fazer um gol, de vencer uma partida de tênis, de acertar uma cesta importante no basquete e ouvir amigos exclamarem: "Grande jogada!". Assim como objetivos podem ser vistos como projetos, experiências de sucesso podem ser chamadas de momentos felizes ou algo do tipo.

Senso de autoaceitação

Nenhum sucesso real ou felicidade genuína é possível até que alguém consiga atingir algum grau de autoaceitação. As pessoas mais miseráveis e torturadas do mundo são aquelas que continuamente se es-

Psicocibernética

tressam e se esforçam para convencer a si mesmas e aos outros de que são diferentes do que naturalmente são. E não há alívio e regozijo como aquele que aflora quando a pessoa enfim desiste das farsas e fingimentos e se dispõe a ser ela mesma. O sucesso, que vem da autoexpressão, muitas vezes ilude aqueles que se estressam e se esforçam para ser alguém e, muitas vezes, aflora quase naturalmente quando uma pessoa se dispõe a relaxar e ser ela mesma.

Mudar a autoimagem não significa mudar seu "eu" ou melhorar a si mesmo, mas mudar sua própria imagem mental, sua avaliação, concepção e concretização desse "eu". Os resultados surpreendentes advindos do desenvolvimento de uma autoimagem adequada e realista surgem não como resultado da autotransformação, mas da autorrealização e autorrevelação. Seu "eu", hoje, é o que sempre foi e tudo o que poderá ser. Você não o criou, não pode mudá-lo. Pode, no entanto, percebê-lo e aproveitar ao máximo o que é, conquistando uma verdadeira imagem mental de seu "eu". Não adianta se esforçar para ser alguém. Você é o que é agora. Você é alguém não porque ganhou um milhão de dólares, por ter o melhor carro da vizinhança ou por vencer algum jogo, mas porque Deus o criou à sua própria imagem.

A maioria de nós é, hoje, melhor, mais sábia, mais forte e mais competente do que imagina. Criar uma autoimagem melhor não desenvolve novas habilidades, talentos ou poderes, mas os libera para utilização.

Podemos mudar nossa personalidade, mas não nosso "eu" natural. A personalidade é uma ferramenta, uma válvula de escape, um ponto focal do "eu" que usamos para lidar com o mundo. É a soma global de nossos hábitos, atitudes, habilidades aprendidas, que usamos como método de expressão.

Você não é os seus erros

A autoaceitação significa aceitar e chegar a um acordo com nós mesmos no agora, assim como somos, com falhas, fraquezas, deficiências, erros, bem como com nossas qualidades e pontos fortes. Conquistá--la será mais fácil quando percebermos que esses pontos negativos nos pertencem, mas não determinam o que somos. Muitas pessoas evitam a autoaceitação saudável por insistirem em um processo de identificação com os próprios erros. No entanto, cometer um erro não significa que você seja um erro. Pode não estar se expressando de forma adequada e completa, mas não significa que você não seja bom.

Para que possamos corrigir nossos erros e falhas, devemos antes os reconhecer e então os corrigir.

O primeiro passo para a aquisição de conhecimento é reconhecer as áreas em que você é ignorante; para se tornar mais forte, é reconhecer que você é fraco. Religiões ensinam que o primeiro passo para a salvação é a aceitação de que se é um pecador. Como em qualquer outra situação de busca por objetivos, na jornada rumo ao objetivo da autoexpressão ideal, devemos usar dados de *feedback* negativo para correção de curso. Isso requer admitirmos a nós mesmos – e aceitarmos o fato – que nossa personalidade, a expressão do nosso "eu", ou o que alguns psicólogos chamam de nosso *"eu" real,* é sempre imperfeita e aquém da realidade.

Ninguém consegue, durante toda a vida, expressar-se plenamente, ou mesmo tornar reais todas as potencialidades do "eu" real. Sempre podemos aprender mais, agir melhor, ter um comportamento melhor. O "eu" real é inevitavelmente imperfeito. Ao longo da vida, está sempre em movimento rumo a um objetivo ideal, lugar aonde nunca chega. O "eu" real não é estático, mas dinâmico. Nunca é concluído nem definitivo, mas está sempre em crescimento.

Psicocibernética

É importante que aprendamos a aceitar esse "eu" real, com todas as suas imperfeições, porque é o único instrumento de que dispomos. O neurótico rejeita seu "eu" real e o odeia porque é imperfeito. Assim, ele tenta criar um "eu" ideal fictício que já é perfeito, já chegou lá. No entanto, tentar manter a farsa e a ficção não desencadeia apenas uma tremenda tensão mental, mas também decepção permanente e frustração ao tentar agir em um mundo real com um "eu" fictício. Uma diligência pode não ser o transporte mais desejável do mundo, mas uma diligência real ainda o levará de um ponto a outro de forma mais satisfatória do que um avião a jato fictício.

Prescrição: Aceite-se como é – e comece a partir daí. Aprenda a tolerar emocionalmente a imperfeição em si mesmo. É necessário que nosso intelecto reconheça nossas deficiências, mas é desastroso nos odiarmos por causa delas. Diferencie seu "eu" e seu comportamento. Você não é arruinado nem inútil porque cometeu um erro ou saiu do curso – não mais que uma máquina de escrever que comete um erro, ou um violino que soa uma nota fora do tom. Não se odeie por não ser perfeito. Você tem muita companhia: ninguém é perfeito, e aqueles que tentam fingir que são estão se enganando.

Você é alguém – agora!

Há pessoas que se odeiam e se rejeitam por sentirem e vivenciarem desejos biológicos perfeitamente naturais. Outras se rejeitam por não estarem de acordo com a moda ou o padrão físico atual. Na década de 1920, muitas mulheres se sentiam constrangidas pelo fato de terem seios. A figura pueril estava em voga, e os seios eram um tabu. Hoje, muitas garotas desenvolvem ansiedade porque não têm bustos grandes. Na década de 1920, as mulheres costumavam me procurar e dizer: "Torne-me alguém, reduzindo o tamanho dos meus seios". Hoje, o pedido é: "Torne-me alguém, aumentando o tamanho dos meus seios". Essa busca de identidade – desejo de individualidade –, esse desejo de ser alguém é universal, mas cometemos um erro quando o buscamos assentados na aprovação de outras pessoas ou em coisas materiais. Ele é um dom de Deus. Você é – ponto-final. Muitas pessoas dizem: "Porque sou magra, gorda, baixa, muito alta etc. – não sou nada". Em vez disso, diga: "Posso não ser perfeito, posso ter falhas e fraquezas, posso ter me desviado do caminho, posso ter um longo caminho a percorrer, mas sou alguém e vou aproveitar isso ao máximo".

Edward W. Bok (que por muitos anos foi editor do *Ladies' Home Journal*) afirmava: "É o jovem de pouca fé que diz: 'Eu não sou nada'. É o jovem de fé verdadeira que diz: 'Eu sou tudo' e depois vai provar. Isso não significa vaidade ou egoísmo, e, se as pessoas pensam que sim, deixe que pensem. Basta-nos saber que isso significa fé, confiança, segurança, a expressão humana de Deus dentro de nós. Ele diz: 'Faça meu trabalho'. Vá e faça. Não importa o que seja. Faça-o, mas faça-o com entusiasmo, com interesse, com deleite que supere obstáculos e afaste o desânimo".

Aceite-se. Seja você mesmo. Lembre-se de que não será capaz de perceber as potencialidades e possibilidades inerentes a esse algo único e especial que é você, se continuar virando as costas para ele, envergonhando-se dele, odiando-o ou recusando-se a reconhecê-lo.

PONTOS-CHAVE PARA RELEMBRAR

Resuma aqui:

1. ....
....
....
....
....

2. ....
....
....
....
....

3. ....
....
....
....
....

4. ....
....
....
....
....

5. ....
....
....
....
....

HISTÓRICO DE CASO

Redija uma experiência pessoal explicada pelos princípios apresentados neste capítulo:

NOVE

O mecanismo do fracasso: como levá-lo a trabalhar de modo benéfico

Nas caldeiras a vapor, há manômetros que indicam quando a pressão está chegando a um nível perigoso. Desse modo, ao identificarem o risco, são capazes de garantir a segurança por meio de uma ação corretiva. Becos sem saída e estradas intransitáveis podem causar contratempos e atrasar a chegada ao nosso destino se não estiverem sinalizados. No entanto, caso consigamos ler as placas de sinalização e tomar as medidas corretivas adequadas, chegaremos ao destino com mais facilidade e eficiência.

De modo similar, o corpo humano também emite sinais vermelhos, de perigo, os quais os médicos chamam de *sintomas* ou *síndromes*. Os pacientes tendem a considerá-los malevolentes; assim, uma febre, uma dor etc. são encaradas como ruins. Na verdade, tais sinais negativos atuam em favor do paciente e para seu benefício, se ele os avaliar pelo que são e tomar medidas corretivas. Manômetros e luzes vermelhas ajudam a manter o corpo saudável. A dor da apendicite, que talvez pareça ruim para o paciente, opera para a sobrevivência dele. Caso não sentisse dor, não faria nada para remover o apêndice.

Psicocibernética

A personalidade do tipo fracasso também apresenta sintomas. Precisamos reconhecê-los em nós mesmos para fazer algo a respeito. Quando aprendemos a identificar determinados traços de personalidade como sinais de fracasso, os sintomas agem automaticamente na forma de *feedback* negativo. No entanto, não apenas precisamos nos tornar conscientes deles, mas também reconhecê-los como indesejáveis, como coisas que não queremos, e, o mais importante de tudo, nos convencer sinceramente de que não trazem felicidade.

Ninguém está imune a esses sentimentos e atitudes negativas. Até mesmo as personalidades mais bem-sucedidas os vivenciam às vezes. O importante é reconhecê-los pelo que são e tomar medidas positivas para corrigir o curso das coisas.

A IMAGEM DO FRACASSO

Reitero minha descoberta de que os pacientes podem se lembrar desses sinais de *feedback* negativo, ou o que chamo de *mecanismo de fracasso*, quando os associam às letras da palavra "fracasso"[6]. Vejamos:

Frustração, desesperança e futilidade
Ressentimento
Agressividade e desorientação
Carência
Apatia e insegurança
Solidão e ausência de unicidade
Sentimento de vazio
Oscilação e incerteza

---

6. Aqui adaptado para efeito de clareza. No original: frustração, desesperança e futilidade; agressividade mal direcionada; insegurança; solidão e falta de unidade; incerteza; ressentimento; vazio. A discussão a seguir não seguirá nessa ordem. (N.T.)

A COMPREENSÃO LEVA À CURA

Ninguém decide desenvolver traços negativos apenas para ser perverso. Eles também não simplesmente acontecem, nem constituem um indício da imperfeição da natureza humana. Cada um desses sinais negativos foi adotado como *forma* de resolver uma dificuldade ou um problema. Nós os adotamos porque, de modo equivocado, os encaramos como uma saída para alguma dificuldade. Portanto, eles possuem significado e propósito, ainda que assentados em uma premissa errada; são um modo de vida para nós. Lembre-se: um dos impulsos mais intensos da natureza humana implica reagir adequadamente.

Podemos curar os sintomas de fracasso não pela força de vontade, mas pela compreensão, entendendo que não funcionam e que são inadequados. A verdade tem potencial para nos libertar deles. E, quando podemos compreendê-la, as mesmas forças instintivas que nos levaram a adotá-los atuarão em nosso favor para erradicá-los.

Frustração

Frustração é uma sensação emocional que se desenvolve sempre que um objetivo relevante não pode ser alcançado ou um desejo intenso não se efetiva. Todos nós passamos por alguma frustração pelo próprio fato de sermos humanos e, portanto, imperfeitos, incompletos, inacabados. À medida que envelhecemos, precisamos aprender que nem todos os desejos serão alcançados de imediato. Também aprendemos que nossa ação nunca poderá ser tão boa quanto nossas intenções. E mais: aprendemos a aceitar o fato de que a perfeição não é necessária nem exigida, e que se aproximar dela basta para todos os propósitos práticos. Aprendemos a tolerar um tanto de frustração sem nos aborrecer.

Apenas quando uma experiência frustrante eclode em exacerbados sentimentos de insatisfação e inutilidade, a frustração se transforma em um sintoma de fracasso.

A frustração crônica quase sempre significa que os objetivos estabelecidos para nós mesmos não são realistas, ou que nossa autoimagem é inadequada, ou ambos.

OBJETIVOS PRÁTICOS X OBJETIVOS PERFECCIONISTAS

Para os amigos, Jim S. era um homem bem-sucedido, que ascendera de estoquista a vice-presidente da empresa em que trabalhava. Sua marca no golfe estava na casa dos oitenta. Tinha uma linda esposa e dois filhos que o amavam. No entanto, sentia-se cronicamente frustrado, pois nada do que conquistara incorporava seus objetivos irrealistas. Ele mesmo não era perfeito em todos os detalhes, mas julgava que deveria ser. Deveria ser o presidente da empresa; deveria marcar setenta e tanto no golfe; deveria ser um marido e pai tão perfeito que sua esposa nunca encontraria motivos para discordar dele, e os filhos jamais se comportariam mal.

Acertar o alvo não lhe bastava; precisaria acertar o ponto infinitesimal no centro do alvo. "Você deve usar a mesma técnica que Jackie Burke sugere", eu lhe disse. "Isso significa mirar em uma área do tamanho de uma tina. Assim vai minimizar a tensão, permitir que relaxe e tenha um desempenho melhor. Se alguma coisa é boa o suficiente para os profissionais, deve ser boa o suficiente para você."

PROFECIA AUTORREALIZÁVEL É CERTEZA DE FRACASSO

Harry N. era um sujeito diferente. Não conquistara nenhum dos símbolos sociais de sucesso, apesar das diversas oportunidades. Três vezes quase conseguira o emprego que queria, e cada vez "acontecia alguma coisa" – algo que sempre o derrotava bem quando o sucesso parecia ao seu alcance. Duas vezes vivera decepções amorosas.

Tinha a autoimagem de uma pessoa indigna, incompetente, inferior, sem direito ao sucesso ou ao prazer de desfrutar as melhores coisas da vida, e involuntariamente tentou ser fiel a esse papel. Sentia que não era o tipo de pessoa capaz de ser bem-sucedida e sempre conseguia agir para que essa profecia autorrealizável se tornasse realidade.

FRUSTRAÇÃO NÃO FUNCIONA NA RESOLUÇÃO DE PROBLEMAS

Quando crianças, todos aprendemos a, diante de problemas, expressar frustração, descontentamento ou insatisfação. Se um bebê está com fome, ele expressa descontentamento por meio do choro. Uma mão quente e macia surge magicamente do nada e lhe dá leite. Se ele se sente desconfortável, de novo expressa sua insatisfação, e as mesmas mãos quentes magicamente aparecem e resolvem a situação. Muitas crianças continuam a fazer o que querem, simplesmente expressando sentimentos de frustração, e pais muito indulgentes resolvem o problema delas. Basta que se sintam frustradas e insatisfeitas, e o problema é resolvido.

Esse modo de vida funciona para o bebê e para algumas crianças pequenas, mas não para adultos. No entanto, muitos de nós continuamos descontentes e expressando nossas queixas contra a vida, aparentemente na esperança de que a própria vida se apiede de nós e resolva nosso problema. Jim S. usava de modo inconsciente essa técnica na esperança de que alguma magia lhe trouxesse a perfeição que tanto alme-java. Harry N. praticou por tanto tempo sentir-se frustrado e derrotado que as sensações de derrota se tornaram habituais para ele. Projetou-as no futuro e esperava fracassar. Tantas sensações habituais e derrotistas o ajudaram a criar uma autoimagem de alguém fracassado.

Pensamentos e sentimentos caminham lado a lado. Sentimentos são o solo de onde afloram pensamentos e ideias. Essa é a razão pela qual o aconselho, ao longo deste livro, a imaginar como se sentiria se fosse bem-sucedido, para então se sentir assim agora.

Agressividade

A agressividade excessiva e mal direcionada acompanha a frustração, assim como a noite acompanha o dia. Um grupo de cientistas de Yale, há muitos anos, no livro *Frustration and Aggressiveness* (Frustração e agressividade), comprovou isso.

Alguns psiquiatras acreditavam que a agressividade era um padrão de comportamento anormal, o que não corresponde à verdade. A agressividade, junto com a sobrecarga emocional, é um elemento necessário na conquista de um objetivo. Devemos perseguir aquilo que almejamos e lidar com os problemas de maneira agressiva, não defensiva ou hesitante. O simples fato de termos um objetivo importante já basta para gerar sobrecarga emocional e trazer tendências agressivas à situação.

No entanto, problemas surgem quando estamos bloqueados ou nos sentimos frustrados em alcançar nosso objetivo. A sobrecarga emocional é então represada, buscando uma saída. Mal direcionada, ou não utilizada, torna-se uma força destrutiva. O trabalhador que deseja socar o nariz do patrão, mas não tem coragem, vai para casa e desconta na mulher e nos filhos, ou então dá um pontapé no gato;

ou ainda pode voltar a agressividade para si, da mesma forma que um tipo de escorpião na América do Sul vai se picar e morrer do próprio veneno quando enfurecido.

Não ataque às cegas; foque-se no fogo

A personalidade do tipo fracasso não direciona a própria agressividade para a conquista de um objetivo que valha a pena. Em vez disso, acaba usando-a em canais autodestrutivos como úlceras, pressão alta, preocupação, tabagismo e trabalho compulsivo; ou então a direciona a outras pessoas na forma de irritabilidade, grosseria, fofoca, reclamações e repreensão. Ou, caso tenha objetivos irrealistas e inviáveis, esse tipo de pessoa, diante de derrotas, tende a se esforçar mais do que nunca. Quando descobre que está batendo a cabeça contra uma parede de pedra, inconscientemente imagina que a solução para o problema está em dar uma cabeçada ainda mais intensa.

A resposta à agressividade não é erradicá-la, mas compreendê-la e criar canais adequados à sua expressão. O Dr. Konrad Lorenz, célebre médico vienense e etólogo, disse aos psiquiatras do Postgraduate Center for Psychotherapy (agora Postgraduate Center for Mental Health), na cidade de Nova York, que longos anos de estudo do comportamento animal lhe mostraram que a agressividade é um elemento básico e fundamental; um animal não pode sentir ou expressar afeição até que lhe forneçam os canais para expressar a agressão. O Dr. Emanuel K. Schwartz, então reitor-assistente do centro, disse que as descobertas do Dr. Lorenz trazem fantásticas implicações para o homem e podem exigir que reavaliemos nossa visão das relações humanas. Elas indicam, disse ele, que criar uma saída adequada para a agressão é tão importante, ou até mais, do que para o amor e a ternura.

Conhecimento implica poder

A mera compreensão do mecanismo ajuda a pessoa a lidar com o ciclo frustração-agressão. A agressão mal direcionada é uma tentativa de atingir um alvo (o objetivo original) atacando a esmo. Não funciona. Não se resolve um problema criando outro. Caso sinta vontade de agredir alguém, pergunte a si mesmo: "Isso não decorre apenas de minha própria frustração? O que me frustrou?". Conseguindo compreender que nossa reação é inadequada, já percorremos um longo caminho para controlá-la.

Quando alguém é grosseiro com você, perceba que não deve ser um ato intencional, mas o funcionamento de um mecanismo automático. O outro está no auge das emoções, algo a que não recorreria para alcançar algum objetivo. Muitos acidentes automobilísticos acontecem devido ao mecanismo frustração-agressão. Na próxima vez que alguém for grosseiro com você no trânsito, tente o seguinte: em vez de reagir de modo agressivo e, portanto, tornar-se uma ameaça, diga a si mesmo: "O coitado não tem nada contra mim pessoalmente. Talvez apenas tenha se alimentado mal no café da manhã, ou esteja sem dinheiro para pagar o aluguel, ou então tenha acabado de levar uma tremenda bronca do chefe".

Válvulas de segurança para a questão emocional

Quando nos sentimos bloqueados em alcançar algum objetivo importante, assemelhamo-nos a uma locomotiva cheia de vapor, mas sem direção. Precisamos, portanto, de uma válvula de segurança para nosso excesso de vapor emocional. Todas as atividades físicas valem para drenar a agressividade. Longas caminhadas, flexões e exercícios com halteres são excelentes, e mais ainda aqueles jogos em que você golpeia alguma coisa: golfe, tênis, boliche, saco de boxe.

Muitas pessoas frustradas reconhecem intuitivamente o valor da atividade muscular pesada para dar vazão à agressividade quando sentem vontade de reorganizar todos os móveis da casa depois de um aborrecimento. Outra coisa boa é escrever. Escreva uma carta para a pessoa que o frustrou ou irritou. Exponha tudo. Não deixe nada para a imaginação. Depois, queime-a.

O melhor de todos os canais para dar vazão à agressividade é usá-la como deveria ser usada, ou seja, em direção a algum objetivo. O trabalho continua sendo uma das melhores terapias e um dos melhores tranquilizantes para um espírito perturbado.

> Abrir as válvulas para extravasar também se faz por meio de práticas como as artes marciais, sobretudo as chamadas *artes marciais interiores*, como Tai Chi, Aikido e Systema (antiga arte marcial russa). Nessas práticas, você não apenas envolve conscientemente o corpo, mas também sintoniza sua respiração e aprende a relaxar a tensão muscular. A maioria das atividades físicas, embora ajude por ser uma saída positiva para a agressão, não satisfaz como relaxar e respirar, habilidades que se podem colocar em prática ao longo do dia em tudo o que se faz.

Apatia e insegurança

O sentimento de insegurança se baseia em um conceito ou uma crença de inadequação interior. Caso sintamos que não estamos à altura do que é exigido, aflora a insegurança. Grande parte dela não decorre do fato de nossos recursos interiores serem mesmo inadequados, mas de usarmos uma falsa régua de medição. Comparamos nossas habilidades reais com um imaginado "eu" ideal, perfeito ou absoluto. Pensarmos em nós mesmos em termos absolutos induz à insegurança.

O indivíduo inseguro acha que deveria ser bom – ponto-final. Acha que deveria ser bem-sucedido, feliz, competente, equilibrado. Com certeza, objetivos dignos, mas que precisam ser pensados, pelo menos em seu sentido absoluto, como objetivos a serem conquistados, e não como obrigações.

Considerando-se que somos um mecanismo de busca de objetivos, o "eu" se realiza plenamente quando avançamos em direção a algo. Lembra-se da comparação com a bicicleta no capítulo anterior? Mantemos nosso equilíbrio, estabilidade e sensação de segurança apenas enquanto avançamos – ou buscamos algo. Quando você pensa em si como alguém que conquistou o objetivo, torna-se estático, apático; faltam a segurança e o equilíbrio que o levavam a se mover rumo a alguma coisa. O homem convencido de que é bom, no sentido absoluto, não só perde o incentivo para fazer melhor, como se sente inseguro porque deve defender a farsa e a pretensão.

"O homem que pensa que 'chegou lá' quase esgota sua utilidade para nós", disse-me recentemente o presidente de uma grande empresa. Quando alguém chamou Jesus de *bom*, foi advertido: "Por que me chamas bom? Ninguém é bom senão um, que é Deus". Quase sempre consideram São Paulo um homem bom, mas ele dizia: "Não que o tenha alcançado, ou que seja perfeito, mas prossigo para o alvo".

Mantenha os pés em terra firme

Tentar ficar no alto de um pico é perigoso. Desça e você se sentirá mais seguro.

Esse raciocínio abarca aplicações muito práticas. Por exemplo, fundamenta a psicologia dos zebras nos esportes. Quando uma equipe campeã começa a pensar em si como *a campeã*, já não tem mais por que lutar, um *status* a defender. Os campeões estão defendendo alguma coisa, tentando prová-la. Os considerados zebras estão lutando para se sobressair e, muitas vezes, provocam uma virada.

Conheci um boxeador que lutou muito bem até vencer o campeonato. Na luta seguinte, perdeu e parecia mal com isso. Depois de perder o título, em uma excelente disputa, recuperou o campeonato. Um sábio agente lhe disse: "Você é capaz de lutar tão bem como campeão e como oponente, caso se lembre de uma coisa: quando entra no ringue, não está defendendo o título; está lutando por ele. Você não o tem e deve colocá-lo em mira assim que passa pelas cordas".

A atitude mental que fomenta a insegurança é um jeito de substituir a realidade por farsa e fingimento. É um jeito de provar a si mesmo e aos outros sua superioridade. No entanto, é um jeito autodestrutivo. Se você é perfeito e superior agora, então não há necessidade de lutar e tentar. Na verdade, a exacerbação nas tentativas pode ser considerada uma evidência de que você não é superior – então não tenta. Perde a luta; perde a vontade de vencer.

Solidão

Às vezes, todos somos solitários, o que representa uma penalidade natural que pagamos por sermos humanos e individuais. Assim, o mecanismo de fracasso jaz no sentimento extremo e crônico de solidão – de ser isolado e alienado do convívio com outras pessoas.

Esse tipo de solidão é causado por uma alienação da vida. É uma solidão do "eu" real. A pessoa alienada se desconectou do contato básico e fundamental com a vida, muitas vezes criando um ciclo vicioso. Devido ao sentimento de autoalienação, os contatos humanos não são muito prazerosos, e a pessoa se torna reclusa. Desse modo, desvincula-se de um dos caminhos para se encontrar: desfrutar atividades com outras pessoas. O convívio social nos ajuda a desfocar de nós mesmos. Ao estimularmos a prática de diálogo, dança, esportes coletivos ou mesmo trabalhos por um objetivo comum, despertamos em nós o interesse por outra coisa além de manter nossa própria farsa. À medida que conhecemos o outro, sentimos menos necessidade de fingir. Descongelamos e nos tornamos mais naturais. Quanto mais agimos dessa maneira, mais sentimos que somos capazes de dispensar a farsa e ficar mais confortáveis apenas sendo nós mesmos.

Solidão é um "jeito" que não funciona

A solidão é uma forma de autoproteção, por meio da qual eliminamos as linhas de comunicação com outras pessoas – e sobretudo quaisquer vínculos emocionais. É uma forma de blindar nosso "eu" idealizado contra exposição, mágoa, humilhação. A personalidade solitária teme os outros. O indivíduo muitas vezes reclama que não tem amigos e que inexiste alguém com quem interagir. Na maioria dos casos, involuntariamente organiza as coisas dessa maneira em razão de sua atitude passiva, pensando que cabe aos outros dar o primeiro passo, vir ao encontro dele, ver que está entretido. Nunca lhe passa pela cabeça que deveria contribuir em qualquer situação social.

Independentemente de seus sentimentos, empenhe-se em conviver com outras pessoas. Após o primeiro mergulho frio, se insistir, você se sentirá aquecido, com a sensação de que se diverte. Desenvolva alguma competência social que fomente a felicidade de outras pessoas: dança, baralho, piano, tênis, bate-papo. É um velho axioma psicológico que a exposição constante ao objeto do medo cria imunidade contra ele. Conforme o solitário continua a forçar-se a manter relações sociais – não de forma passiva, mas como colaborador –, devagar descobrirá que a maioria das pessoas é cordial e o aceita. Timidez e inibição começam a desaparecer. Ele se sente mais confortável na presença dos outros e consigo mesmo. A experiência de ser aceito o capacita a aceitar-se.

Oscilação e incerteza

> O maior erro que se pode cometer é o de ficar o tempo todo com medo de cometer algum.
> – *Elbert Hubbard*

A incerteza é uma forma de evitar erros e responsabilidade, o que se assenta na premissa falaciosa de que, se nenhuma decisão for tomada, nada pode dar errado. Estar errado traz horrores incalculáveis para a pessoa que tenta se conceber como infalível; afinal, ela nunca está errada, é sempre perfeita em tudo. Se estivesse errada, sua imagem de um "eu" perfeito e todo-poderoso desmoronaria. Portanto, a tomada de decisão acaba virando uma questão de vida ou morte.

Um jeito de resolver é evitar o maior número possível de decisões ou prolongar tomá-las. Outro é ter um bode expiatório para culpar.

Esse tipo de pessoa toma decisões, mas de modo apressado e prematuro, sem ponderar. Tomar decisões não lhe gera problemas. Ela é perfeita. É impossível que esteja errada. Portanto, por que levar em conta fatos ou consequências? E ela também é capaz de manter essa ficção quando suas decisões saem pela culatra, convencendo-se de que foi culpa de outra pessoa. É fácil compreender por que ambos os tipos falham: um está sempre em apuros por causa de ações impulsivas e imprudentes; o outro está imobilizado porque não vai agir de forma alguma. Em outras palavras, o jeito errado de estar certo não funciona.

Ninguém está certo o tempo todo

Perceba que não é necessário que um homem esteja 100% certo o tempo todo. Nenhum rebatedor de beisebol já alcançou mil rebatidas. Se ele acertar três vezes em dez, é considerado bom. O grande Babe Ruth, que deteve o recorde de mais *home runs* por muitos anos, também se celebrizou no recorde de mais *strikeouts*. É natural progredir agindo, errando e corrigindo o curso. Um torpedo guiado atinge o alvo cometendo uma série de erros e corrigindo continuamente seu curso. Não conseguiremos retificar nosso curso se estivermos parados; não é possível alterar ou corrigir o nada. Cabe a nós considerar os fatos conhecidos em uma determinada situação, imaginar possíveis consequências decorrentes de vários cursos de ação, escolher a que parece oferecer a melhor solução e apostar nela. Podemos corrigir o rumo das coisas à medida que avançamos.

Somente os homens apequenados nunca erram

Outro elemento de ajuda na superação da incerteza é perceber o papel que a autoestima, e a defesa dela, desempenha na indecisão. Muitas pessoas são indecisas por temerem a perda da autoestima se demonstrarem que estão erradas. Use a autoestima a seu favor, não contra si, convencendo-se desta verdade: homens importantes e personalidades excepcionais cometem erros e os admitem. É o sujeito apequenado que teme admitir que errou.

> Nenhum homem jamais se tornou grande, ou bom, exceto depois de cometer muitos erros grandes.
> *– William E. Gladstone*

> Tenho aprendido mais com meus erros do que com meus sucessos.
> *– Humphry Davy*

> Adquirimos sabedoria com o fracasso muito mais do que com o sucesso. Geralmente descobrimos o que fazer percebendo aquilo que não devemos fazer. E provavelmente aquele que nunca cometeu um erro nunca fez uma descoberta.
> *– Samuel Smiles*

Thomas A. Edison trabalhava incansavelmente em um problema recorrendo ao método da eliminação. Se alguém lhe perguntasse se estava desanimado diante de tantas tentativas infrutíferas, ele dizia: "Não me desencorajo, porque cada tentativa errada descartada é outro passo à frente".

Ressentimento

Ao procurar um bode expiatório ou uma desculpa para o próprio fracasso, esse tipo de personalidade muitas vezes culpa a sociedade, o sistema, a vida, as rupturas. Ressente-se do sucesso e da felicidade alheia porque são uma prova de que a vida o está ludibriando e o tratando de modo injusto. O ressentimento constitui uma tentativa de tornar o fracasso palatável, explicando-o em termos de tratamento desonesto, de injustiça. Mas, como tratamento para o fracasso, o ressentimento é uma cura pior que a doença. É um veneno mortal para o espírito; impossibilita a felicidade e consome uma tremenda energia que poderia ser utilizada na conquista. Cria-se um ciclo vicioso. A pessoa sempre magoada não é a melhor companheira ou colega de trabalho. Quando os colegas de trabalho não gostam dela, ou o chefe tenta apontar falhas em seu trabalho, acaba encontrando mais motivos para o ressentimento.

Ressentimento é um "jeito" que falha

O ressentimento também é um jeito por meio do qual nos sentimos importantes. Muitas pessoas vivenciam uma perversa satisfação ao se sentirem lesadas. A vítima da injustiça, aquele a quem trataram injustamente, é sob o ponto de vista moral superior àqueles que causaram a injustiça.

Além disso, o ressentimento também é uma tentativa de aniquilar ou erradicar um mal ou uma injustiça, real ou imaginária, que tenha ocorrido. A pessoa ressentida tenta defender seu caso diante do tribunal da vida. Se ela se sentir ressentida o bastante e, assim, provar que foi injustiçada, algum processo mágico a recompensará ao eliminar o evento ou a circunstância responsável pelo problema. Nesse sentido, o ressentimento é uma resistência mental, a não aceitação de algo que já aconteceu.

A palavra se origina de duas palavras latinas: *re*, que significa "repetição", e *sentire*, que significa "sentir". Portanto, ressentimento é a repetição emocional de algum evento do passado. Você jamais vencerá, porque está tentando fazer o impossível: mudar o passado.

O ressentimento cria uma autoimagem inferiorizada

O ressentimento, mesmo se baseado em injustiças e erros reais, não é o jeito certo de vencer. Logo se torna um hábito emocional. Sentindo-se sempre uma vítima de injustiça, o indivíduo começa a se imaginar no papel de alguém vitimizado. Incorpora um sentimento interior que lhe facilita ver a evidência da injustiça, ou imaginar que foi injustiçado, na observação mais inocente ou na circunstância mais neutra.

O ressentimento, ao se tornar um hábito, leva à autopiedade, sem dúvida o pior hábito emocional possível. Caso tais hábitos se integrem firmemente à pessoa, ela não mais se sentirá certa ou natural na ausência de ressentimentos e, assim, começará a procurar injustiças. Alguém disse que esse tipo de indivíduo só se sente bem quando está infeliz.

Hábitos emocionais de ressentimento e autopiedade acompanham uma autoimagem inferior e improdutiva. A pessoa começa a se imaginar patética, uma vítima, e sente que deveria mesmo ser infeliz.

A verdadeira causa do ressentimento

Lembre-se: a causa do ressentimento não está em outras pessoas, nem em acontecimentos ou determinadas circunstâncias. Na verdade, nossa reação emocional é a responsável. Você tem poder sobre isso e conseguirá controlá-la ao se convencer de que ressentimento e autopiedade não são caminhos para alcançar a felicidade e o sucesso, mas sim para a derrota e a infelicidade.

Psicocibernética

Enquanto continuar vivendo ressentido, será impossível que se imagine como uma pessoa autoconfiante, independente, determinada, capitã de sua alma e mestre de seu destino. O ressentido entrega as rédeas de sua vida a outras pessoas, autorizando-as a ditar como deve agir e se sentir. Como quem pede esmolas, ele depende de outros. Faz exigências e reivindicações irracionais a outras pessoas. Acredita que aqueles que o cercam deveriam dedicar-se a fazê-lo feliz e ressente-se quando a coisa não funciona dessa maneira. Se você sente que outras pessoas lhe devem gratidão e apreço eternos, ou reconhecimento contínuo em razão de seu valor superlativo, sentirá ressentimento quando essas dívidas não forem quitadas. Em síntese, a vida lhe deve, e você se ressente quando ela não é colaborativa.

Portanto, o ressentimento não é compatível com a busca de objetivos criativos, um percurso que exige nossa ação, nunca nossa passividade. Você define seus objetivos. Ninguém lhe deve nada. Cabe a você correr atrás do que estabelece como objetivo e, desse modo, ser responsável por seu próprio sucesso e felicidade. O ressentimento não se enquadra nesse contexto, razão pela qual vira um mecanismo de fracasso.

Sentimento de vazio

Talvez, ao ler este capítulo, você tenha se lembrado de alguém bem-sucedido apesar da frustração, da agressividade mal direcionada, do ressentimento etc. Não esteja tão certo. Muitas pessoas conquistam os símbolos sociais do sucesso, mas, ao abrirem o baú do tesouro tão procurado, encontram-no vazio. É como se o dinheiro pelo qual tanto batalharam se tornasse falso nas mãos delas. Ao longo do caminho, perderam a capacidade de se deleitar e, assim, nenhuma riqueza ou qualquer outra coisa lhes trará sucesso ou felicidade. Essas pessoas conquistam a noz do sucesso, mas, quando a abrem, a encontram vazia.

Uma pessoa que mantém viva a capacidade de se deleitar encontra prazer em coisas comuns e simples da vida; sabe desfrutar qualquer sucesso material que tenha alcançado. Já a pessoa desprovida da capacidade de deleite não consegue sentir prazer em nada. Não vale a pena trabalhar em prol de objetivo algum. A vida é um tédio terrível. Nada vale a pena. Vemos essas pessoas às centenas, noite após noite, em casas noturnas onde tentam se convencer de que estão curtindo o momento, em viagens contínuas, pulando de um lugar para outro, enredadas em um turbilhão de festas em busca de diversão, mas sempre encontrando somente o vazio. É possível até que conquistem um falso sucesso, mas acabam penalizadas com uma alegria vazia. Na verdade, a alegria acompanha a função criativa, a busca de metas criativas.

A vida vale a pena quando se tem objetivos que valem a pena

O vazio é um sintoma de que alguém não está vivendo criativamente. Ou não tem um objetivo que lhe importe de fato, ou não está usando os próprios talentos e esforços na batalha por um objetivo relevante. É a pessoa sem propósito que conclui com pessimismo: "A vida não tem significado". É a pessoa sem um objetivo pelo qual valha trabalhar que conclui: "A vida não vale a pena". É a pessoa sem uma tarefa importante que reclama: "Não há nada a fazer". Aquela que se engaja ativamente em uma luta ou que batalha por um objetivo importante não divaga em filosofias pessimistas sobre a falta de sentido ou a futilidade da vida.

O vazio não é um caminho que conduz à vitória

O mecanismo de fracasso é autoperpetuante, a menos que o enfrentemos para quebrar o ciclo vicioso. O vazio, uma vez vivenciado, tem potencial para se tornar um jeito de evitar esforço, trabalho e responsabilidade. Transforma-se em uma desculpa ou em uma justificativa para uma vida não criativa. Se tudo é vaidade, se não há nada de novo sob o horizonte, se não há alegria a ser encontrada, por que se incomodar? Por que tentar? Se a vida é apenas monótona e árdua – se trabalhamos oito horas por dia para poder comprar uma casa onde dormir, se dormimos oito horas para descansar e então enfrentar mais um dia de trabalho –, por que vibrar com isso? Entretanto, todas essas razões intelectuais se esvaem, e vivenciamos alegria e satisfação quando saímos da monotonia, parando de dar voltas em círculos, e selecionamos algum objetivo pelo qual vale a pena lutar – e vamos atrás dele.

Vazio e autoimagem distorcida caminham juntos

O vazio também pode ser sintoma de uma autoimagem inadequada. Afinal, é impossível aceitar psicologicamente alguma coisa que sentimos não nos pertencer ou não ser coerente com o nosso "eu". A pessoa com uma autoimagem desprezível ou indigna pode manter as próprias inclinações negativas sob controle por um tempo que lhe permita conquistar sucesso, para depois ser incapaz de aceitá-lo e deleitar-se com ele. Talvez até se sinta culpada por isso, como se o tivesse roubado.

A autoimagem negativa pode até incentivar tal pessoa a se realizar pelo conhecido princípio da supercompensação. No entanto, discordo da teoria de que alguém deve se orgulhar de seu complexo de inferioridade, ou ser grato por ele, porque às vezes leva aos símbolos sociais de êxito. Quando o sucesso enfim chega, essa pessoa sente pouca satisfação, pouca realização; a mente é incapaz de assumir o mérito. Para o mundo, ela é um sucesso. Para ela, é inferior, indigna, quase como se fosse um gatuno e tivesse roubado os símbolos de *status* que considerava tão importantes. E ainda vai dizer: "Se realmente soubessem que sou um impostor...".

Essa reação é tão frequente que os psiquiatras se referem a ela como *síndrome do sucesso* – o homem que se sente culpado, inseguro e ansioso quando percebe que venceu. E aí está a razão pela qual "sucesso" se tornou uma palavra com carga negativa. No entanto, o verdadeiro sucesso nunca fez mal a ninguém. É saudável batalharmos por objetivos que nos são importantes, não como símbolos de *status*, mas porque são coerentes com nossos mais profundos desejos interiores.

Esforçar-se pelo verdadeiro sucesso – pelo seu sucesso – por meio da realização criativa gera uma profunda satisfação interior. Esforçar-se por um falso sucesso só para agradar aos outros gera uma falsa satisfação.

Vislumbre os negativos, mas foque-se nos positivos

Os automóveis vêm equipados com indicadores negativos colocados diante do motorista para informar-lhe quando a bateria não está carregando, o motor está superaquecendo ou a pressão do óleo está muito baixa. No entanto, não se justifica uma perturbação exacerbada se algum sinal negativo emitir um alerta. Basta que pare em um posto e tome medidas positivas para corrigir o problema. Um indicador negativo não significa que o carro não seja bom. O superaquecimento pode ocorrer, às vezes.

No entanto, o motorista não olha o tempo todo para o painel. Se assim o fizesse, talvez fosse desastroso. Ele deve focar, através do para-brisa, para onde está indo e manter sua atenção principal no objetivo – aonde quer ir. Observa-se o painel só de vez em quando.

Como usar o pensamento negativo

Devemos adotar uma atitude similar em relação aos nossos sintomas negativos. Acredito firmemente no pensamento negativo quando usado corretamente. Precisamos estar cientes deles para que nos afastemos. Um golfista, por exemplo, precisa saber onde estão os *bunkers* e as armadilhas de areia – mas não pensa apenas no *bunker*. Sua mente o olha, na verdade, centrada no gramado.

Usado corretamente, esse tipo de pensamento negativo pode atuar para nos levar ao sucesso se (1) formos sensíveis ao negativo, na medida em que ele pode nos alertar para o perigo; (2) reconhecermos o negativo pelo que é – algo indesejável, que não queremos, que não traz felicidade genuína; (3) adotarmos medidas corretivas imediatas e substituirmos um fator negativo pelo positivo do mecanismo de sucesso. Com o tempo, tal prática criará uma espécie de reflexo automático, que se tornará parte de nosso sistema interior de orientação. O *feedback* negativo funcionará como uma espécie de controle automático, que nos ajudará a desviar do fracasso e nos guiará para o sucesso.

PONTOS-CHAVE PARA RELEMBRAR

Resuma aqui:

1. ....
....
....
....
....

2. ....
....
....
....
....

3. ....
....
....
....
....

4. ....
....
....
....
....

5. ....
....
....
....
....

HISTÓRICO DE CASO

Redija uma experiência pessoal explicada pelos princípios apresentados neste capítulo:

....
....
....
....
....
....
....
....
....
....
....
....
....
....
....
....
....
....
....
....
....
....
....

DEZ

A remoção das cicatrizes emocionais, ou a questão do *lifting* facial

Quando sofremos uma lesão física, por exemplo, um corte no rosto, nosso corpo forma um tecido cicatricial mais resistente e mais espesso do que a carne original, com o objetivo de formar uma camada protetora ou tipo carcaça – a forma natural de se proteger contra outra lesão no mesmo local. Se um sapato inapropriado roçar uma parte sensível do pé, desencadeará como primeiro resultado dor e sensibilidade. Mas, novamente, a natureza atua protegendo contra mais dor e lesões por meio da formação de um calo, uma carapaça protetora.

Tendemos ao mesmo processo sempre que sofremos uma lesão emocional, ou seja, quando alguém nos fere ou esbarra em nós de um modo inadequado. Formamos cicatrizes emocionais ou espirituais em nome de nossa autoproteção, propensos a nos tornar endurecidos, insensíveis ao mundo, retraídos em uma carapaça protetora.

Psicocibernética

QUANDO A NATUREZA NECESSITA DE AJUDA

A natureza, ao formar o tecido cicatricial, objetiva ser útil. Entretanto, em nossa sociedade moderna, o tecido cicatricial, sobretudo na face, pode operar contra nós, não a nosso favor.

Consideremos George T., por exemplo, um jovem e promissor advogado. Ele era afável, bem-apessoado e estava a caminho de uma carreira de sucesso quando sofreu um acidente automobilístico que o deixou com uma cicatriz horrível, do meio da bochecha esquerda até o canto da boca. Outro corte, logo acima do olho direito, repuxou a pálpebra superior para cima durante a cicatrização, o que lhe deu uma aparência caricata gritante. Toda vez que olhava no espelho do banheiro, via uma imagem repulsiva. A cicatriz na bochecha fixou nele um permanente olhar de malícia, ou o que ele chamava de olhar cruel. Depois de deixar o hospital, perdeu seu primeiro caso no tribunal e teve certeza de que a aparência cruel e grotesca influenciara o júri. Também sentia que velhos amigos o rejeitavam com repulsa em razão da face distorcida. Seria apenas imaginação que até mesmo a própria esposa se afastava um pouco quando a beijava?

Como resultado de tal situação, George T. começou a recusar casos. Passou a beber durante o dia, tornando-se irascível, hostil e um tanto recluso. O tecido cicatricial formara uma forte proteção contra futuros acidentes automobilísticos. Mas, na sociedade em que George vivia, lesões físicas faciais não eram o principal perigo. Ele estava mais vulnerável do que nunca a golpes, ferimentos e mágoas sociais. Suas cicatrizes eram uma suscetibilidade, não um trunfo.

Se George fosse um homem primitivo e tivesse cicatrizes faciais de um encontro com um urso ou um tigre dente-de-sabre, suas cicatrizes teriam provavelmente o tornado mais aceitável para seus companheiros. Mesmo em tempos bastante recentes, velhos soldados exibem com orgulho suas "cicatrizes de batalha", e em grupos de duelo proibidos na Alemanha, uma cicatriz de sabre era uma marca de distinção.

No caso de George, a natureza tinha boas intenções, mas precisava de uma ajuda. Devolvi a ele o rosto antigo por meio de uma cirurgia plástica, que eliminou o tecido cicatricial e restaurou suas feições.

Feito isso, a mudança de personalidade foi fantástica. Ele recuperou o bom humor e a autoconfiança. Parou de beber. Abandonou a atitude de lobo solitário, voltou para a sociedade e virou de novo membro da raça humana. Conquistou uma nova vida.

Entretanto, apenas indiretamente a cirurgia plástica lhe propiciou tal transformação. O verdadeiro agente curativo foram a remoção de cicatrizes emocionais, a segurança contra golpes sociais, a cura de mágoas e de lesões emocionais e a restauração de sua autoimagem como um membro aceito pela sociedade, o que – em seu caso – a cirurgia tornou viável.

COMO AS CICATRIZES EMOCIONAIS GERAM ALIENAÇÃO DA VIDA

Muita gente com cicatrizes emocionais interiores nunca sofreu lesões físicas. E o resultado na personalidade é o mesmo. São indivíduos feridos por alguém no passado, os quais, a fim de se protegerem de futuros danos vindos da mesma fonte, formam um calo espiritual, uma cicatriz emocional para a segurança do próprio ego. Porém, esse tecido cicatricial não apenas os protege de quem originalmente os feriu, mas também os faz evitar todos os outros seres humanos. Assim, constroem uma muralha emocional através da qual não passam nem amigos nem inimigos.

Uma mulher já ferida por um homem promete a si nunca confiar em qualquer sujeito de novo. Uma criança cujo ego foi dilacerado por um parente ou um professor despótico e cruel talvez prometa nunca confiar em autoridade alguma no futuro. Um homem cujo amor foi rejeitado por uma mulher pode prometer nunca se envolver emocionalmente com qualquer ser humano no futuro.

Similar ao caso de uma cicatriz facial, proteção excessiva contra a fonte original do ferimento tem o potencial de nos tornar mais vulneráveis e gerar ainda mais danos em outros segmentos da vida. A muralha emocional que construímos como proteção acaba nos separando de todos os outros seres humanos e de nosso verdadeiro "eu". Como abordado anteriormente, a pessoa que se sente solitária, ou desconectada de outros seres humanos, também se sente desconectada de seu verdadeiro "eu" e da vida.

CICATRIZES EMOCIONAIS E DELINQUÊNCIA JUVENIL

O psiquiatra Bernard Holland observou que, embora os delinquentes juvenis pareçam muito independentes e carreguem a reputação de fanfarrões, sobretudo quanto a detestarem todas as autoridades, eles reclamam demais. Debaixo dessa carcaça exterior, afirmou o Dr. Holland, "há um 'eu' interior vulnerável que deseja depender dos outros". No entanto, eles não se aproximam de ninguém, porque não confiam em ninguém. Em algum momento no passado, uma pessoa importante para eles os feriu, e então nem se atrevem a adotar uma postura receptiva, com receio de serem feridos mais uma vez. Assim, vivem na defensiva e, para evitar mais rejeição e dor, atacam primeiro. Como resultado desse processo, afastam as mesmas pessoas que os amariam, se tivessem uma oportunidade, e que inclusive poderiam ajudá-los.

CICATRIZES EMOCIONAIS CRIAM UMA AUTOIMAGEM DISTORCIDA E DESAGRADÁVEL

Um ego com cicatrizes emocionais também vivencia outro efeito adverso: uma autoimagem distorcida, que se sente não apreciada ou aceita pelos outros, que não consegue relacionar-se no mundo daqueles com quem convive.

Cicatrizes emocionais impossibilitam uma vida criativa, ou impedem o que o Dr. Arthur W. Combs chamou de *autorrealização*. Professor de psicologia educacional e aconselhamento da Universidade da Flórida, ele afirmou que todos deveriam objetivar tornar-se uma pessoa autorrealizada. Isso, ele disse, precisa ser conquistado, pois não é inato.

As pessoas autorrealizadas apresentam as seguintes características:

1. Veem-se como apreciadas e capazes, desejadas e aceitas pela sociedade;
2. Aceitam-se como são;
3. Nutrem um sentimento de unicidade com os outros;
4. São muito bem informadas e abrigam amplo conhecimento.

Indivíduos com cicatrizes emocionais não apenas têm uma autoimagem de incapazes, indesejados e antipáticos, mas também veem o mundo onde vivem como hostil. Relacionam-se com a sociedade assentados na hostilidade e não se baseiam em dar, aceitar, cooperar, trabalhar junto, desfrutar da companhia de alguém, mas em conceitos de superação, combate e proteção. Não conseguem praticar a caridade, nem para com os outros nem para consigo mesmos. Frustração, agressão e solidão são o preço que pagam.

Psicocibernética

TRÊS REGRAS PARA A IMUNIZAÇÃO CONTRA AS CICATRIZES EMOCIONAIS

1. Cultive o sentimento de grandeza para não se sentir ameaçado.

Muitas pessoas se sentem terrivelmente feridas por pequenas alfinetadas, ou pelo que chamamos de *desdenhas sociais*. Todos nós conhecemos alguém na família, no trabalho ou no círculo de amigos que é tão sensível e delicado que deixa os outros continuamente a postos, atentos para não o ofender com uma palavra ou um ato inocente.

É um fato psicológico bem conhecido que as pessoas que se melindram com facilidade têm baixa autoestima. Assim, ferem-se com coisas que concebem como ameaças ao ego. Impulsos emocionais imaginados, dos quais pessoas com uma autoestima saudável nem mesmo se dão conta, atingem terrivelmente tais indivíduos. Mesmo as verdadeiras cutucadas, que infligem um terrível dano ao ego da pessoa com baixa autoestima, não abalam o ego daquela com uma autoimagem positiva. É a pessoa que se sente indigna, duvida de suas competências e tem uma opinião negativa de si quem se ofende em um piscar de olhos. É a pessoa que secretamente duvida do próprio valor e que se sente insegura quem vê ameaças ao seu ego onde elas inexistem; é ela quem exagera e superestima o potencial dano das ameaças reais.

Todos nós precisamos de resistência emocional e um ego em segurança para nos proteger das ameaças reais e imaginárias. Não seria prudente que nosso corpo físico fosse revestido por uma carapaça como a de uma tartaruga, o que, por exemplo, não nos permitiria desfrutar o prazer das sensações íntimas. Mas a pele de nosso corpo tem uma camada superficial, a epiderme, que funciona como proteção contra bactérias, pequenos hematomas, contusões e ferimentos mais insignificantes. Ainda que a espessura da epiderme nos proteja contra machucados sem gravidade, ela não interfere em todas as sensações. Nessa linha comparativa, falta epiderme ao ego de muitas pessoas, que precisam se tornar emocionalmente mais resistentes para ignorar insignificantes arranhões e pequenas ameaças.

Além disso, precisam construir sua autoestima, conquistar uma autoimagem mais adequada de si, para que não se sintam ameaçadas por comentários ou atos inocentes. Um homem grande e forte não vê perigos, nem se sente perturbado por uma reles ameaça; um homenzinho, sim. Da mesma forma, um ego forte e saudável, com elevada autoestima, não se sente ameaçado por qualquer comentário inocente.

Autoimagens saudáveis não se ferem com facilidade

A pessoa que sente ameaçada diante de um comentário depreciativo tem um ego frágil e baixa autoestima; é egocêntrica, preocupada consigo mesma, difícil de conviver e o que chamamos de *egoísta*. Não se cura um ego adoecido ou frágil derrubando-o, neutralizando-o ou mesmo o enfraquecendo ainda mais por meio da autoabnegação ou de tentativas de altruísmo. A autoestima é tão fundamental para o espírito quanto o alimento para o corpo. A cura para a questão do egocentrismo, da autopreocupação, do egoísmo e todos os males que os acompanham está no desenvolvimento de um ego forte e saudável por meio da construção da autoestima. Quando o nível de autoestima é adequado, pequenas desconsiderações não constituem ameaça; elas são apenas superadas e ignoradas. Cicatrizes emocionais ainda mais profundas tendem a curar mais rápido e de forma mais limpa, sem feridas purulentas para envenenar a vida e comprometer a felicidade.

2. Tenha uma atitude confiante e responsável para minimizar a vulnerabilidade.

Como o Dr. Holland apontou, o delinquente juvenil com uma carapaça exterior é, na verdade, alguém fragilizado e vulnerável, que quer ser dependente e amado.

Vendedores me disseram que o cliente mais resistente às vendas é quase sempre uma venda fácil, depois de vencidas as defesas dele; que as pessoas que se sentem impelidas a colocar placas de "proibido vendedores" o fazem porque sabem que são mais pacíficas e precisam de proteção.

A pessoa com uma carapaça exterior quase sempre a desenvolve, pois, mesmo de modo instintivo, percebe que a suavidade de seu interior precisa de proteção.

E mais: o indivíduo com pouca ou nenhuma autoconfiança, que se sente emocionalmente dependente dos outros, torna-se mais vulnerável aos ferimentos emocionais. Todo ser humano quer amor e afeto, precisa disso. Mas a pessoa criativa e autoconfiante também sente a necessidade de dar amor, tanto quanto de recebê-lo. E também não espera que o amor lhe seja oferecido em uma bandeja de prata, nem incorpora uma necessidade compulsiva de que todos a amem e aprovem. O ego a leva ao fato de que alguns não gostarão dela e a desaprovarão. Além disso, sente algum senso de responsabilidade por sua vida e se concebe como alguém que age, determina, dá, vai atrás do que quer, e não alguém com tendências a ser mero receptor das coisas boas da vida.

A pessoa passiva-dependente entrega seu destino inteiro aos outros, às circunstâncias, à sorte. A vida lhe deve plenitude, e as pessoas lhe devem consideração, apreço, amor, felicidade. Ela faz exigências e reivindicações despropositadas a outras pessoas e sente-se ludibriada, injustiçada, ferida quando não as realizam. Como não se constrói a vida dessa maneira, ela está em busca do impossível e aberta a mágoas e ferimentos emocionais. Dizem que a personalidade neurótica está sempre tropeçando na realidade.

Desenvolva uma atitude mais autossuficiente. Assuma a responsabilidade pela própria vida e por suas necessidades emocionais. Tente dar carinho, amor, aprovação, aceitação e compreensão a outras pessoas e as verá retornando-os para você como uma espécie de reflexo.

3. Relaxe e afaste-se dos ferimentos emocionais.

Certa vez, um paciente me perguntou: "Se a formação de tecido cicatricial é natural e automática, por que ele não se forma quando um cirurgião plástico faz uma incisão?".

A resposta é que, se ferimos o rosto e segue-se uma cura natural, a cicatriz vai se formar em razão de uma certa tensão no ferimento e sob ele, o que repuxa a superfície da pele para trás, criando, por assim dizer, um vão preenchido por tecido cicatricial. No procedimento médico, o cirurgião plástico não apenas une a pele com suturas, mas também corta uma pequena quantidade de carne sob ela para que não haja tensão. Desse modo, a incisão cicatriza de forma suave, uniforme e sem distorção. É interessante notar o mesmo princípio no caso de uma ferida emocional. Se não houver tensão, não restará desfiguração alguma.

Você já notou com que facilidade seus sentimentos são feridos ou você se ofende quando vivencia tensões causadas por frustração, medo, raiva ou depressão?

Vamos ao trabalho sentindo-nos mal, deprimidos, com nossa autoconfiança abalada por alguma experiência adversa. Um amigo se aproxima e faz uma observação em tom de brincadeira. Nove em cada dez vezes achamos engraçado, não pensamos em nada que a envolva e, em troca, retribuímos com um riso bem-humorado. Mas não hoje. Hoje estamos envoltos por tensões de autodesconfiança, insegurança e ansiedade. Como resultado, recebemos a observação de modo distorcido, sentimo-nos desorientados e magoados, e uma cicatriz emocional começa a se formar.

A experiência do cotidiano ilustra muito bem o princípio de que estamos feridos emocionalmente, não tanto pelas ações e palavras de outras pessoas, mas por nossa própria atitude e nossa própria reação.

Relaxar minimiza os golpes emocionais

Quando nos sentimos feridos ou ofendidos, tal sentimento implica uma questão que envolve nosso modo de reagir. Na verdade, o sentimento é a nossa reação.

Devemos nos preocupar com nossas reações, não com as de outras pessoas. Podemos ficar tensos, com raiva, ansiosos ou ressentidos e sentirmo-nos feridos. Ou podemos não reagir, permanecer em um clima de relaxamento e não nos sentir feridos. Experimentos científicos mostraram ser impossível sentir medo, raiva, ansiedade ou emoções negativas de qualquer tipo enquanto os músculos do corpo estão relaxados. Temos de fazer alguma coisa para sentir medo, raiva, ansiedade.

Nas palavras de Diógenes: "Ninguém é ferido a não ser por si mesmo". "Nada pode me causar dano exceto eu mesmo", afirmou São Bernardo. "O mal que sofro carrego comigo, e nunca sofro de verdade a não ser por minha própria culpa."

Daí, conclui-se que você é o único responsável por suas respostas e reações. Mas lembre-se: respostas são necessárias. Basta que permaneça descontraído, relaxado e livre de lesões.

A CAPACIDADE DE CONTROLAR O PENSAMENTO LEVOU ESSAS PESSOAS A UMA NOVA VIDA

No Shirley Center, em Massachusetts, os resultados alcançados pela psicoterapia de grupo superaram, e em tempo bem mais reduzido, os obtidos pela psicanálise clássica. Enfatizaram-se duas coisas: treinamento em grupo do controle do pensamento e períodos diários dedicados a relaxar. De acordo com o estudo publicado na *Mental Hygiene*, o objetivo era "a reeducação intelectual e emocional visando encontrar o caminho para um tipo de vida fundamentalmente bem-sucedida e feliz".

Os pacientes, além de passarem pela reeducação intelectual e ganharem assistência sobre controle do pensamento, foram ensinados a relaxar deitando-se em uma posição confortável enquanto o supervisor descrevia uma imagem agradável de alguma cena plácida ao ar livre. Também se pedia que praticassem o relaxamento em casa, todos os dias, e que incorporassem a sensação de calma e paz ao cotidiano.

Uma paciente que encontrou um novo modo de vida no local escreveu: "Estive doente durante sete anos. Não conseguia dormir. Tinha um temperamento estourado. Era uma pessoa complicada de se conviver. Por anos, pensei que tinha um marido incompetente. Quando ele chegava em casa depois de um só drinque e talvez estivesse lutando contra o desejo de beber mais, eu me exaltava, usava palavras duras que o levavam a uma bebedeira em vez de ajudá-lo em sua luta. Agora nada falo e mantenho a calma. Isso o ajuda, e nos damos muito bem. Eu, antes, vivia minha vida de forma antagônica. Exacerbava pequenos problemas. Estava à beira do suicídio. Quando cheguei ao Centro, comecei a perceber que não era o mundo que estava errado. Agora me sinto mais saudável do que nunca e mais feliz. Antigamente não relaxava, mesmo dormindo. Agora não me alvoroço como antes, faço tudo que fazia e não me canso".

COMO ELIMINAR VELHAS CICATRIZES EMOCIONAIS

Podemos prevenir e nos imunizar contra cicatrizes emocionais por meio da prática das três regras já citadas. Mas e as velhas cicatrizes emocionais que se formaram no passado – mágoas, rancores, queixas contra a vida, ressentimentos?

Formada uma cicatriz emocional, só resta uma coisa a fazer: eliminá-la por meio de cirurgia, como acontece com uma cicatriz física.

Lifting *espiritual*

Para remover velhas cicatrizes emocionais, faça a cirurgia sozinho. Torne-se seu próprio cirurgião plástico e dê a si mesmo um *lifting* espiritual. Os resultados serão uma nova vida, uma nova vitalidade, paz de espírito e felicidade.

Falar de um *lifting* emocional e de "cirurgia mental" é mais do que uma metáfora. Velhas cicatrizes emocionais não podem ser tratadas ou medicadas, portanto, precisam ser extirpadas, abandonadas, erradicadas. Muitas pessoas recorrem a vários tipos de pomadas ou bálsamos, o que simplesmente não funciona. Elas podem, de modo até presunçoso, renunciar à vingança física, mas ainda almejando vingar-se de muitas maneiras sutis.

Um exemplo típico está na esposa que descobre a infidelidade do marido. Seguindo o conselho de seu guia espiritual ou psiquiatra, ela concorda que deveria perdoar-lhe. Assim, não dispara um tiro nele, não o abandona. Assume o comportamento social da esposa dadivosa: mantém a casa em ordem, prepara as refeições e por aí vai. Mas transforma a vida do marido em um inferno com toda sutileza: indiferença e ostentação de superioridade moral. Quando ele reclama, a resposta dela é: "Bem, querido, eu lhe perdoei, mas não consigo esquecer". O próprio perdão vira uma pedra no sapato do sujeito, porque a esposa está consciente do fato de que o indulto prova sua superioridade moral. Seria uma atitude de mais amabilidade para com ele, e de felicidade para ela, se negasse esse tipo de perdão e o abandonasse.

Perdão: o bisturi que elimina cicatrizes emocionais

"'Consigo perdoar, mas não consigo esquecer' é apenas outro jeito de dizer 'não consigo perdoar'", nas palavras de Henry Ward Beecher. "O perdão deve ser como o registro de uma dívida quitada – rasgado em dois e queimado, para que nunca possa ser contestado."

Perdão, quando real, genuíno e completo – que de fato implica esquecimento –, é o bisturi capaz de eliminar o pus não só de velhas feridas emocionais, mas também do tecido cicatricial, e curá-las.

O perdão parcial, ou irresoluto, não funciona melhor do que uma cirurgia facial apenas parcialmente concluída. O perdão simulado, assumido como um dever, não é mais eficaz do que uma falsa cirurgia facial.

E mais: o perdão deve ser esquecido, assim como o mal que foi perdoado. O perdão sempre rememorado infecta o ferimento que estamos tentando cauterizar. Se nos orgulharmos de ter perdoado, ou se nos lembrarmos demais disso, acabaremos sentindo que a outra pessoa nos deve algo em troca. Você lhe perdoa uma dívida, mas, ao fazer isso, ela incorre em outra, como os operadores de pequenas empresas de empréstimo, que cancelam uma promissória e preparam uma nova a cada duas semanas.

O perdão não é uma arma

Existem muitas falácias comuns relativas ao perdão, e uma das razões pelas quais não se reconheceu com mais força seu valor terapêutico é o fato de que raras vezes isso foi tentado. Por exemplo, muitos escritores nos disseram que devemos perdoar para nos tornarmos bons, mas raramente nos aconselharam a perdoar para que pudéssemos ser felizes. Outra falácia se refere ao perdão nos colocar em uma posição superior, ou ser um método de vencer nosso inimigo. Esse pensamento tem aparecido em muitas frases simplórias, como: "Não tente apenas se vingar – perdoe seu inimigo e você não se assemelhará a ele".

John Tillotson, arcebispo de Canterbury do século XVII, disse: "Uma vitória mais gloriosa não pode ser conquistada sobre outro homem do que esta: quando o dano começou da parte dele, a bondade deve começar da nossa". Esta é apenas outra maneira de dizer que muitas vezes se recorre ao perdão como uma arma eficaz de vingança – o que é verdade. No entanto, o perdão vingativo nada tem a ver com o perdão terapêutico, que erradica, cancela, anula a injúria como se jamais tivesse ocorrido. O perdão terapêutico equivale a uma cirurgia.

Desfaça-se do rancor como faria com uma gangrena

Primeiro, o errado – e sobretudo nosso sentimento de reprová-lo – deve ser visto como uma coisa indesejável mais do que desejável. Antes que um homem concorde com a amputação de um braço, ele precisa parar de ver o membro como uma coisa a ser mantida e encará-lo como indesejável e prejudicial.

Na cirurgia facial, não podem existir medidas parciais, provisórias ou intermediárias. O tecido cicatricial é cortado, completa e inteiramente, e assim o corte cicatriza de forma limpa. Ainda se atenta para que o rosto seja restaurado em todos os detalhes, exatamente como era antes da lesão, como se essa nunca tivesse existido.

Perdoe se estiver disposto

O perdão terapêutico não é difícil. A única dificuldade está em garantir que se esteja disposto a desistir da condenação, ou seja, que se queira cancelar a dívida, sem reservas mentais.

Achamos difícil perdoar apenas porque apreciamos nosso senso de condenação. Sentimos um prazer perverso e mórbido em zelar por nossas feridas. O ato de condenar o outro implica nos sentirmos superiores a ele.

Ninguém pode negar que também existe uma sensação perversa de satisfação em sentir pena de nós mesmos.

As razões para o perdão precisam ser importantes

No perdão terapêutico, eliminamos a dívida da outra pessoa não porque decidimos ser generosos, fazer-lhe um favor ou porque somos moralmente superiores. Eliminamos a dívida, marcando-a como nula e sem efeito, não porque fizemos a outra pessoa pagar por seu erro, mas porque reconhecemos que a dívida não é válida. O verdadeiro perdão só aflora quando somos capazes de aceitar emocionalmente que não há nada para perdoar, que não deveríamos ter condenado ou odiado o outro.

Há pouco tempo fui a um almoço onde havia vários clérigos. O tema do perdão veio à tona, acompanhado do caso da adúltera a quem Jesus perdoou. Ouvi uma discussão muito erudita sobre por que Jesus foi capaz de perdoar a mulher, como Ele lhe perdoou e como seu perdão significou uma repreensão aos clérigos da época, então prontos para apedrejá-la.

Jesus não perdoou a mulher adúltera

Resisti à tentação de escandalizar tais senhores ao lhes dizer que, na verdade, Jesus nunca perdoou a mulher. Em nenhum momento da narrativa, conforme aparece no Novo Testamento, empregam-se as palavras "perdoar" ou "perdão", tampouco as sugerem. Dizem-nos apenas que, depois que os acusadores partiram, Jesus perguntou a ela:

"Ninguém te condenou?". A mulher respondeu negativamente, e ele retrucou: "Nem eu também te condeno – vai-te e não peques mais".

Não podemos perdoar a alguém se antes não o condenamos. Jesus nunca condenou a mulher, portanto, nada havia a ser perdoado. Ele reconheceu o pecado, ou o erro, mas não se sentiu impelido a odiá-la por isso. Foi capaz de ver, antes do fato, o que devemos vislumbrar depois do fato ao praticar o perdão terapêutico: erramos quando odiamos uma pessoa em razão de seus erros; ou quando a condenamos; ou quando a rotulamos como um certo tipo de gente, confundindo-a com seu comportamento; ou quando incorremos mentalmente em uma dívida que ela deve pagar antes de ser restaurada às nossas boas graças e à aceitação emocional.

Se você acha conveniente fazer isso, se acha que deve fazê-lo ou se pode razoavelmente esperar que aja dessa maneira, é uma questão que extrapola o escopo deste livro e minha área de atuação. Mas, como médico, digo-lhe que, se o fizer, será muito mais feliz, saudável e terá mais paz de espírito. No entanto, gostaria de destacar que o perdão terapêutico, o único tipo que de fato funciona, atua desse modo. Se o perdão for alguma coisa menos do que isso, precisamos parar de falar desse assunto.

Perdoe a si mesmo como perdoa os outros

Não só estamos sujeitos a feridas emocionais provocadas pelos outros, mas também a maioria de nós as autoinflige. Sofremos com autocondenação, remorso e arrependimento. Massacramo-nos com a dúvida. Dilaceramo-nos com a culpa excessiva.

Remorso e arrependimento constituem tentativas de vivermos emocionalmente no passado. A culpa excessiva é uma tentativa de corrigir algo que fizemos de errado ou que consideramos uma falha no passado.

Usamos as emoções de modo correto e apropriado quando elas nos ajudam a responder ou a reagir adequadamente a alguma realidade no nosso meio atual. Como não podemos viver no passado, também não podemos reagir de maneira apropriada a ele. Portanto, no que se refere às reações emocionais, o passado deve ser eliminado, encerrado e esquecido. Não precisamos assumir uma posição emocional em relação a desvios que podem ter nos afastado do curso. Importam nossa direção e nosso objetivo atuais.

Precisamos reconhecer nossos erros tais como são. Caso contrário, não conseguiremos corrigir o curso; perderíamos a direção ou a orientação. Mas é inútil e fatal nos odiarmos ou nos condenarmos por nossos erros.

Você erra, mas os erros não te compõem

Ao pensarmos em nossos próprios erros (ou nos de outros), é útil e realista avaliá-los em termos do que fizemos ou não, e não em termos do que os erros nos fizeram.

Um dos maiores erros que cometemos é confundir nosso comportamento com nosso "eu" e concluir que, em razão de determinado ato, estaremos rotulados como um certo tipo de pessoa. Ajuda nesse processo se ponderarmos que os erros envolvem algo que fazemos; eles se referem a ações e, para sermos realistas, ao descrevê-los, devemos empregar verbos que denotam ação, não nomes que denotam um estado de ser. Por exemplo, dizer "eu falhei" (forma verbal que indica ação) implica apenas o reconhecimento de um erro e pode ajudar no sucesso futuro. Já dizer "eu sou um fracasso" (forma nominal) não descreve o que se fez, mas o que se acha que o erro fez com você. Tal postura em nada contribui para o aprendizado, pois reflete a tendência de fixar o erro, perpetuá-lo. Isso foi reiteradamente provado em experimentos psicológicos clínicos.

Reconhecemos que todas as crianças, ao aprenderem a andar, vez ou outra levam um tombo. Dizemos "ela caiu", "ela tropeçou", e não "ela é falha" ou "ela é um tropeço".

No entanto, muitos pais não reconhecem que todas as crianças, quando estão aprendendo a falar, também cometem erros: hesitação, bloqueio, repetição de sílabas e palavras. Portanto, é frequente que um pai ansioso conclua: "Meu filho é gago". Tal atitude ou julgamento, que envolve não as ações do filho, mas ele próprio na infância, atinge tanto a criança que ela começa a pensar em si como gaga, e esse comportamento tende a se perpetuar.

De acordo com o Dr. Wendell Johnson, a maior autoridade do país em gagueira, está aí a causa desse distúrbio. Ele afirmou que tutores de crianças não gagas são mais propensos a usar termos descritivos ("Ele não falava"), enquanto os de gagos tendem a usar termos de julgamento ("Ele não sabia falar"). Na revista *Saturday Evening Post*, de 5 de janeiro de 1957, o Dr. Johnson escreveu: "Lentamente começamos a compreender o aspecto vital que se perdera por tantos séculos. Caso após caso se desenvolveu após o diagnóstico de gagueira ser feito por pessoas excessivamente ansiosas e não familiarizadas com o desenvolvimento normal da fala. Os pais, e não a criança, os ouvintes, e não os falantes, pareciam os que mais exigiam compreensão e conhecimento".

O Dr. Knight Dunlap, que por vinte anos estudou hábitos – como se formam, como se desfazem e como se relacionam com o processo de aprendizagem –, descobriu que o mesmo princípio se aplicava a praticamente todos os maus hábitos, incluindo os emocionais. Era essencial, disse ele, que o paciente aprendesse a parar de se culpar, de se autocondenar e de sentir remorso por seus hábitos, caso desejasse superá-los. E achou particularmente prejudicial as conclusões "estou arruinado" ou "sou desprezível" após o paciente realizar certos atos.

Então, lembre-se de que você comete erros; você erra. Erros não compõem você.

Quem quer ser uma ostra?

Uma palavra final sobre prevenir e eliminar as feridas emocionais. Para vivermos de modo criativo, precisamos nos dispor a um pouco de vulnerabilidade. Precisamos nos dispor a algum ferimento, se necessário. Um monte de gente necessita de uma pele emocional mais grossa e resistente, mas não de uma casca. Confiar, amar, ser receptivo à comunicação emocional com outras pessoas implica assumir o risco de ser ferido. E, se isso nos acontecer, podemos fazer uma destas duas coisas: construir uma casca protetora bem grossa, um tecido cicatricial, ou uma vida como a da ostra, para nunca sermos feridos; ou podemos dar a outra face, continuar vulneráveis e tocar a vida criativamente.

Uma ostra não é ferida; a casca grossa a protege de tudo. Está isolada, segura, mas não é criativa. Não pode ir atrás do que quer, apenas esperar que as coisas venham até ela. Uma ostra não conhece nenhuma das feridas da comunicação emocional com seu ambiente, mas também não conhece as alegrias.

Um lifting *emocional aprimora a aparência e o sentimento de jovialidade*

Tente proporcionar a si mesmo um *lifting* espiritual. Isso vai além de um jogo de palavras; torna-o mais receptivo para a vida, maximiza sua vitalidade, coisas típicas da juventude. Você vai se sentir – e de fato parecerá – mais jovem. Muitas vezes vi a aparência de algumas

Psicocibernética

pessoas rejuvenescer cinco ou dez anos após a remoção de velhas cicatrizes emocionais. Olhe à sua volta. Quem são as pessoas na faixa de quarenta anos que mantêm uma aparência jovial? As mal-humoradas? As ressentidas? As pessimistas? As azedas com o mundo? Ou serão as alegres, as otimistas, as bem-dispostas?

Guardar rancor contra alguém ou contra a vida pode antecipar a curva da velhice, tanto quanto carregar um fardo muito pesado nos ombros. Indivíduos com cicatrizes emocionais, rancores e afins vivem no passado, o que é típico dos idosos. A atitude e o espírito jovial eliminam as rugas da alma e do rosto; dão vivacidade aos olhos; permitem que se olhe para o futuro com grandes expectativas.

Portanto, por que não se proporcionar um *lifting* espiritual? Seu kit "faça você mesmo" consiste em relaxar de tensões negativas para evitar novas cicatrizes, exercitar o perdão terapêutico para eliminar cicatrizes antigas, dotar-se de uma epiderme resistente (mas não dura), assumir uma vida criativa, cultivar a vontade de ser um pouco vulnerável e sentir nostalgia pelo futuro, nunca pelo passado.

PONTOS-CHAVE PARA RELEMBRAR

Resuma aqui:

1. ....
....
....
....
....

2. ....
....
....
....
....

3. ....
....
....
....
....

4. ....
....
....
....
....

5. ....
....
....
....
....

HISTÓRICO DE CASO

Redija uma experiência pessoal explicada pelos princípios apresentados neste capítulo:

ONZE

A libertação da verdadeira personalidade

Personalidade, essa coisa magnética e misteriosa tão fácil de reconhecer, mas difícil de definir, não é adquirida de fora para dentro, mas libertada de dentro para fora. Denominamos "personalidade" a evidência externa daquele "eu" criativo único e individual, feito à imagem de Deus – aquela centelha de divindade dentro de nós –, ou o que podemos chamar de *expressão livre e plena do nosso "eu" real*. Atrativo, magnético, ele impacta e influencia de maneira poderosa outras pessoas. Somos invadidos pela sensação de que estamos em contato com algo real – e básico –, e isso nos afeta. Por outro lado, um "eu" falso é universalmente malquisto e detestado.

Por que todos amam um bebê? Certamente não pelo que o bebê consegue fazer, ou pelo que sabe, o que tem, mas apenas pelo que ele é. Todo bebê tem um atrativo na personalidade, sem superficialidade, dissimulação e hipocrisia. Em sua linguagem própria, que consiste apenas em chorar ou balbuciar, expressa verdadeiros sentimentos; diz o que quer dizer. Não há dolo. O bebê é emocionalmente honesto. Exemplifica ao enésimo grau o ditado psicológico "seja você mesmo". Não tem escrúpulos em se expressar, nem mesmo a menor inibição.

TODOS TEMOS UMA PERSONALIDADE TRANCADA DENTRO DE NÓS

Todo ser humano tem esse algo misterioso que chamamos de *personalidade*. Quando dizemos que uma pessoa "tem uma boa personalidade", queremos dizer que ela libertou o potencial criativo dentro de si e é capaz de expressar seu "eu" real.

"Personalidade fraca" e "personalidade inibida" significam a mesma coisa. A pessoa com uma personalidade fraca não expressa o "eu" criativo interior; ela o prendeu, algemou, trancou e jogou a chave fora. A palavra "inibir" significa parar, evitar, proibir, restringir. A personalidade inibida impôs uma restrição à expressão do "eu" real. Seja qual for a razão, teme se expressar, teme ser ela mesma, e seu verdadeiro "eu" está trancado em uma prisão interior.

Os sintomas de inibição são muitos: acanhamento, timidez, hostilidade, culpa exacerbada, insônia, nervosismo, irritabilidade, incapacidade de se relacionar com os outros.

A frustração é característica de quase todas as áreas de atuação da personalidade inibida. Ela implica a incapacidade da pessoa de ser ela mesma e de se expressar de forma adequada: provavelmente o indivíduo irá atropelar tudo o que faz.

FEEDBACK NEGATIVO EM EXCESSO É A CHAVE PARA A INIBIÇÃO

A ciência da cibernética nos dá uma nova visão da personalidade inibida e nos mostra o caminho para a desinibição, a liberdade, a liberação de nossos espíritos de prisões autoimpostas.

O *feedback* negativo em um servomecanismo, equivalente à desaprovação, diz: "Você está equivocado, está no caminho errado; precisa tomar medidas corretivas para voltar ao rumo certo".

O objetivo do *feedback* negativo, no entanto, é modificar a resposta e mudar o curso para que se siga em frente, não parar totalmente a ação.

Se o *feedback* negativo estiver funcionando corretamente, um míssil ou um torpedo reagem à desaprovação apenas o bastante para corrigir o curso e continuar avançando em direção ao alvo. Esse curso será, como já explicamos antes, uma série de ziguezagues.

Porém, se for sensível demais ao *feedback* negativo, o servomecanismo executa uma correção exacerbada; em vez de progredir em direção ao alvo, faz ziguezagues exagerados ou interrompe por completo o progresso.

Nosso próprio servomecanismo integrado funciona da mesma maneira. Precisamos do *feedback* negativo para agir com propósito e para sermos dirigidos a um objetivo.

FEEDBACK NEGATIVO EM EXCESSO SE ASSEMELHA À INIBIÇÃO

O *feedback* negativo, na verdade, nos diz: "Pare o que você está fazendo ou a maneira como está fazendo e faça outra coisa", com o intuito de modificar a resposta ou alterar o grau de avanço da ação – não parar de agir. Não diz: "Pare – ponto-final!", mas sim: "O que você está fazendo é errado". Nunca diz: "É errado fazer qualquer coisa".

No entanto, quando o *feedback* negativo é exagerado, ou nosso próprio mecanismo é sensível demais a ele, o resultado não implica a modificação, mas a inibição total de respostas.

Inibição e *feedback* negativo exacerbado significam a mesma coisa. Quando reagimos dessa forma a comentários ou críticas negativas, é provável que concluamos que não apenas nosso curso atual está um pouco fora dos trilhos, ou errado, mas que é errado até mesmo querermos seguir em frente.

Por exemplo, quase sempre um caçador escolhe como ponto de referência uma árvore muito alta que seja vista bem de longe para lhe servir de orientação no caminho de volta. Vez ou outra, talvez até perca a árvore de vista, mas, assim que volta a vislumbrar, verifica o curso e, se perceber que se afastou, reconhece que seguiu o caminho errado. Em nova correção, caminha diretamente em direção à árvore, mas não conclui que andar é errado.

No entanto, muitos de nós chegamos a uma conclusão tola. Quando percebemos que nossa forma de expressão não está no rumo certo, desvia-se do objetivo ou está errada, concluímos que a autoexpressão em si está equivocada, ou que o sucesso para nós (alcançar nossa árvore particular) está errado.

Lembre que o *feedback* negativo excessivo tem o efeito de intervir ou interromper completamente a reação apropriada.

GAGUEIRA COMO SINTOMA DE INIBIÇÃO

A gagueira ilustra muito bem como o *feedback* negativo exagerado provoca inibição e intervém na reação adequada.

Embora a maioria de nós não perceba de forma consciente, quando falamos, recebemos dados de *feedback* negativo por meio de ouvir e monitorar nossa própria voz. Essa é a razão por que surdos quase nunca falam bem, pois não ouvem o som da própria voz; se está gritando, falando muito alto ou murmurando de forma ininteligível. Essa é também a razão pela qual as pessoas nascidas surdas só aprendem a falar com acompanhamento especial. Se você canta, talvez já tenha ficado surpreso ao perceber que não conseguia cantar no tom ou em harmonia com os outros quando, resfriado, sofreu de surdez temporária.

Assim, o *feedback* negativo em si não é um impedimento para a fala. Pelo contrário, ele nos permite falar, e de forma correta. Os fonoaudiólogos aconselham que gravemos nossas vozes e as ouçamos como um método para melhorar o tom, a enunciação e outras coisas mais. Ao fazermos isso, temos ciência de erros na fala, coisa que não havíamos notado antes. Cientes dos erros, podemos corrigi-los.

Porém, para que o *feedback* negativo seja eficaz como elemento de ajuda para que falemos melhor, ele deve (1) ser meio que automático ou subconsciente; (2) ocorrer espontaneamente ou enquanto falamos; e (3) a reação a ele não deve ser tão sensível a ponto de resultar em inibição.

Se, em vez de reagirmos de modo espontâneo, formos conscientemente supercríticos com nossa fala ou muito cautelosos ao tentarmos antecipar e evitar erros, é provável que aflore a gagueira.

Caso o *feedback* exacerbado do gago possa ser atenuado, ou mesmo espontâneo em vez de antecipado, a melhora na fala será imediata.

A AUTOCRÍTICA CONSCIENTE TEM EFEITOS MAIS GRAVES

Escrevendo na revista científica britânica *Nature*, o Dr. E. Colin Cherry declarou acreditar que a gagueira era causada por monitoramento excessivo. Para testar sua teoria, equipou 25 pessoas com problemas severos de gagueira com fones de ouvido em um volume de som que abafava suas próprias vozes. Quando, nessas condições, solicitaram-lhes a leitura de um texto em voz alta, a ausência da autocrítica provocou uma melhora notável. Em outro grupo com gagueira severa, utilizaram a técnica de *shadow-talk* – a leitura de um texto acompanhada de sua versão em áudio, uma tentativa de falar junto com alguém lendo um texto. Após uma breve prática, os gagos aprenderam a fazer o procedimento com facilidade, e a maioria conseguiu falar de forma normal e correta, evitando a crítica antecipada. O método os forçou a falar espontaneamente, ou a sincronizar a fala e a correção. Praticar mais *shadow-talk* permitiu-lhes aprender a falar corretamente.

Eliminando-se o *feedback* negativo exagerado, ou a autocrítica, a inibição desapareceu e o desempenho melhorou. Quando não havia tempo para preocupação, ou muita cautela antecipada, a fala melhorava de imediato. Isso nos dá uma pista valiosa de como é possível desinibir ou libertar uma personalidade bloqueada e aprimorar o desempenho de alguém em outras áreas.

CUIDADO EXCESSIVO LEVA A INIBIÇÃO E ANSIEDADE

Você já tentou enfiar linha em uma agulha?

Se sim e se não tem experiência nisso, deve ter notado que conseguia segurar a linha com firmeza até que a aproximasse do buraco da agulha. Cada vez que tentava passar o fio pela pequena abertura, sua mão tremia inexplicavelmente e errava o alvo.

A tentativa de despejar um líquido no gargalo pequeno de uma garrafa quase sempre resulta no mesmo tipo de comportamento. Você consegue manter a mão firme até tentar cumprir *seu propósito*, então, por alguma estranha razão, começa a tremer.

Nos círculos médicos, chamamos isso de *tremor de intenção*, que ocorre, como dito, em pessoas comuns quando se esforçam demais ou assumem uma postura muito cuidadosa para não cometer um erro na realização de algum propósito.

Em certas condições patológicas, como lesões em determinadas áreas do cérebro, esse tremor de intenção pode se tornar muito acentuado. Por exemplo, um paciente pode manter a mão firme enquanto não estiver estático, mas deixe-o tentar inserir a chave na fechadura da porta, e sua mão talvez ziguezagueie por quinze ou vinte centímetros. Ele consegue manter uma caneta firme até tentar assinar seu nome. Caso se constranja por isso e fique ainda mais cuidadoso para não cometer um erro na presença de estranhos, talvez nem mesmo consiga escrever.

Essas pessoas podem ser ajudadas, e muitas vezes de maneira notável, com treinamento em técnicas de relaxamento, nas quais aprendem a relaxar, evitar esforços excessivos e não serem excessivamente cautelosas na tentativa de evitar erros ou fracassos.

Cautela excessiva, ou muita ansiedade para não cometer um erro, é uma forma de *feedback* negativo exagerado. A exemplo do caso dos gagos, que tentam antecipar possíveis erros e tomam muito cuidado para não os cometer, o resultado é inibição e comprometimento do desempenho. Cautela excessiva e ansiedade são parentes próximos, pois ambos têm a ver com preocupar-se demais com um possível fracasso, ou com fazer a coisa errada, e dispender muito esforço consciente para fazer o certo.

"Não gosto dessas pessoas frias, precisas, perfeitas, que, para não falar mal, nunca falam e, para não errar, nunca fazem nada", disse Henry Ward Beecher.

O VALOR DA INDIFERENÇA

"Quais são os alunos que ficam abalados quando vão fazer uma apresentação escolar?", perguntou William James. "Aqueles que pensam na possibilidade de fracasso e sentem a grande importância do ato. Quais os que se saem bem? Em geral, os mais indiferentes. Suas ideias fluem espontaneamente."

Por que ouvimos com tanta frequência que a vida social na Nova Inglaterra é menos rica e expressiva, ou mais exaustiva, do que em algumas outras partes do mundo? Ao que se deve esse fato – se é que se deve – a não ser à consciência hiperativa das pessoas que temem dizer alguma coisa muito banal e óbvia, insincera, indigna ou inadequada para a ocasião? Como a conversa conseguirá fluir por um mar de responsabilidades e inibições como esse? Entretanto, a conversa floresce, e a sociedade é revigorante, e não há nem monotonia por um lado nem exaustão de esforço por outro, onde quer que as pessoas esqueçam seus escrúpulos, tirem os freios dos corações e deixem suas línguas livres tão automática e irresponsavelmente como queiram.

Discute-se muito hoje, nos círculos pedagógicos, o dever do professor de se preparar com antecedência para cada aula. Até certo ponto, isso é útil. Faço minhas as palavras de William James, um professor admirável, como conselho à maioria dos docentes. Prepare-se tão bem no tema de modo que sempre esteja pronto; então, na sala de aula, confie em sua espontaneidade e ignore todas as cautelas.

"Meu conselho aos alunos, sobretudo às alunas, seria semelhante. Assim como as correntes de uma bicicleta podem estar muito apertadas, cautela e consciência podem enfrentar tanta tensão que impossibilitam o funcionamento da mente. Tomemos, por exemplo, períodos em que há muitos dias sucessivos de exames escolares. Um pouco de nervosismo em um exame vale muitos quilos de ansiedade nos estudos que o antecederam. Se quiser realmente se sair muito bem em um exame, esqueça o livro no dia anterior e pense: 'Não vou perder mais um minuto com essa coisa miserável e não me importo nem um pouco se vou bem ou não'. Pense isso com sinceridade, sinta as palavras e saia para se divertir, ou vá para a cama e durma, e tenho certeza de que os resultados no dia seguinte vão encorajá-lo a recorrer sempre a esse método."

A AUTOCONSCIÊNCIA É, NA VERDADE, A CONSCIÊNCIA DOS OUTROS

Vê-se com clareza a relação de causa e efeito entre o *feedback* negativo exagerado e o que chamamos de *autoconsciência*.

Em qualquer tipo de relacionamento social, recebemos o tempo todo dados de *feedback* negativo de outras pessoas. Um sorriso, uma careta, uma centena de diferentes indícios sutis de aprovação ou desaprovação, interesse ou desinteresse; tudo isso continuamente nos indica como estamos indo, se estamos sendo entendidos, acertando ou errando. Em qualquer tipo de situação social há uma constante interação entre quem fala e quem ouve, entre ator e observador. Sem essa comunicação constante, as relações humanas e as atividades sociais seriam impossíveis, ou então maçantes, monótonas, não inspiradoras e mortas, sem fagulhas.

Bons atores e oradores sentem essa comunicação com o público, o que os ajuda a ter uma melhor performance. Pessoas com boas personalidades, em geral populares e magnéticas em situações sociais, sentem esses indícios e respondem automática e espontaneamente ao outro de maneira criativa. Usam a comunicação das outras pessoas como *feedback* negativo, o que lhes garante melhor desempenho social. Se alguém não consegue reagir a essa comunicação, é do tipo peixe morto – uma personalidade reservada, que não interage socialmente. E então se transforma em um fracasso social – o tipo que não interessa a ninguém. No entanto, visando à eficácia, esse *feedback* negativo deve ser criativo, ou seja, mais ou menos subconsciente, automático e espontâneo, em vez de conscientemente planejado ou pensado.

O QUE OS OUTROS PENSAM CRIA INIBIÇÃO

Quando você fica muito conscientemente preocupado com o que os outros pensam, ou se torna cuidadoso demais para tentar, de modo consciente, agradar a outras pessoas, ou ainda é muito sensível à desaprovação alheia, real ou imaginária, é porque tem um exacerbado *feedback* negativo, inibição e desempenho inepto.

Sempre que monitora constante e conscientemente cada ato, palavra ou maneirismo, torna-se inibido e inseguro; assume uma postura de cautela para causar uma boa impressão e, ao fazê-lo, sufoca, restringe, inibe seu "eu" criativo e acaba, ao contrário, causando uma impressão desagradável.

Para que os outros tenham uma impressão positiva de você, nunca tente agir conscientemente, ou deixar de agir, visando a tal propósito. Nunca se pergunte o que a outra pessoa está pensando de você, como ela o julga.

COMO UM VENDEDOR CUROU O CONSTRANGIMENTO

James T. Mangan, célebre vendedor, conferencista e autor de *best-sellers*, disse que, quando saiu de sua cidade, sentia-se dolorosamente constrangido, em especial ao comer no salão de jantar de um hotel chique. Enquanto caminhava pelo local, sentia que todos os olhos estavam sobre ele, julgando-o, criticando-o, deixando-o consciente de cada um de seus movimentos, gestos e ações: como andava, como se sentava, como se comportava à mesa e como se alimentava. E todas essas ações pareciam mecânicas e desajeitadas. Por que se sentia tão pouco à vontade? Sabia que tinha boas maneiras à mesa e conhecia etiqueta social o bastante para sobreviver. Por que nunca se sentira constrangido e desconfortável ao comer na cozinha, na companhia da família?

Concluiu que, quando estava comendo em casa, não pensava ou se preocupava em imaginar de que maneira agia. Não precisava ser cauteloso nem autocrítico. Não se preocupava em produzir um efeito. Sentia-se comportado, relaxado e fazia tudo certo.

Mangan superou esse constrangimento recorrendo à lembrança de seus pensamentos e ações quando estava comendo em casa. Assim, logo que entrava em um salão de jantar muito chique, imaginava ou fingia que ia comer com os pais e agia da mesma maneira. Isso lhe permitia superar seu medo e constrangimento ao estar com figurões, ou em qualquer outra situação social.

Em seu livro *The Knack of Selling Yourself* (O dom de vender a si mesmo), Mangan aconselhou os vendedores a usar a frase: "Vou para casa jantar com minha mãe e meu pai! Já passei por isso mil vezes; nada de novo pode acontecer aqui" em todos os tipos de situações novas e diferentes. "Essa atitude de ser imune a pessoas e situações novas, esse ignorar completo do desconhecido ou do inesperado tem nome: *equilíbrio*. Portanto, equilíbrio é o desviar deliberado de todos os medos decorrentes de circunstâncias novas e incontroláveis".

> Mangan foi capaz de usar a lembrança da naturalidade que sentia comendo na cozinha com os pais como elemento de ajuda em qualquer outra coisa que quisesse fazer de uma maneira mais descontraída, até mesmo em atividades que supostamente não eram relacionadas a isso. É uma coisa lógica usar uma lembrança de comer na companhia dos pais para ter equilíbrio ao comer em qualquer lugar. Mas usar a mesma lembrança de comer para desencadear emoções positivas ao vender, falar em público, praticar esportes ou fazer outras atividades pode parecer uma forçada de barra. Com a psicocibernética, qualquer lembrança positiva de equilíbrio servirá em qualquer outra situação, não importa o quão diferente.

SEJA MAIS INIBIDO

O Dr. Albert Edward Wiggam, psicólogo, conferencista e autor de vários livros sobre a mente, disse que, em sua infância, era tão dolorosamente inibido que achava quase impossível falar em sala de aula. Evitava as outras pessoas e não conseguia conversar sem abaixar a cabeça. Travava uma batalha constante e inútil contra sua inibição, na tentativa de superá-la. Então, um dia, teve uma nova ideia. Seu problema não era a inibição excessiva, mas a consciência excessiva dos outros. Terrivelmente sensível ao que poderiam pensar de tudo o que dizia ou fazia, vivia bloqueado; não conseguia pensar com clareza em algo para dizer. Entretanto, não se sentia assim quando estava sozinho; pelo contrário, ficava calmo e relaxado, à vontade, equilibrado, e conseguia ter muitas ideias e pensar em coisas interessantes. Tudo isso apenas se mantendo à vontade consigo mesmo.

Parou então de lutar e de tentar vencer a inibição; em vez disso, concentrou-se em desenvolver mais a autoconsciência: sentindo, agindo, comportando-se, pensando da mesma forma que fazia a sós, sem se importar com o que as outras pessoas talvez sentissem ou com o julgamento delas. Ignorar a opinião alheia não o tornou cruel, arrogante ou insensível aos outros. Não há perigo de erradicar totalmente o *feedback* negativo, não importa o quanto se tente. Mas esse esforço na direção oposta atenuou o mecanismo de *feedback* exageradamente sensível de Wiggam, que passou a se relacionar melhor com as pessoas e a ganhar a vida aconselhando-as e fazendo palestras para grandes grupos, sem qualquer inibição.

"ESSA CONSCIÊNCIA, QUE FAZ DE TODOS NÓS COVARDES"

A citação de Shakespeare ecoa por muitos psiquiatras modernos e religiosos esclarecidos.

A consciência é um mecanismo de *feedback* negativo aprendido, que tem a ver com moral e ética. Se os dados aprendidos e armazenados estiverem corretos (quanto ao que é certo ou errado) e não forem excessivamente sensíveis, mas realistas, o resultado é (assim como em qualquer outra situação de busca de objetivos) sermos aliviados do fardo de ter que decidir o tempo todo sobre o que é certo e errado. A consciência nos guia pelo bom caminho até o objetivo do comportamento correto, apropriado e realista no que diz respeito à ética e à moral; ela funciona automática e subconscientemente, assim como qualquer outro sistema de *feedback*.

– Dr. Harry Emerson Fosdick
Sua consciência pode enganá-lo.

A consciência pode estar equivocada, na medida em que depende de crenças básicas sobre o certo e o errado. Se elas são verdadeiras, realistas e sensatas, a consciência se torna uma aliada valiosa ao lidarmos com o mundo real e navegarmos no mar da ética. Ela atua como uma bússola que nos mantém distantes de problemas, assim como a bússola de um marinheiro o mantém distante dos recifes. Mas, se nossas crenças básicas são erradas, falsas, irreais ou insensatas, acabam desviando nossa bússola do norte verdadeiro, assim como pedaços de metal magnético podem perturbar a bússola do marinheiro e guiá-lo para problemas.

A consciência significa coisas diferentes para pessoas diferentes. Por exemplo, se fomos criados para acreditar que é pecado usar botões nas roupas, nossa consciência nos incomodará quando isso acontecer. Se fomos criados para acreditar que cortar a cabeça de outro ser humano e pendurá-la na parede é certo, apropriado, um sinal de masculinidade, então nos sentiremos culpados, indignos e desmerecedores se não o fizermos.

A MISSÃO DA CONSCIÊNCIA É A FELICIDADE

O propósito da consciência é ajudar-nos a ser felizes e produtivos, não o contrário. Mas, se devemos deixar que a nossa consciência nos guie, ela deve se basear na verdade – apontar para o verdadeiro norte. Caso contrário, obedecermos indiscriminadamente à consciência só nos trará problemas e, de quebra, nos sentiremos infelizes e improdutivos.

A AUTOEXPRESSÃO NÃO É UMA QUESTÃO MORAL

Muitos danos decorrem de assumirmos uma posição moral em assuntos que não são em essência morais.

Por exemplo, a autoexpressão, ou a falta dela, não é basicamente uma questão moral, além de ser nosso dever usar os talentos que o Criador nos deu. No entanto, ela pode se tornar moralmente errada caso uma criança tenha sido reprimida, calada, envergonhada, humilhada ou talvez até castigada por expressar suas ideias, por se exibir. Assim, ela aprendeu que é errado expressar-se, afirmar-se ou até mesmo falar.

Se uma criança é punida por demonstrar raiva, ou constrangida por demonstrar medo, ou ridicularizada por demonstrar amor, ela aprende que expressar sentimentos verdadeiros é errado. Algumas aprendem ser pecaminoso ou errado a simples expressão de emoções más – raiva e medo. Mas, quando inibimos emoções ruins, também inibimos as boas. E o critério para julgar emoções não se baseia em bondade ou maldade, mas adequação e inadequação. É apropriado que o homem que encontrar um urso em uma trilha sinta medo. É apropriado sentir raiva se houver uma necessidade legítima de remover um obstáculo com força bruta e destrutiva. Devidamente dirigida e controlada, a raiva é um elemento importante da coragem.

Se a cada opinião a criança for reprimida e "colocada em seu lugar", ela aprende ser certo que não seja ninguém e errado que deseje ser alguém. Essa consciência distorcida e irreal faz de todos nós covardes. Podemos nos tornar exacerbadamente sensíveis e preocupados sobre termos o direito de alcançar sucesso até mesmo em um empreendimento que valha a pena. Ficamos muito preocupados com merecermos algo ou não. Muitos, inibidos pelo tipo errado de consciência, privam-se ou se colocam em segundo plano em qualquer tipo de empreendimento, mesmo em atividades relacionadas à igreja. Sentem em silêncio que não seria certo se apresentarem como um líder, ou pretenderem ser alguém, ou então se preocupam com o fato de outras pessoas talvez pensarem que estão se exibindo.

O medo do palco é um fenômeno comum, universal e até mesmo compreensível quando visto como um exacerbado *feedback* negativo proveniente de uma consciência equivocada. Na verdade, ele representa o receio da punição por uma fala, o medo de expressar opinião própria, de pretender ser alguém ou de se exibir – coisas que a maioria de nós, quando criança, aprendeu serem erradas e passíveis de punição. O medo do palco ilustra quão universal é a supressão e inibição da autoexpressão.

DESINIBIÇÃO: UM GRANDE PASSO NA DIREÇÃO OPOSTA

Se você está entre os milhões atingidos pela infelicidade e fracasso por causa da inibição, precisa deliberadamente praticar a desinibição:

praticar ser menos cauteloso, menos preocupado, menos consciencioso, falar antes de pensar em vez de pensar antes de falar – agir sem pensar, em vez de pensar ou ponderar cuidadosamente antes de agir.

Em geral, quando aconselho um paciente a praticar a desinibição (e os mais inibidos são os que mais se opõem), é provável que ouça algo assim: "Mas com certeza o senhor não acha que não precisamos ter nenhum cuidado, nenhuma preocupação nem com os resultados. Acho que o mundo precisa de uma certa inibição; caso contrário, viveríamos como selvagens e a sociedade civilizada colapsaria. Sem qualquer restrição, expressando livremente nossos sentimentos, sairíamos por aí esmurrando as pessoas que discordassem de nós".

"Sim", digo, "você está correto. O mundo precisa de uma certa dose de inibição. Mas não você. As palavras-chave são 'uma certa dose'. Se for muito inibido, você será como um paciente com 42 graus de febre que diz: 'Mas o calor do corpo é necessário para a saúde. O homem é um animal de sangue quente e não viveria sem uma certa quantidade de calor; todos nós precisamos desse calor, mas você está me dizendo que eu deveria me focar completa e inteiramente em abaixar minha temperatura e ignorar completamente o perigo de não ter calor algum'."

O gago, já tão sujeito a tensões morais, *feedback* negativo excessivo, análise autocrítica e inibição, tende a argumentar da mesma maneira quando lhe dizem que ignore totalmente o *feedback* negativo e a autocrítica. Ele consegue citar vários ditos populares para provar que se deve pensar antes de falar, que uma língua ociosa e descuidada lhe causa problemas e que precisa de muita cautela com o que e como fala, porque "falar adequadamente é importante" e "uma palavra dita não pode ser desdita". Em síntese, ele está dizendo que o *feedback* negativo é útil e benéfico. Mas não é para ele. Quando ignora totalmente o *feedback* negativo por não se ouvir devido a um som mais alto, ou ao fazer *shadow talk*, ele fala corretamente.

A ESTREITA TRILHA ENTRE INIBIÇÃO E DESINIBIÇÃO

Alguém disse que a personalidade inibida, preocupada e ansiosa "gagueja sem parar".

Equilíbrio e harmonia são necessários.

Quando a temperatura sobe muito, o médico tenta baixá-la; quando baixa demais, tenta elevá-la. Quando uma pessoa não consegue dormir bem, dão a ela uma receita para que durma mais; quando dorme excessivamente, dão-lhe um estimulante para que fique mais tempo acordada.

A situação não envolve o que é melhor – temperatura mais elevada ou mais baixa, sonolência ou vigília. A cura está em dar um grande passo na direção oposta. Aqui, o princípio da cibernética entra mais uma vez em cena. Nosso objetivo é uma personalidade adequada, autorrealizável e criativa, e o modo de alcançá-lo está entre muita e pouca inibição. Quando ela se exacerba, corrigimos o curso ignorando-a e praticando mais a desinibição.

COMO SABER SE VOCÊ PRECISA DE DESINIBIÇÃO

Os sinais de *feedback* que podem indicar se você está fora do curso devido à pouca inibição são numerosos. Aqui estão listados alguns:

- Sempre se meter em problemas por causa do excesso de confiança;
- Costumar correr onde os anjos temem pisar;
- Estar sempre em apuros por causa de ações impulsivas e imprudentes;
- Ter projetos que saem pela culatra porque sempre pratica "agir primeiro e perguntar depois";

- Nunca conseguir admitir que está errado;
- Falar alto ou sem parar.

Caso seja pouco inibido, precisa pensar mais nas consequências antes de agir. Pare de se comportar como um touro em uma loja de porcelana e planeje suas atividades com mais cuidado.

No entanto, a grande maioria das pessoas não se encaixa no perfil demonstrado; pelo contrário, apresentam sinais de inibição exagerada. Eis alguns:

- Adotar um comportamento tímido com estranhos; temer situações novas e diferentes;
- Sentir-se inadequado; ser muito receoso, ansioso e preocupado;
- Ficar nervoso e se sentir constrangido; ter sintomas como tiques faciais, piscar de olhos desnecessário, tremores e dificuldade de dormir;
- Sentir-se pouco à vontade em situações sociais;
- Ficar retraído e sempre em segundo plano.

Esses sintomas mostram que você é muito inibido, cauteloso em tudo ou que planeja demais. Nesse caso, siga o conselho de São Paulo aos efésios: "Não estejais inquietos por coisa alguma".

EXERCÍCIO PRÁTICO

Não se pergunte antecipadamente o que vai dizer. Abra a boca e fale. Improvise à medida que avança. Jesus nos aconselha: "Não fiquem preocupados com o que vão dizer. Digam tão somente o que for dado a vocês naquela hora, pois não serão vocês que estarão falando, mas o Espírito Santo". (Marcos 13:11)

Não planeje, não pense no amanhã. Não pense antes de agir. Aja e corrija suas ações à medida que avança. Este conselho pode parecer radical, mas na verdade é assim que todos os servomecanismos funcionam. Um torpedo não pensa em todos os erros com antecedência e tenta corrigi-los antecipadamente. Ele deve agir primeiro, começar a se mover em direção ao alvo e depois corrigir quaisquer erros que tenham ocorrido. "Não podemos pensar primeiro e agir depois", disse A. N. Whitehead. "Desde que nascemos, estamos imersos na ação e só podemos guiá-la de forma intermitente pensando."

Pare de se criticar. A pessoa inibida se entrega continuamente à análise autocrítica. Depois de cada ação, por mais simples que seja, questiona-se: "Será que eu devia ter feito isso?". Após se encher de coragem para dizer alguma coisa, imediatamente pensa: "Talvez eu não devesse ter dito isso. Talvez a outra pessoa entenda errado". Pare de se dilacerar. O *feedback* útil e benéfico funciona de forma subconsciente, espontânea e automática. A autocrítica consciente, a autoanálise e a introspecção são benéficas e úteis se realizadas talvez uma vez por ano. Mas, questionar-se de forma contínua, a todo momento, dia a dia, implica derrota. Fique atento a essa autocrítica, reaja logo a ela e pare com isso.

Psicocibernética

Crie o hábito de falar mais alto do que o habitual. Pessoas inibidas notoriamente falam em um tom baixo. Aumente o volume. Não precisa gritar com as pessoas em tom de raiva – apenas pratique conscientemente falar mais alto, o que em si é um poderoso desinibidor. Experimentos recentes mostraram que podemos conseguir até 15% a mais de força e levantar mais peso se acompanhados de gritos, grunhidos ou gemidos em tom alto no instante do levantamento. A explicação é simples: gritar desinibe e permite que exerçamos toda a nossa força, inclusive a bloqueada e contida pela inibição.

Conte às pessoas quando você gosta delas. A personalidade inibida tem medo de expressar bons sentimentos e também os ruins. Se expressa amor, teme ser julgada sentimental; se expressa amizade, teme que considerem bajulação. Se elogia alguém, teme ser considerada superficial ou que suspeitem ter um motivo oculto. Ignore esses sinais de *feedback* negativo. Elogie pelo menos três pessoas todos os dias. Se você gosta do que alguém está fazendo, vestindo ou dizendo, seja direto. "Gostei dessa ideia, João"; "Maria, hoje você arrasou"; "João, você provou ser um cara inteligente." Se você for casado, apenas diga ao companheiro "eu te amo" pelo menos duas vezes por dia.

PONTOS-CHAVE PARA RELEMBRAR

Resuma aqui:

1. ....
   ....
   ....
   ....
   ....

2. ....
   ....
   ....
   ....
   ....

3. ....
   ....
   ....
   ....
   ....

4. ....
   ....
   ....
   ....
   ....

5. ....
   ....
   ....
   ....
   ....

HISTÓRICO DE CASO

Redija uma experiência pessoal explicada pelos princípios apresentados neste capítulo:

DOZE

Os tranquilizantes do tipo "faça você mesmo" em benefício da paz espiritual

D rogas tranquilizantes proporcionam paz espiritual, calma e redução ou minimização dos sintomas do nervosismo por meio de uma ação do tipo guarda-chuva. Assim como um guarda-chuva nos protege, tranquilizantes erguem uma tela psíquica entre nós e estímulos perturbadores.

Ninguém ainda entende por completo como agem para abrir esse guarda-chuva, mas entende-se por que daí decorre a sensação de tranquilidade: eles reduzem, ou eliminam, nossa reação a estímulos externos perturbadores.

Tranquilizantes não alteram o ambiente. Os estímulos continuam lá. Ainda somos capazes de reconhecê-los sob a ótica intelectual, mas não reagimos emocionalmente a eles.

Lembra-se de que, no Capítulo 7, afirmamos que nossos sentimentos não dependem de coisas externas, mas de nossas próprias atitudes, reações e respostas? Os tranquilizantes provam de maneira convincente esse fato. Em essência, eles reduzem ou suavizam nossa reação exacerbada ao *feedback* negativo.

A REAÇÃO EXACERBADA É UM PÉSSIMO HÁBITO QUE PODE SER SUPERADO

Suponhamos que, enquanto você lê este livro, esteja sentado quieto em seu canto. De repente, o telefone toca. Por hábito e experiência, você ouve a emissão de um sinal, ou estímulo, a que aprendeu a obedecer. Sem pensar – sem tomar uma decisão consciente –, reage ao som: levanta-se e atende à chamada. O estímulo externo teve o efeito de colocá-lo em movimento; mudou seu cenário mental e sua posição ou curso de ação autodeterminado. Estava pronto para passar a hora lendo, em silêncio e relaxado; organizado internamente para isso. Mas de repente tudo mudou pela reação ao estímulo exterior.

O ponto que eu gostaria de observar é o seguinte: você não tem de atender ao telefone; não tem de obedecer. Se quiser, pode ignorar o som do aparelho. Se quiser, pode continuar sentado, com tranquilidade, assim mantendo seu estado original de organização e recusando-se a reagir ao sinal. Tenha essa imagem em sua mente, pois deve ser bastante útil superar o poder de perturbação dos estímulos exteriores. Veja-se sentado quieto; deixe o telefone tocar, ignore-o, fique impassível ao comando. Embora ciente do ruído, não se importe ou nem mesmo lhe obedeça. Além disso, mantenha claro na mente o fato de que o sinal exterior não exerce poder sobre você; não o faz movimentar-se. Antes, você obedecia e reagia a ele só por questão de hábito. Agora, se desejar, será capaz de formar o novo hábito de não mais reagir.

E mais: observe que sua recusa em reagir não consiste em fazer alguma coisa, um esforço, ou resistir, ou lutar, mas em não fazer nada

– no relaxamento de fazer. Você somente relaxa, ignora o som e permite que ele passe despercebido.

> Hoje, mais do que nunca, é vital lidar com o péssimo hábito da reação exacerbada – por meio do relaxar do fazer –, pois vivemos à mercê dos estímulos de e-mail, mensagens de texto e todo tipo de comunicação eletrônica.

O CONDICIONAMENTO PARA A EQUANIMIDADE

Da mesma forma que obedecemos ou reagimos de modo automático ao toque do telefone, condicionamo-nos a reagir de uma certa maneira a vários estímulos de nosso ambiente.

Na psicologia, a palavra "condicionamento" surgiu do conhecido experimento de Pavlov, que condicionou um cão a salivar ao som de uma sineta, tocando-a antes de oferecer comida ao animal. Tal procedimento foi repetido inúmeras vezes: primeiro, o som; depois de alguns segundos, o aparecimento da comida. Como resultado, o cão aprendeu a reagir ao som da sineta salivando antes da comida. Originalmente, a reação de salivar fazia sentido; o ruído significava que a comida estava chegando, e o cachorro se preparava com a saliva. No entanto, depois de repetir o procedimento várias vezes, verificou-se que o cão sempre salivava ao toque da sineta, caso a comida fosse apresentada a ele ou não. O animal estava condicionado a salivar diante do ruído, em um tipo de reação inútil, que não mais fazia sentido, mas justificava-se pelo hábito.

Em nossos variados contextos de vida, existem muitos sinos ou estímulos perturbadores, aos quais nos tornamos condicionados, reagindo por hábito, quer a resposta faça algum sentido, quer não faça.

Por exemplo, muitas pessoas aprendem a temer estranhos em razão das advertências referentes a não se aproximarem de desconhecidos: "Não aceite doces de um estranho", "Não entre no carro com um estranho" etc., o que atende a um bom propósito em crianças pequenas. Mas muitas pessoas continuam a sentir-se desconfortáveis na presença de qualquer estranho, mesmo quando sabem que ele vem como amigo, não como inimigo. Acontece que estranhos se tornaram sinos, e a reação aprendida se tornou medo, evitação ou desejo de fugir.

Outras pessoas, por exemplo, podem reagir a multidões, espaços fechados, espaços abertos e pessoas com autoridade, como o chefe, com sentimentos de medo e ansiedade. Em cada caso aflora um sino que diz: "Perigo! Fuja, sinta medo". E, por hábito, continuam a reagir da forma aprendida. Obedecem à campainha.

EXTINÇÃO DAS REAÇÕES CONDICIONADAS

Podemos extinguir a reação condicionada por meio da prática do relaxamento. Se quisermos, como no caso do telefone, podemos aprender a ignorar o sino, continuar sentados em silêncio e deixá-lo tocando. Um pensamento-chave diante de qualquer estímulo perturbador é: "O telefone está tocando, mas não preciso atender. Posso somente deixá-lo tocando". Este pensamento irá focar você em sua imagem mental de si mesmo sentado quieto, relaxado, sem reagir, sem fazer nada, deixando o telefone tocar sem que atenda. Atuará como um gatilho ou guia para que assuma, em outras situações, a mesma atitude de deixar o telefone para lá.

CASO NÃO CONSIGA IGNORAR A REAÇÃO, POSTERGUE-A

No processo de extinção de um condicionamento, uma pessoa talvez julgue difícil, sobretudo no início, ignorar o sinal, especialmente se reverberar de maneira inesperada. Nesses casos, você chegará ao mesmo resultado final – a extinção do condicionamento – se postergar a reação.

Mary S. sentia-se ansiosa e desconfortável quando estava em meio a grupos de pessoas. Por meio da prática antes apresentada, ela conseguiu imunizar-se ou tranquilizar-se contra os estímulos perturbadores na maioria das ocasiões. No entanto, vez ou outra, o desejo de fugir se tornava quase imperioso.

Perguntei-lhe: "Lembra-se de Scarlett O'Hara em *E o vento levou*? Sua filosofia era simples: 'Não posso pensar nisso agora. Se o fizer, enlouqueço. Pensarei nisso amanhã'." Assim ela foi capaz de manter o equilíbrio interior e lidar eficazmente com o ambiente, apesar da guerra, fogo, pestilência e amor não correspondido. Scarlett postergava a reação.

Tal recurso intervém no trabalho automático do condicionamento e o interrompe. Contar até dez, quando você tende a sentir uma onda de raiva, assenta-se no mesmo princípio e é um conselho muito bom – se contar devagar e, de fato, retardar a reação em vez de apenas engolir seus gritos ou as pancadas na mesa. Na raiva, a reação consiste em mais do que gritar ou esmurrar um móvel. A tensão muscular é uma reação. Você será incapaz de sentir a emoção da raiva ou do medo se os músculos permanecerem relaxados. Portanto, caso consiga atrasar a sensação por dez segundos, demorando para reagir, extinguirá o reflexo automático.

> Os efeitos positivos de contar até dez quando você está tentado a sentir raiva – a postergação de dez segundos – também podem ser muito maximizados pela inspiração e expiração profundas enquanto presta atenção à respiração. Três inspirações e expirações bastarão para dar um passo para trás e criar o espaço adequado para uma abordagem diferente.

Mary S. extinguiu seu medo condicionado de grandes grupos postergando a reação. Quando sentia que precisava fugir, dizia: "Muito bem, mas não neste exato momento. Vou demorar dois minutos para sair da sala. Consigo me recusar a obedecer por apenas dois minutos!".

RELAXAR ERGUE UMA TELA PSÍQUICA TRANQUILIZANTE

É bom assimilar muito bem o fato de que nossos sentimentos perturbadores – raiva, hostilidade, medo, ansiedade, insegurança – são causados por nossas próprias reações, não por fatores externos. Reação implica tensão; não reação, relaxamento. Foi provado em experimentos laboratoriais que não sentiremos raiva, medo, ansiedade ou insegurança enquanto nossos músculos permanecerem bem relaxados. Todas essas coisas são, em essência, nossos próprios sentimentos. A tensão muscular implica uma preparação para a ação, ou para a reação, mas o relaxamento dos músculos provoca relaxamento mental, ou uma pacífica atitude tranquila, descontraída. Assim, relaxar é um tranquilizante natural, que ergue uma tela psíquica, ou um guarda-chuva, entre nós e o estímulo perturbador.

Pela mesma razão, o relaxamento físico é um poderoso desinibidor. No último capítulo, vimos que a inibição decorre de um exacerbado *feedback* negativo, ou melhor, de nossa reação exacerbada ao *feedback* negativo. Relaxamento significa ausência de reação. Portanto, na prática cotidiana de relaxamento, você está aprendendo não apenas a se desinibir, mas também a recorrer a um tranquilizante natural que pode levar para todas as atividades diárias. Proteja-se de estímulos perturbadores mantendo a atitude de descontração.

CONSTRUA NA MENTE UM ESPAÇO DE TRANQUILIDADE

Disse Marco Aurélio: "As pessoas buscam retiros no campo, na costa e no monte. Tu também tens o costume de desejar tais retiros. Mas tudo isso é do mais vulgar, porque podes, no momento em que queiras, retirar-te em ti mesmo. Em nenhuma parte o homem se retira com maior tranquilidade e mais calma que em sua própria alma. Sobretudo aquele que possui em seu interior tais bens, que, ao se inclinar a eles, de imediato consegue uma tranquilidade total. E denomino tranquilidade única e exclusivamente à boa ordem. Concede-te, pois, sem pausa, esse retiro e recupera-te".

Durante os últimos dias da Segunda Guerra Mundial, alguém comentou com o presidente Harry Truman que ele parecia suportar o estresse e a tensão da presidência melhor do que qualquer presidente anterior; que o trabalho não parecia tê-lo envelhecido, ou minado sua vitalidade, e que isso era notável, sobretudo em vista dos muitos problemas que enfrentara como presidente em tempo de guerra. Ele respondeu: "Eu tenho uma trincheira mental". E continuou dizendo que, assim como um soldado buscava uma trincheira para proteção, descanso e recuperação, ele periodicamente se retirava para sua trincheira mental, na qual não permitia que nada o incomodasse.

Psicocibernética

TENHA SUA PRÓPRIA CÂMARA DE DESCOMPRESSÃO

Cada pessoa precisa de um espaço mental tranquilo, um lugar interior calmo como as imperturbáveis profundezas do oceano, que não são atingidas nem sequer pelas ondas violentas da superfície.

Esse espaço silencioso, construído na imaginação, atua como uma câmara de descompressão mental e emocional. Ele nos despressuriza de tensões, preocupações, pressões e estresses; nos revigora e permite que retornemos à rotina mais bem preparados para as intempéries que possam surgir.

Estou convicto de que, em cada personalidade, já existe um espaço imperturbável – que sempre esteve lá, como o estacionário ponto matemático no centro de uma roda ou eixo. Precisamos encontrar esse centro tranquilo em nosso interior e nele nos refugiarmos periodicamente em busca de descanso, recuperação e vitalidade renovada.

Uma das prescrições mais benéficas que já fiz a pacientes é que aprendam a retornar a esse espaço silencioso e tranquilo. E uma das melhores maneiras que encontrei para entrar nesse local está na construção, cada qual em sua imaginação, de um pequeno cômodo mental. Decore-o com elementos que o envolvam em tranquilidade: talvez belas paisagens, se você gosta de pinturas; um livro com seu poema favorito, se você gosta de poesia. Para as paredes, escolha cores que lhe agradem e que transmitam a sensação de tranquilidade – por exemplo, tonalidades aconchegantes de azul, verde suave, amarelo e dourado. O espaço deve ser simples, assim como a mobília, desprovido de coisas que o distraiam. Tudo em ordem, bem arrumado. Simplicidade, tranquilidade e beleza são as tônicas. Instale sua poltrona favorita. Você pode olhar a paisagem exterior por uma janelinha e ver uma bela praia. As ondas vêm e vão, mas você não as ouve, pois o cômodo é muito, muito tranquilo. Construa seu espaço imaginário com o zelo que dedicaria a um cômodo real. Familiarize-se com cada detalhe.

UM POUCO DE FÉRIAS TODOS OS DIAS

Sempre que tiver alguns momentos livres durante o dia, refugie-se em seu espaço de tranquilidade. Sempre que começar a se sentir tenso, acossado ou atormentado, retire-se para esse local por alguns momentos. Apenas alguns minutos em meio a um dia agitado mais do que se pagam. Não é perda de tempo, mas investimento. Diga a si mesmo: "Vou descansar um pouco no meu cantinho tranquilo".

Imagine-se caminhando até seu recanto. Diga: "Agora estou andando, aproximando-me da porta, abrindo-a... Entrei". Observe todos os detalhes repousantes. Veja-se sentado em sua poltrona favorita, relaxado e em paz com o mundo. Seu espaço é seguro. Nada pode atingi-lo aqui. Não se preocupe; as preocupações ficaram pelo caminho. Não há decisão alguma a ser tomada; não há pressa, não há contrariedades.

UM POUCO DE ESCAPISMO FAZ BEM

Sim, isso é escapismo, como também acontece com o sono. Carregar um guarda-chuva é escapismo. Construir uma casa de verdade, onde nos refugiemos do clima, é escapismo. E tirar férias é escapismo. Nosso sistema nervoso precisa de um pouco disso. Precisa de alguma liberdade e proteção contra o constante bombardeio de estímulos externos. Precisamos de férias anuais durante as quais abandonamos fisicamente as velhas cenas, os velhos deveres, as velhas responsabilidades. Precisamos fugir de tudo.

Psicocibernética

Nosso âmago e nosso sistema nervoso necessitam de um espaço para descanso, recuperação e proteção, tanto quanto o corpo físico necessita de um lar, pelas mesmas razões. Um cômodo mental sossegado proporciona ao sistema nervoso um pouco de férias todos os dias. Assim, desocupamos nosso cotidiano de deveres, responsabilidades, decisões e pressões; fugimos de tudo ao nos acomodarmos mentalmente em nossa câmara despressurizada.

Imagens são mais impressionantes para o mecanismo automático do que palavras, sobretudo se vierem revestidas de um profundo significado simbólico.

Aqui está uma imagem mental que julgo muito eficaz: em uma visita ao Parque Nacional de Yellowstone, esperava pacientemente para ver o gêiser Old Faithful, que esguicha água quente aproximadamente a cada hora. De repente, o gêiser explodiu em uma grande massa de vapor sibilante, como uma gigantesca caldeira cujo plugue de segurança tivesse estourado. Um menininho perto de mim perguntou ao pai:

"Por que ele fez isso?"

"Bem", respondeu o homem, "acho que a velha Mãe Terra é como nós: acumula uma certa pressão e, vez ou outra, precisa desabafar para se manter saudável".

Não seria maravilhoso, pensei, se nós, humanos, pudéssemos desabafar inofensivamente quando as pressões emocionais se acumulam em nosso interior? Eu não tinha um gêiser ou uma válvula de vapor no topo da minha cabeça, mas tinha imaginação. Assim, comecei a recorrer a essa imagem mental quando me retirava para meu cômodo interior repleto de tranquilidade. Lembrava-me do Old Faithful e formava na mente uma imagem do vapor emocional exalando do topo da minha cabeça e evaporando sem qualquer dano. Experimente essa ideia quando estiver ansioso ou tenso: a de que exalar vapor cria associações poderosas na maquinaria mental.

LIMPE O MECANISMO ANTES DE SE ENVOLVER EM UM NOVO PROBLEMA

Ao usarmos uma máquina de calcular ou um computador, precisamos limpá-los periodicamente. Caso contrário, é possível que problemas anteriores, ou referentes a uma antiga situação, sejam transferidos para um novo uso, fornecendo-nos uma resposta equivocada.

A prática de nos refugiarmos em nosso cômodo mental efetiva o mesmo tipo de limpeza em nosso mecanismo de sucesso. Por esse motivo, torna-se muito útil praticá-la entre tarefas, situações e ambientes que exijam diferentes estados de espírito, ajustes ou conjuntos mentais.

Vejamos um exemplo comum de transferência, ou falha em limpar a máquina mental. Um executivo leva para sua casa as preocupações e seu estado de espírito cotidiano. Passou o dia todo atormentado, afobado e agressivo. Talvez tenha, inclusive, vivenciado um pouco de frustração, o que tende a deixá-lo irritável. Assim, ainda que pare de trabalhar, acaba transferindo para a casa resíduos de agressividade, frustração, inquietude e preocupação. Continua no ritmo de trabalho e não consegue relaxar. Irrita-se com a esposa e a família. Fica pensando nos problemas do serviço, embora nada possa fazer a respeito.

INSÔNIA E INDELICADEZA SÃO, MUITAS VEZES, TRANSFERÊNCIAS EMOCIONAIS

Muitas pessoas levam os problemas para a cama quando, na verdade, deveriam estar descansando. Mental e emocionalmente, continuam tentando fazer alguma coisa quanto a uma situação, em um momento em que o fazer não está na pauta.

O dia a dia nos exige diferentes tipos de organização mental e emocional. Por exemplo, precisamos de estados de espírito e organização mental diferenciados para conversar com nosso chefe e com um cliente. E, se acabamos de nos encontrar com um cliente nervoso e irritado, precisamos nos ajustar antes de falar com o próximo. Caso contrário, a transferência emocional de uma situação será imprópria para lidar com a outra.

Uma grande empresa descobriu que seus executivos atendiam ao telefone, sem perceber, em um tom áspero, irritado e hostil. O telefone tocava no meio de uma reunião cansativa, ou enquanto o executivo estava enredado em frustração e hostilidade por uma razão ou outra, e seu tom de voz surpreendia e ofendia o interlocutor inocente. Por essa razão, a empresa orientou todos os executivos a fazerem uma pausa de cinco segundos e ainda sorrir, antes de atender ao telefone.

TRANSFERÊNCIA EMOCIONAL DESENCADEIA ACIDENTES

Companhias de seguros, bem como outras agências que pesquisam causas de acidentes, descobriram que a transferência emocional desencadeia muitos desastres automobilísticos. Se o motorista acabou de discutir com a esposa ou com o chefe, se acabou de vivenciar frustração ou de sair de uma situação que estimulava um comportamento agressivo, é muito mais provável que ele sofra um acidente, pois suas atitudes e emoções incorporam sentimentos inadequados. Na verdade, não são os outros motoristas que o aborrecem. Ele se assemelha a um homem que acorda de um sonho no qual experimentou raiva intensa. Tem ciência de que a injustiça sobre ele não aconteceu de verdade, mas continua com raiva e ponto-final!

Com o medo pode acontecer o mesmo tipo de transferência.

CALMA TAMBÉM PASSA PELO PROCESSO DE TRANSFERÊNCIA

Acima de tudo isso, o mais relevante é saber que amizade, amor, paz, sossego e calma também são transferíveis.

É impossível, conforme já dissemos, vivenciar sentimentos de medo, raiva ou ansiedade quando estamos relaxados, tranquilos e serenos. Portanto, o refúgio em nosso espaço silencioso torna-se o mecanismo ideal de liberação de emoções. Nele, velhas emoções se esvanecem, e vivenciamos calma, tranquilidade e bem-estar, que serão transferidos para quaisquer atividades posteriores. Nosso tempo de quietude apaga os registros negativos, limpa a máquina e nos brinda com uma nova página em branco para a próxima situação que enfrentarmos.

Pratico o tempo de silêncio antes e depois de um procedimento cirúrgico, o que requer um alto grau de concentração, calma e controle. Seria desastroso se, para tais momentos, eu levasse afobação, agressividade ou preocupações pessoais. Portanto, limpo minha maquinaria mental ao me refugiar por alguns instantes, completamente relaxado, em meu cômodo silencioso. Por outro lado, concentração, propósito e alheação ao ambiente, elementos fundamentais em uma cirurgia, seriam inapropriados em uma situação social – uma entrevista em meu escritório ou uma festa. Por isso, finalizada a cirurgia, faço questão de passar alguns minutos no meu cômodo silencioso, para, por assim dizer, limpar o convés para um novo tipo de ação.

A CONSTRUÇÃO DE UM GUARDA-CHUVA PSÍQUICO

Exercitando as técnicas deste capítulo, você será capaz de construir seus próprios guarda-chuvas psíquicos, que o protegerão de estímulos perturbadores, proporcionando-lhe mais paz de espírito e aprimorando seu desempenho.

Acima de tudo, tenha em mente, e enfatize para si mesmo, que o elemento-chave para saber se está perturbado ou tranquilo, temeroso ou sereno, não é o estímulo externo, seja qual for, mas a maneira como você reage; é ela que faz você sentir medo, ansiedade, insegurança. Se não reagir, apenas "deixar o telefone tocando", não será atingido por perturbação alguma. Disse Marco Aurélio: "Seja como o promontório contra o qual as ondas quebram e voltam a quebrar na tempestade; ele se mantém firme até que as águas tumultuosas se rendam e vão descansar".

O Salmo 91 é uma imagem vívida de um homem que vivencia sentimentos de segurança e proteção em meio aos terrores da noite, das flechas que voam de dia, pestes, mortes, perigo ("dez mil [cairão] à tua direita"), porque ele encontrou o lugar secreto dentro da própria alma e está impassível. Isto é, do ponto de vista emocional, não reage nem responde aos sons assustadores do ambiente; apenas os ignora. Também William James nos recomendou ignorar os fatos perversos e tristes para nos sentirmos felizes, e James T. Mangan nos recomendou ignorar as situações adversas em prol do nosso equilíbrio.

Você é um ator – não um reator. Ao longo deste livro, enfatizamos a questão de reagir e responder de maneira apropriada aos fatores ambientais. Entretanto, não somos primariamente reatores, mas atores; assim, querendo ou não, reagimos e respondemos ao ambiente, semelhantes a um veleiro que vai para onde o vento soprar. Como seres que lutam por objetivos, primeiro devemos agir; estabelecemos nosso objetivo, determinamos nosso curso. Então – no contexto dessa estrutura de busca de objetivos –, respondemos e reagimos de uma maneira que promova nosso progresso e atenda aos nossos próprios fins.

Se resposta e reação ao *feedback* negativo não nos levam adiante no caminho para nosso objetivo, ou não atendem aos nossos fins, concluímos, então, ser desnecessário reagir a tudo. E, se a reação nos desviar do curso ou atuar contra nós, então não reagir é o mais apropriado.

ESTABILIZADOR EMOCIONAL

Em quase todas as situações de luta por objetivos, nossa própria estabilidade interior constitui em si um importante objetivo a ser preservado. Precisamos observar com sensibilidade os dados de *feedback* negativo que nos avisam quando saímos do curso, para que mudemos de direção e sigamos em frente. Mas, ao mesmo tempo, precisamos manter nosso navio à tona, estável, sem permitir que sacuda e balance, porque talvez até naufrague se atingido por ondas ou mesmo uma tempestade. Como Prescott Lecky afirmou: "A mesma atitude deve ser mantida independentemente das mudanças ambientais". Deixar o telefone tocando é uma atitude mental que preserva a estabilidade, impedindo-nos de sacudir e sair do curso diante de cada onda ou tremor no ambiente.

PARE DE LUTAR CONTRA ESPANTALHOS

Outro tipo de reação inapropriada, que causa preocupação, insegurança e tensão, é o mau hábito de tentar reagir emocionalmente ao que só existe em nossa imaginação. Não satisfeitos com a exacerbada reação a estímulos insignificantes no ambiente, muitos de nós criamos espantalhos imaginários e ainda reagimos às nossas próprias imagens mentais. Além dos elementos negativos que de fato pairam no ambiente, impomos os nossos: isto ou aquilo pode acontecer; e se acontecer? Em seguida, reagimos a essas imagens negativas como se fossem reais. Lembre-se: o sistema nervoso não distingue uma experiência real e uma vividamente imaginada.

NADA FAZER É A REAÇÃO ADEQUADA DIANTE DE UM PROBLEMA REAL

Mais uma vez, tranquilize-se contra esse tipo de distúrbio – não com algo que você faz, mas com algo que não faz: a recusa em reagir. Quanto às suas emoções, a reação adequada às imagens de preocupação é ignorá-las. Viva emocionalmente no aqui e agora. Analise seu ambiente; tenha mais consciência do que de fato existe nele e reaja espontaneamente. Para fazer isso, foque-se no que está acontecendo. Fique de olho na bola. Então, sua reação será adequada, e não lhe restará tempo para criar ou reagir a um ambiente fictício.

Kit de primeiros socorros

Aqui está um kit de primeiros socorros que você deve sempre carregar:

- A causa mais frequente da perturbação interior, ou o oposto da tranquilidade, está em uma reação exacerbada, de alarme, muito sensível. Incorpore um tranquilizante, ou tela psíquica, entre você e o estímulo perturbador, praticando o não reagir – o deixar o telefone tocando.
- Velhos hábitos de reação exacerbada, ou extinção de reflexos condicionados, serão superados com a prática de postergar a reação habitual, automática e impensada.
- Relaxar é um tranquilizante natural que implica ausência de reação. Aprenda o relaxamento físico pela prática diária; então, quando precisar praticar a não reação nas atividades do cotidiano, apenas faça o que estaria fazendo ao relaxar.
- Use a técnica mental do cômodo silencioso como um tranquilizante diário para minimizar uma reação nervosa e limpar seu

mecanismo de emoções transferidas, que seriam inapropriadas em uma nova situação.

- Pare de temer suas imagens mentais. Pare de lutar contra espantalhos. Emocionalmente, reaja apenas ao que de fato existe no aqui e agora – ignore o resto.

TERMOSTATO ESPIRITUAL

Em nosso corpo há um termostato, um servomecanismo que mantém nossa temperatura física interior constante em cerca de quase 37 graus, independentemente da temperatura do ambiente. O clima pode estar muito frio, mas o corpo mantém a mesma temperatura, pois é capaz de funcionar em variados ambientes. Frio ou quente, a temperatura não se altera.

Também temos um termostato espiritual que nos permite manter um clima emocional, apesar do que ocorre ao nosso redor. Muitas pessoas não usam o termostato espiritual porque nem mesmo sabem que ele existe; não sabem que tal coisa é possível e não compreendem que não precisam enfrentar o clima exterior. Assim, fique atento: seu termostato espiritual é tão importante para a saúde e o bem-estar emocionais quanto o termostato físico é para a saúde do corpo. Comece a usá-lo agora ao praticar as técnicas deste capítulo.

EXERCÍCIO PRÁTICO

Crie uma imagem mental vívida de si mesmo sentado em silêncio, sereno, imóvel, deixando o telefone tocar, conforme descrito neste capítulo. Então, transfira para suas atividades diárias a mesma atitude pacífica, serena e impassível, lembrando-se dessa imagem mental. Diga: "Estou deixando o telefone tocar" sempre que se sentir tentado a obedecer ou reagir a algum sinal de medo ou ansiedade. Em seguida, recorra à imaginação para praticar a não reação em diferentes contextos: visualize-se sentado em silêncio e impassível enquanto um colega de trabalho reclama sem parar. Visualize-se trabalhando com calma, sereno, sem pressa, apesar das pressões de um dia frenético. Visualize-se mantendo o mesmo ritmo estável, apesar dos vários sinos de pressa e de pressão no ambiente. Visualize-se em várias situações que no passado o aborreceram, mas diante das quais agora você permanece firme e equilibrado por não reagir.

PONTOS-CHAVE PARA RELEMBRAR

Resuma aqui:

1.

2.

3.

4.

5.

HISTÓRICO DE CASO

Redija uma experiência pessoal explicada pelos princípios apresentados neste capítulo:

TREZE

A transformação de uma crise em oportunidade criativa

Conheço um jovem golfista que detém o recorde de todos os tempos em seu campo local, mas nunca se classificou em um torneio relevante.

Ao jogar sozinho, ou com amigos, em pequenos torneios em que os riscos são baixos, ele é impecável. No entanto, cada vez que entra em um grande torneio, seu jogo se deteriora. Na linguagem do golfe, "a pressão o pega".

Muitos arremessadores de beisebol têm controle preciso até se encontrarem na hora da verdade. Então amarelam, perdem todo o controle e parecem não ter habilidade alguma.

Por outro lado, o desempenho de muitos atletas melhora quando pressionados. A própria situação parece lhes dar mais força, mais poder, mais sutileza.

PESSOAS QUE SE SOBRESSAEM EM UMA CRISE

Por exemplo, John Thomas, recordista de salto em altura da Universidade de Boston, muitas vezes tinha desempenho melhor em competições do que em treinamentos. Em fevereiro de 1960, Thomas estabeleceu um recorde mundial ao saltar 2,16 metros no Campeonato Indoor dos Estados Unidos. Antes, em treinos, atingira 2,06 metros.

Nem sempre o jogador de beisebol com a maior média de rebatidas é o escolhido como rebatedor em uma situação difícil. O treinador quase sempre substitui o atleta com a maior média de rebatidas por outro conhecido por ser o homem certo na hora certa.

Um vendedor pode inibir-se na presença de um cliente importante; sua habilidade se esvai. Outro vendedor, nas mesmas circunstâncias, pode vender acima da média; o desafio da situação faz emergirem habilidades que não possui no dia a dia.

Muitas mulheres são charmosas e graciosas em um bate-papo com uma pessoa ou um pequeno grupo informal, mas ficam caladas, deslocadas e sem graça em um jantar formal ou em um grande evento social. Por outro lado, conheço uma mulher que só se destaca sob o estímulo de uma ocasião importante. Uma pessoa que pareceria muito comum em um jantar a sós, com fisionomia apenas meio atraente e personalidade pouco espirituosa. Mas tudo muda quando vai a uma festa importante. O estímulo da ocasião lhe desperta alguma coisa: os olhos brilham, a conversa é interessante e encantadora, e até mesmo o rosto se transforma com feições de uma bela mulher.

Há alunos que se saem extremamente bem nas aulas, mas têm um branco nas avaliações. Já outros não se destacam em trabalhos de classe, mas se saem extremamente bem nas avaliações.

O SEGREDO DOS CRAQUES

A diferença em todas essas pessoas não se justifica por alguma qualidade inerente, mas em grande parte pelo modo como aprenderam a reagir em situações de crise.

Uma crise pode nos levar à inibição ou à quebradeira. Reagir de maneira adequada a ela quase sempre nos dá força, poder e sabedoria que nem sequer sabíamos ter. Reagir de forma inadequada tem potencial para destruir nossa competência, controle e habilidade.

O craque nos esportes, nos negócios ou nas atividades sociais – a pessoa que se sai bem na adversidade e que se supera sob desafio – é sempre aquela que aprendeu, consciente ou inconscientemente, a reagir bem a situações de crise.

Para termos bom desempenho em uma crise, precisamos: (1) aprender certas habilidades sob condições em que não estaremos supermotivados e, para isso, praticar sem pressão; (2) aprender a reagir com uma atitude agressiva, e não defensiva, para responder ao desafio da situação, e não à ameaça, e manter nosso objetivo positivo em mente; (3) aprender a avaliar as chamadas *situações de crise* em sua verdadeira perspectiva em vez de tornar montículos em montanhas, ou reagir como se cada pequeno desafio fosse uma questão de vida ou morte.

1. Pratique sem pressão

Embora seja possível que aprendamos rápido, não aprendemos bem em condições de crise. Jogue um homem que não sabe nadar em águas profundas, e a própria crise lhe dará o poder de nadar para a segurança; de alguma forma, ele rapidamente aprende e consegue nadar, mas nunca vencerá um campeonato de natação. A braçada grosseira e inepta que usa para se salvar torna-se fixa, e é difícil para ele aprender maneiras de melhorar. Em razão da própria ineptidão, ele talvez morra em uma crise em que seja obrigado a nadar uma longa distância.

Dr. Edward C. Tolman, psicólogo e criador do conceito conhecido como "aprendizagem latente", disse que animais e homens formam mapas cerebrais do ambiente, ou mapas cognitivos, enquanto estão aprendendo. Se a motivação não for muito intensa, se não houver muito conflito na situação de aprendizagem, esses mapas serão amplos e gerais.

Se um animal está supermotivado, o mapa cognitivo se torna estreito e restrito, e ele aprende apenas uma maneira de resolver seu problema. No futuro, caso bloqueiem esse caminho, o animal frustrado não mais consegue discernir rotas alternativas ou desvios. Desenvolve uma resposta singular preconcebida e final, tendendo a perder a capacidade de reagir espontaneamente a uma nova situação. Não consegue improvisar, apenas seguir um plano já definido.

A pressão posterga o aprendizado

O Dr. Tolman descobriu que se os ratos conseguissem aprender e praticar em condições livres de conturbações, mais tarde teriam um bom desempenho na crise. Por exemplo, se lhes permitissem vagar à vontade e explorar um labirinto quando saciados de fome e sede, não pareceriam aprender nada. Mais tarde, porém, se os colocassem esfomeados no labirinto, demonstrariam o aprendizado, indo rápida e eficientemente para o objetivo. A fome confrontava esses ratos treinados com uma crise à qual reagiam bem.

Outros ratos, forçados a aprender o caminho no labirinto sob a crise, com fome e sede, não se saíam tão bem. Estavam supermotivados, e seus mapas cerebrais se tornavam estreitos. Portanto, a única rota correta para o objetivo tornava-se fixa. Se a bloqueassem, os animais frustrados tinham grande dificuldade de aprender um novo caminho.

Quanto mais intensa a situação de crise sob a qual se aprende, menos se aprende. O professor Jerome S. Bruner, que fez contribuições significativas para a psicologia cognitiva humana e para a teoria da aprendizagem cognitiva em psicologia educacional, treinou dois grupos de ratos para aprenderem a se mover em um labirinto a fim de conseguir comida. Um grupo, que não comia havia doze horas, aprendeu em seis tentativas. Um segundo grupo, que não comera nada por 36 horas, fez mais de vinte tentativas.

Exercícios contra incêndio ensinam conduta de crise em uma situação livre de crise

Pessoas reagem da mesma forma. As que precisam aprender a sair de um prédio em chamas normalmente necessitam de duas ou três vezes mais tempo para aprender a rota de fuga adequada do que precisariam se não houvesse fogo. Algumas simplesmente não aprendem em virtude da supermotivação, que interfere nos processos de raciocínio. O mecanismo de reação automática está emperrado por muito esforço consciente em reiteradas tentativas. Algo semelhante ao tremor de intenção se desenvolve, e perde-se a capacidade de pensar com clareza. Aqueles que conseguem sair do prédio aprendem uma resposta estreita e fixa. Coloque-os em um prédio diferente ou mude ligeiramente as circunstâncias, e reagirão tão mal na segunda quanto na primeira vez.

No entanto, se pegarmos essas mesmas pessoas e as deixarmos praticar um exercício de simulação de incêndio quando não houver fogo? Como não há ameaça, não há *feedback* negativo excessivo para intervir no pensamento lúcido ou no agir correto. Assim, praticam sair corretamente do prédio com calma e eficiência. Depois de feito esse exercício várias vezes, elas agirão da mesma maneira em caso de incêndio real, pois músculos, nervos e cérebro memorizaram um mapa amplo, geral e flexível. A atitude de calma e o pensamento lúcido serão transferidos do treino para a situação real de fogo. Além disso, terão aprendido a sair de qualquer prédio em chamas. Não estarão comprometidas com uma única reação, mas serão capazes de improvisar, de reagir espontaneamente a quaisquer condições presentes.

A moral é óbvia, tanto para ratos como para homens: pratique sem pressão e aprenderá com mais eficiência; assim será capaz de ter um melhor desempenho em uma situação de crise.

Shadowboxing – *treino de sombra no boxe para conquistar equilíbrio*

Jim Corbett, boxeador renomado e campeão mundial de pesos pesados, popularizou a palavra "*shadowboxing*". Quando questionado sobre como desenvolveu o controle e o *timing* perfeitos para seu jab de esquerda, que usou para acabar com John L. Sullivan, o Strong Boy de Boston, Corbett respondeu que treinou mais de dez mil vezes o jab de esquerda em sua própria imagem no espelho como preparação para a luta.

Gene Tunney fez a mesma coisa para se preparar para sua luta contra Jack Dempsey: durante anos, lutou, em sua imaginação e em privado, mais de cem vezes contra o futuro adversário. Assistiu a todos os filmes das lutas do oponente até conhecer cada movimento do boxeador. Então, fez treino de sombra imaginando Dempsey diante dele e, a cada golpe imaginário que recebia, praticava um contragolpe.

Harry Lauder, famoso ator e comediante escocês, certa vez admitiu praticar dez mil vezes, em privado, uma certa rotina antes da apresentação ao público. Lauder estava, na verdade, fazendo treino de sombra com um público imaginário.

Billy Graham fazia sermões para tocos de cipreste em um pântano da Flórida antes de desenvolver sua envolvente personalidade para apresentações ao vivo. De uma forma ou de outra, a maioria dos bons oradores faz a mesma coisa: apresentam seu discurso para sua própria imagem no espelho. Um conhecido meu enfileira de seis a oito cadeiras vazias, imagina pessoas sentadas e ensaia diante de uma plateia imaginária.

A prática tranquila produz melhores resultados

Quando Ben Hogan jogava torneios de golfe regularmente, mantinha um taco em seu quarto, onde praticava todos os dias, balançando-o de forma correta e sem pressão com uma bola de golfe imaginária. Nos campos de golfe, ele imaginava os movimentos antes de dar uma tacada e então dependia da memória muscular para executá-la corretamente.

Alguns atletas praticam em privado com a menor pressão possível. Eles, ou seus treinadores, recusam-se a permitir que a imprensa assista aos treinos; recusam-se até mesmo a divulgar qualquer informação relativa ao treino para fins publicitários, a fim de se protegerem da pressão. Tudo é organizado para tornar o treino e a prática descontraídos e livres de pressão. Daí decorre que encaram a crise da competição real sem aparentarem nervosismo. Tornam-se blocos de gelo humanos, imunes à pressão, despreocupados com o desempenho, mas dependentes da memória muscular para executar os vários movimentos que aprenderam.

A técnica de treino de sombra, ou prática sem pressão, é tão simples, e os resultados muitas vezes tão impressionantes, que algumas pessoas tendem a associá-la a algum tipo de magia.

Por exemplo, lembro-me de uma viúva que durante anos ficava nervosa e se sentia pouco à vontade em eventos sociais. Depois de praticar treino de sombra, enviou-me a seguinte mensagem:

Devo ter praticado uma "grand entrance" na sala vazia de minha casa talvez mais de uma centena de vezes. Caminhei pelo cômodo, apertando a mão de inúmeros convidados imaginários. Sorria até conseguir dizer palavras cordiais a cada um. Então me movia entre eles, conversando aqui e ali. Pratiquei andar, sentar-me e falar com graciosidade e autoconfiança.

Não posso dizer o quanto fiquei feliz, e inclusive meio surpresa, pelo maravilhoso momento que vivi na recepção. Sentia-me relaxada e confiante. Surgiram várias situações não previstas e, portanto, não praticadas, mas me vi improvisando de forma admirável. Meu marido tem certeza de que você fez algum tipo de feitiçaria em mim.

> Os resultados decorrentes de estar sentado em uma poltrona e visualizando são fenomenais. Mesmo assim, seria prudente prestar atenção à seguinte frase do Dr. Maltz: "A técnica de treino de sombra, ou prática sem pressão, é tão simples, e os resultados muitas vezes tão impressionantes, que algumas pessoas tendem a associá-la a algum tipo de magia". Pessoalmente, não acho que "magia" seja uma palavra muito forte. Ensinei a técnica do *shadowboxing* para muitas pessoas que nunca lutaram boxe ou praticaram qualquer tipo de esporte de combate. Ensinei a vendedores, músicos, artistas, escritores e pessoas cujo objetivo era serem mais saudáveis. Todas a usaram de forma eficaz.

Shadowboxing *ativa a autoexpressão*

A palavra "expressar" significa exprimir, manifestar, enquanto "inibir" quer dizer impedir, tolher. Portanto, autoexpressão implica manifestação dos poderes, talentos e habilidades do "eu". Significa acender a luz própria e deixá-la brilhar. Autoexpressão é a resposta "sim". Inibição, a resposta "não", a qual tolhe a autoexpressão, impede que a luz própria do "eu" se revele.

No *shadowboxing* (treino de sombra), praticamos a autoexpressão sem a presença de fatores relativos à inibição. Aprendemos os movimentos corretos. Criamos um mapa mental amplo, geral e flexível, que fica retido na memória. Então, quando enfrentamos uma crise em que uma ameaça real ou um fator de inibição se fazem presentes, agimos com calma e precisão, como aprendemos. Há em nossos músculos, nervos e cérebro uma transferência da prática para a situação real.

Além disso, como nosso aprendizado ocorreu de modo descontraído e sem pressão, estaremos aptos a reagir à altura do desafio para improvisar, agir espontaneamente. Ao mesmo tempo, o *shadowboxing* cria uma imagem mental de ação correta e êxito. A memória dessa autoimagem bem-sucedida também nos permite um desempenho mais aprimorado.

Tiro seco constitui o segredo da boa pontaria

Um novato no estande de tiro, em geral, descobrirá que consegue segurar a arma com perfeição e firmeza desde que não seja para atirar. Quando aponta uma arma descarregada para um alvo, a mão se firma. Quando a arma está carregada para tentar acertar o alvo, o tremor de intenção se instala (veja Capítulo 11).

Todos os bons instrutores recomendam muito treino de tiro seco para superar essa condição. O atirador mira com calma, engatilha e atira em um alvo na parede. Ainda com calma e atenção, observa como está segurando a arma, se ela está inclinada ou não, se está apertando ou puxando o gatilho. Aprende bons hábitos. Não há tremor de intenção porque a situação não desencadeia excesso de cautela, nem ansiedade por resultados. Depois de milhares de ensaios, o novato descobrirá que consegue segurar a arma carregada e atirar, mantendo a mesma atitude mental e realizando os mesmos movimentos calmos e deliberados.

Um amigo meu aprendeu a atirar em codornas da mesma maneira. Embora fosse bom no tiro ao alvo, o barulho de uma ave quando levantava voo e a ansiedade por resultados, ou excesso de motivação, faziam com que quase sempre errasse o tiro. No primeiro dia da caçada seguinte, depois de aprender sobre o treino de sombra, levou uma espingarda descarregada para evitar a empolgação, pois não havia a possibilidade de tiro real e nem excesso de motivação. Praticou os tiros nessas condições em cerca de vinte codornas. Após os seis primeiros tiros, já havia perdido toda a ansiedade e nervosismo. Seus colegas pensavam que tinha alguns parafusos soltos na cabeça. No dia seguinte, contudo, ele se redimiu ao acertar os oito primeiros pássaros e conseguir um total de quinze em dezessete!

Shadowboxing ajuda a acertar a tacada

Não faz muito tempo, em um domingo, visitei um amigo em um subúrbio de Nova York. Seu filho de dez anos ambicionava se tornar uma grande estrela do beisebol; atuava bem como defensor, mas não conseguia rebater. Cada vez que o pai jogava a bola para o menino, ele congelava e errava por uns trinta centímetros. Na tentativa de ajudá-lo, eu disse: "Você está tão ansioso para acertar a bola, e seu medo de errar é tanto, que nem consegue enxergar com clareza". Tensão e ansiedade interfeririam na visão e nos reflexos – os músculos do braço não executavam as ordens do cérebro.

"Nos próximos dez arremessos", continuei, "nem pense em acertar a bola. Na verdade, nem tente. Mantenha o bastão no ombro e só observe a bola com muita atenção. Observe-a desde o momento em que deixa a mão do seu pai até passar por você. Mantenha-se descontraído e relaxado; só observe a bola passar."

Depois dos dez arremessos, orientei: "Agora, por um tempo, observe a bola passar e mantenha o taco no ombro, mas pense em movê-lo para acertar a bola – com firmeza e equilíbrio". Depois disso, disse-lhe que continuasse a manter esse sentimento e observasse a bola com cuidado, deixando o taco se movimentar e encontrar a bola, sem tentar bater com força. O menino acertou. Depois de algumas rebatidas fáceis, já conseguia rebater a bola para longe do pai, e eu conquistei um amigo para toda a vida.

O vendedor que praticava não vender

A mesma técnica para acertar a tacada pode ser usada para vendas, ensino ou administração de um negócio. Um jovem vendedor reclamou que ficava paralisado quando visitava clientes em potencial, perpassado pelo sentimento de ser incapaz de responder adequadamente a objeções. "Quando um deles faz uma objeção ou crítica ao produto, não consigo pensar em nada para dizer", disse-me. "Só mais tarde penso em todos os tipos de argumentos para a objeção."

Contei-lhe a técnica do treino de sombra e o garoto que aprendeu a rebater deixando a bola passar, com o taco no ombro. Salientei que acertar uma bola de beisebol – ou ter presença de espírito – requer bons reflexos. O mecanismo de sucesso automático deve responder de forma adequada e automática. Muita tensão, motivação e ansiedade por resultados bloqueiam esse mecanismo. Mais tarde, "você consegue pensar nas respostas adequadas porque está relaxado e a pressão acabou. No momento, seu problema é não responder rápida e espontaneamente às objeções que lhe fazem; em outras palavras, você não está acertando a bola que o cliente lança".

Ainda lhe disse que, antes de tudo, deveria praticar uma série de encontros imaginários – simular como se fossem reais, entrando no ambiente, apresentando-se a um cliente, fazendo sua apresentação de vendas – e então pensar em todas as objeções possíveis, não importasse o quão malucas, respondendo em voz alta. Em seguida, praticaria o taco no ombro com um cliente real; ou seja, entraria com uma arma descarregada no que dizia respeito a intenções e propósitos. O objetivo de sua apresentação não seria vender – deveria se satisfazer mesmo sem nenhuma venda. O objetivo do exercício seria estritamente a prática de bastão no ombro e arma vazia. Nas palavras do rapaz, o treino de sombra "funcionou como um milagre".

Quando eu era um jovem estudante de medicina, costumava fazer treino de sombra em cirurgias em cadáveres – prática sem pressão que me ensinava muito mais do que técnica. Ela ensinava a um futuro cirurgião calma, deliberação e clareza de pensamento, porque havia praticado todas essas coisas em uma situação que não exigia pegar ou largar; não envolvia vida ou morte.

Como fazer os nervos trabalharem para você

A palavra "crise" vem de um termo grega que significa decisão ou momento decisivo. Uma crise é uma bifurcação na estrada: um lado conduz à promessa de uma condição melhor; o outro, de uma condição pior. Na medicina, crise é um momento decisivo em que o paciente piora e morre, ou melhora e vive.

Assim, toda situação de crise tem duas vertentes. O arremessador que entra no último momento com o placar empatado e condições adversas pode se tornar um herói e ganhar prestígio, ou o vilão responsável pela perda do jogo.

Perguntaram a Hugh Casey, um dos arremessadores mais bem-sucedidos e calmos de todos os tempos, o que pensava quando entrava no jogo no auge de uma situação de crise: "Sempre penso no que vou fazer e no que quero que aconteça", respondeu, "em vez de pensar no que o rebatedor vai fazer ou o que pode acontecer comigo". Portanto, ele se focava no que queria que acontecesse e sentia que poderia fazer acontecer – e geralmente acontecia.

Essa mesma atitude é outro elemento importante para reagirmos bem em qualquer situação de crise. Se conseguirmos manter uma postura ofensiva, assumir uma reação positiva às ameaças, a própria situação pode atuar como um estímulo para liberar poderes inexplorados.

Já há muitos anos, os jornais publicaram a história de um sujeito gigante, que fez o que dois caminhões de demolição e um bando de homens não conseguiram: levantou a cabine esmagada de um caminhão e libertou o motorista preso nas ferragens. Com as mãos nuas, arrancou o pedal do freio que prendia o pé do motorista e apagou as chamas do piso. Mais tarde, quando identificaram esse gigante, descobriram que não era, na verdade, gigantesco. Charles Dennis Jones tinha 1,85 metro de altura e pesava noventa quilos. Assim explicou seu feito extraordinário: "Odeio fogo". Catorze meses antes, sua filha de oito anos morrera queimada em um incêndio que destruíra a casa onde morava.

Conheço um homem que, apesar de alto, é bem franzino, mas, diante de um incêndio em sua casa, levou um piano para fora, descendo três degraus, atravessando uma soleira de dez centímetros e chegando ao meio do jardim. Para transportar o piano para a casa, haviam sido necessários seis homens fortes. Sob o estímulo da excitação e da crise, o sujeito conseguiu tirá-lo sozinho.

2. Tire da crise o poder

O neurologista J. A. Hadfield fez um extenso estudo sobre os poderes extraordinários – físicos, mentais, emocionais e espirituais – que ajudam as pessoas em tempos de crise.

"É fantástico o modo como o poder aparece em nosso auxílio em qualquer momento de emergência", disse. "Levamos vidas modestas, evitando tarefas difíceis, até que talvez sejamos forçados a encará-las ou que nós mesmos resolvamos enfrentá-las, e imediatamente parecemos desbloquear forças invisíveis. Quando temos de enfrentar o perigo, a coragem aparece; quando a provação nos expõe a um longo e contínuo estresse, nós nos emponderamos pela perseverança; quando uma tragédia que tanto tememos nos atinge, sentimos internamente a força dos braços eternos de Deus. A experiência ensina que, em situações de grandes demandas, se aceitarmos o desafio sem medo e despendermos nossas forças com confiança, todo perigo ou dificuldade gera força – 'Como teus dias, tua força será'."

O segredo está na atitude de aceitarmos sem medo o desafio e despender com confiança as nossas forças. Isso significa manter uma atitude combativa, direcionada para o objetivo, e não negativa, de defesa e fuga: "Não importa o que aconteça, consigo lidar com a situação, ou consigo enxergar além dela", em vez de "Espero que nada aconteça".

Foque-se no objetivo

A essência dessa atitude combativa é permanecer orientada para o objetivo. Você mantém o foco em seu objetivo positivo. Tem a intenção de passar pela experiência da crise para atingi-lo. Não se desvia para objetivos secundários – fuga, esconderijo, evitação da crise. Ou, na linguagem de William James, assume uma atitude de luta em vez de medo ou fuga. Se conseguir, a própria situação de crise atua como um estímulo que libera energia extra para ajudá-lo a atingir o objetivo.

Prescott Lecky, autor de *Self-Consistency: A Theory of Personality* (Autocoerência: uma teoria de personalidade), disse que o propósito da emoção é o reforço, ou a força extra, e não servir como um sinal de fraqueza. Ele acreditava que há apenas uma emoção básica – a empolgação –, que se manifesta como medo, raiva, coragem etc., dependendo de nossos objetivos interiores no momento, dependendo de estarmos internamente focados em vencer um problema, fugir dele ou destruí-lo. "O verdadeiro problema não é controlar a emoção", escreveu Lecky, "mas controlar a escolha de qual tendência deve receber reforço emocional".

Se nossa intenção, ou nossa atitude rumo a um objetivo, é seguir em frente, tirar o máximo proveito da crise e vencer, apesar dela, a empolgação reforçará essa tendência, dando-nos mais coragem, mais força para seguirmos em frente. Se perdermos de vista nosso objetivo original e assumirmos uma atitude de fuga, em clara evitação da crise, essa tendência de fuga também será reforçada, e sentiremos medo ou ansiedade.

Não confunda empolgação com medo

Muita gente comete o erro de interpretar o sentimento de empolgação como medo e ansiedade; portanto, compreendê-lo como prova de inadequação.

Qualquer pessoa normal e inteligente o bastante para entender a situação fica ansiosa ou nervosa pouco antes de uma crise. Até ser direcionada para um objetivo, essa ansiedade não é medo, inquietação, coragem, confiança, nem qualquer outra coisa além de um suprimento intensificado e reforçado de energia. Não é um sinal de fraqueza, mas de força adicional para ser usada da maneira que se escolha.

Jack Dempsey costumava ficar tão ansioso antes de uma luta que não conseguia se barbear, sentar-se ou ficar parado. No entanto, não interpretava a situação como medo. Não precisava decidir se deveria fugir por causa disso. Ia em frente e usava essa ansiedade para colocar mais força em seus golpes.

Atores experientes sabem que o sentimento de ansiedade logo antes de uma performance é um bom sinal. Muitos deles se agitam emocionalmente antes de entrar no palco. O bom soldado quase sempre é o que se sente ansioso pouco antes da batalha.

Muitas pessoas fazem apostas nas pistas de corrida com base no cavalo que parece o mais nervoso. Os treinadores também sabem que um cavalo que fica nervoso ou energizado, pouco antes de uma corrida, terá um desempenho melhor do que o normal. *Energizado* é um termo bom. A ansiedade que se sente pouco antes de uma situação de crise é uma infusão de energia e deve ser assim interpretada.

Em um voo recente, encontrei um homem que não via havia vários anos. No decorrer da conversa, perguntei-lhe se ainda fazia muitas palestras. Ele respondeu que sim e que, na verdade, mudara de emprego para se dedicar mais à atividade – agora fazia pelo menos um discurso por dia. Sabendo como ele amava a oratória, comentei ser muito bom que trabalhasse nessa área. "Sim", disse ele, "de certa forma é bom, mas não tão bom assim. O nível de minhas palestras não é o mesmo. Discurso com tanta frequência que isso ficou meio repetitivo para mim. Não sinto mais aquele formigamento na boca do estômago, que me diz que vou me sair bem."

Algumas pessoas são tomadas por tanta ansiedade durante um exame escrito importante que se sentem incapazes de pensar com clareza, ou mesmo de segurar um lápis com firmeza na mão. Outras, no entanto, motivadas pela ansiedade do momento, se superam – as mentes funcionam melhor e com mais lucidez do que o normal. A memória é afiada. Não é a emoção que faz a diferença, mas como ela é usada.

3. Pense: o que de pior pode acontecer?

Muitas pessoas têm a tendência de maximizar de maneira desmedida a potencial pena ou fracasso que a situação de crise acarreta. Nossa imaginação vai contra nós mesmos e transforma coisas insignificantes em cavalos de batalha. Ou então não usamos nossa imaginação para ver o que a situação realmente acarreta, mas, em geral, e sem pensar, reagimos como se cada simples ocasião ou desafio fosse uma questão de vida ou morte.

Quando enfrentamos uma crise real, precisamos de muito entusiasmo, que poderá ser benéfico nesses casos. No entanto, se superestimarmos o perigo ou a dificuldade, se reagirmos a informações incorretas, distorcidas ou que não condigam com a realidade, é bem provável que despertemos muito mais entusiasmo do que a ocasião exige. Como a ameaça real é muito menor do que a estimada, todo esse entusiasmo não será usado de modo adequado, não será liberto por meio da ação criativa e acumulará em nós, engarrafado como nervosismo. Um exacerbado entusiasmo emocional, em vez de ajudar, pode comprometer nosso desempenho simplesmente por ser inadequado.

O filósofo e matemático Bertrand Russell se refere a uma técnica que usou em si mesmo com sucesso para minimizar o entusiasmo excessivo: "Quando há uma ameaça de infortúnio, considere séria e deliberadamente o que de pior poderia acontecer. Tendo encarado esse possível infortúnio, dê a si mesmo boas razões para pensar que, afinal, não seria um desastre tão terrível. Tais razões sempre existem, pois, na pior das hipóteses, nada do que acontece a alguém tem qualquer importância cósmica. Depois de ponderar por algum tempo sobre a pior possibilidade e tiver dito a si mesmo com real convicção: 'Bem, afinal, isso não é tão importante assim', perceberá que sua preocupação diminuirá de forma extraordinária. Talvez precise repetir o processo algumas vezes, mas no final, se não se esquivou de enfrentar o pior problema possível, descobrirá que a preocupação desaparece por completo, substituída por uma espécie de alegria".

Como Carlyle encontrou coragem

Thomas Carlyle testemunhou como esse mesmo método mudou sua perspectiva de um "não eterno" para um "sim eterno". Ele estava em um período de profundo desespero espiritual: "Minhas estrelas-guia se apagaram; naquele dossel de lume sombrio não brilhava qualquer estrela [...] o universo era uma imensa máquina a vapor, morta e imensurável, seguindo, em sua completa indiferença, para me triturar membro a membro". Então, em meio a essa falência espiritual, aflorou um novo modo de vida:

E perguntei a mim mesmo: "Do que tens medo? Pelo que, como um covarde, sempre te lamurias e choramingas, e vais acovardado e trêmulo. Bípede desprezível! Qual o somatório do pior que está diante de ti? Morte? Bem, Morte: e digas também as agonias do inferno e tudo o que o Diabo e o Homem querem ou podem fazer contra ti! Não tens um coração; não consegues sofrer o que seja: e, como um Filho da Liberdade, embora proscrito, ter o próprio inferno sob seus pés, enquanto ele te consome? Que venha, então: eu vou enfrentá-lo e desafiá-lo!"

E, enquanto assim pensava, uma torrente de fogo correu por toda a minha alma; e afastei de mim para sempre o temor íntimo. Eu era forte, com uma força desconhecida; um espírito, quase um deus. Desde então, a índole da minha miséria mudou: não Medo ou Tristeza lamuriosa, mas Indignação e Desafio implacável de olhos de fogo. (Sartor Resartus)

Russell e Carlyle nos dizem como manter uma atitude combativa, autodeterminada, direcionada a objetivos, mesmo na presença de ameaças e perigos reais e sérios.

Transformar pequenos problemas em cavalos de batalha

A maioria de nós, no entanto, se deixa desviar por ameaças insignificantes ou mesmo imaginárias, as quais insistimos em interpretar como situações de tudo ou nada, ou de vida ou morte.

Já disseram que a causa mais comum de úlceras é a reação exacerbada a pequenos problemas. Um vendedor que visita um cliente importante, às vezes, age como se a ocasião envolvesse vida ou morte. Uma jovem que vai a seu primeiro baile, às vezes, age como se estivesse em um julgamento por sua vida. Muitas pessoas em entrevistas de emprego se comportam como se estivessem morrendo de medo, e por aí vai.

Talvez esse sentimento de vida ou morte, vivenciado por alguns em situações de crise, seja herança de nossos ancestrais; afinal, fracasso para o homem primitivo era quase sempre sinônimo de morte.

A despeito de sua origem, no entanto, minha experiência com vários pacientes mostrou que a superação vem com calma e racionalidade. Em vez de responder automática, cega e irracionalmente, questione-se: "Qual a pior coisa que pode acontecer comigo se eu fracassar?".

O que você tem a perder?

Uma avaliação minuciosa mostrará que a maioria dessas situações cotidianas de crise não envolve questões de vida ou morte, mas oportunidades para avançar ou permanecer onde se está. Por exemplo, qual a pior coisa que pode acontecer ao vendedor? Ou concretizará a venda, saindo-se melhor do que esperava, ou não, e não ficará pior do que se sentia antes da visita. O candidato a uma vaga de emprego será chamado, ou não, e neste caso permanecerá na mesma posição de antes. E a garota? O pior que pode lhe acontecer é continuar a ser como era antes do baile, relativamente desconhecida, sem causar comoção em grupos sociais.

Poucas pessoas percebem o poder de uma simples mudança de atitude. Um vendedor que conheço dobrou sua renda depois que conseguiu mudar sua perspectiva assustada e em pânico, de "tudo depende disso", para outra de "tenho tudo a ganhar e nada a perder".

Walter Pidgeon, ator, contou que sua primeira apresentação pública foi um completo fracasso. Ele estava morrendo de medo. No entanto, nos entreatos, refletiu que já havia falhado e, portanto, não tinha mais nada a perder; se desistisse da carreira de ator, seria um completo fracasso, então a volta ao palco não era o que deveria preocupá-lo. Encarou o segundo ato relaxado e confiante – e foi um sucesso.

Lembre-se, acima de tudo, que o elemento mais importante em qualquer situação de crise é você. Pratique e aprenda as técnicas simples deste capítulo e, como centenas de outros antes de você, aprenderá que as crises vão funcionar a seu favor, cada qual com uma verdadeira oportunidade criativa.

PONTOS-CHAVE PARA RELEMBRAR

Resuma aqui:

1. ....
....
....
....
....

2. ....
....
....
....
....

3. ....
....
....
....
....

4. ....
....
....
....

5. ....
....
....
....
....

HISTÓRICO DE CASO

Redija uma experiência pessoal explicada pelos princípios apresentados neste capítulo:

CATORZE

A conquista do sentimento de vitória

N osso mecanismo criativo automático é teleológico, isto é, funciona em termos de objetivos e resultados finais. Uma vez que lhe dermos um objetivo definido a ser conquistado, poderemos confiar em seu sistema de orientação automática de modo mais eficaz do que trabalharíamos pelo pensamento consciente. Nós mesmos fornecemos a ele um objetivo, e ele nos oferece os meios para atingi-lo. Se nossos músculos necessitarem se movimentar para a conquista do resultado final, o mecanismo automático os norteará com muito mais precisão e sutileza do que conseguiríamos pelo pensamento racional. Caso careçamos de ideias, nosso mecanismo automático as fornecerá.

PENSE EM TERMOS DE POSSIBILIDADES

No entanto, para concretizar isso, você precisa fornecer o objetivo. Para que ele ative seu mecanismo criativo, é necessário pensar no resultado final em termos de uma possibilidade no tempo presente, vislumbrando-a tão claramente que se tornará real para o cérebro e o

Psicocibernética

sistema nervoso. Tão real que serão evocados os mesmos sentimentos que estariam presentes se o objetivo já fosse uma conquista.

Isso não é tão difícil ou místico quanto talvez pareça à primeira vista. Na verdade, acontece todos os dias. Por exemplo, o que é a preocupação? Ela implica possíveis resultados futuros desfavoráveis, acompanhados de sentimentos de ansiedade, inadequação ou até humilhação. Para todos os propósitos práticos, vivenciamos antecipadamente as mesmas emoções que seriam apropriadas em uma situação de fracasso. Nós o imaginamos não de maneira vaga ou geral, mas vividamente, com detalhes. Repetimos as imagens do fracasso reiteradas vezes para nós mesmos. Retornamos à nossa memória e desenterramos imagens de fracassos passados.

Lembre-se do que já enfatizamos aqui: o cérebro e o sistema nervoso não conseguem distinguir a diferença entre uma experiência real e uma vividamente imaginada. Nosso mecanismo criativo automático sempre age e reage de modo propício ao ambiente, à circunstância ou à situação. E recebemos a informação relativa ao que acreditamos ser verdade.

O SISTEMA NERVOSO NÃO DIFERENCIA UM FRACASSO REAL DE UM IMAGINÁRIO

Portanto, se ficarmos insistindo no fracasso e imaginando-o com pormenores tão vívidos que se torne real para o nosso sistema nervoso, vivenciaremos os sentimentos que o acompanham. Por outro lado, se mantivermos em mente nosso objetivo positivo e o imaginarmos tão vividamente que se tornará real, se pensarmos nele como um fato realizado, experimentaremos sentimentos positivos de vitória: autoconfiança, coragem e fé de que o resultado será o esperado.

Não conseguimos conscientemente espreitar nosso mecanismo criativo e verificar se está voltado para o sucesso ou o fracasso, mas podemos determinar seu conjunto atual por meio de nossos sentimentos. Quando ele está determinado para o sucesso, vivenciamos o sentimento de vitória.

CONFIGURANDO A MÁQUINA PARA O SUCESSO

Se há um segredo simples para a operação do mecanismo criativo inconsciente, aqui está: convoque, apreenda, evoque o sentimento de sucesso. Quando você se sentir bem-sucedido e autoconfiante, agirá dessa maneira. Se tal sentimento for efetivamente intenso, com certeza não errará.

O sentimento de vitória em si não nos faz agir com sucesso, mas é um sinal ou sintoma de que estamos preparados para ele. Funciona mais como um termômetro que não desencadeia o calor em um cômodo, mas o mede. No entanto, podemos usar esse termômetro de modo prático. Lembre-se: quando você vivencia o sentimento de vitória, seu mecanismo interior está pronto para recebê-lo.

A exacerbação no esforço para provocar conscientemente a espontaneidade talvez destrua a ação espontânea. É mais fácil e eficaz que você determine seu objetivo ou resultado final. Imagine-o de forma clara e vívida. Em seguida, capture a sensação que vivenciaria se o objetivo almejável já fosse um fato realizado. Assim, estará agindo de forma espontânea e criativa, usando os poderes da mente subconsciente. Fará sua maquinaria interior se voltar para o sucesso: para norteá-lo na realização dos movimentos e ajustes musculares corretos; para lhe fornecer ideias criativas e fazer o necessário a fim de tornar o objetivo um fato consumado.

COMO O SENTIMENTO DE VITÓRIA VENCEU UM TORNEIO DE GOLFE

O Dr. Cary Middlecoff escreveu na revista *Esquire* que o sentimento de vitória constitui o verdadeiro segredo do campeonato de golfe. "Quatro dias antes de fazer minha primeira participação no Masters [...] eu tinha o sentimento seguro de que venceria aquele torneio. Sentia que cada movimento rumo ao topo do meu *backswing* colocava meus músculos na posição perfeita para acertar a bola exatamente como desejava. E esse sentimento maravilhoso veio ao meu encontro. Sabia que não havia mudado minha pegada, e meus pés estavam na posição usual. Com esse sentimento, eu precisava somente balançar os tacos e deixar a natureza seguir seu curso."

Middlecoff afirmou ainda que o sentimento de vitória é "o segredo do bom golfe", pois, quando o carregamos conosco, a bola até quica em nossa direção, parecendo controlar aquele elemento indescritível chamado *sorte*.

Don Larsen, o único homem na história que fez um jogo perfeito na World Series, disse que, na noite anterior, "teve a sensação maluca de que faria lançamentos perfeitos".

Na década de 1950, as páginas de esportes de todo o país destacaram a jogada sensacional de Johnny Menger, da Georgia Tech, em um Bowl Game pós-temporada. "Quando acordei naquela manhã, tive a sensação de que teria um excelente dia", disse Menger.

> Conquistar o sentimento de vitória não implica apenas ganhar um jogo ou um evento, mas também como você se sente quando está exercendo seu melhor, lembrando-se desse sentimento para que o vivencie inúmeras vezes.

> Sempre que se recordar do sentimento e do que fez para criá-lo, terá acesso à experiência.

"ISSO PODE ATÉ SER DIFÍCIL, MAS SERÁ SUPERADO"

Há magia no sentimento de vitória. Aparentemente, ele até anula obstáculos e impossibilidades; pode recorrer a erros e equívocos para conquistar o sucesso. J. C. Penney conta como ouviu seu pai dizer no leito de morte: "Sei que Jim vai conseguir". Daquele momento em diante, Penney sentiu que de alguma forma alcançaria o sucesso, embora não tivesse bens materiais, nem dinheiro, nem estudo. A rede de lojas de departamento J. C. Penney foi construída em meio a muitas circunstâncias impossíveis e momentos desanimadores. No entanto, sempre que Penney era envolto pelo desalento, ele se lembrava da previsão de seu pai e sentia que, de alguma forma, conseguiria resolver o problema.

Depois de construir um império, ele perdeu tudo em uma idade em que a maioria dos homens já estaria aposentada por muito tempo. Viu-se, então, sem dinheiro e com pouca evidência tangível que lhe desse razão para esperança. Mas de novo se lembrou das palavras do pai e recuperou o sentimento de vitória, que para ele se tornara habitual. Reconstruiu sua fortuna e, em poucos anos, acumulou mais lojas do que nunca.

O industrial Henry J. Kaiser disse: "Quando enfrento uma situação difícil e desafiadora, procuro uma pessoa repleta de entusiasmo e otimismo, que ataque com confiança e fervor os problemas do cotidiano, que mostre coragem e imaginação, que mantenha seu espírito dinâmico com planejamento cuidadoso e trabalho duro, mas diga: 'Isso pode até ser difícil, mas será superado'."

COMO O SENTIMENTO DE VITÓRIA FEZ DE LES GIBLIN UM HOMEM BEM-SUCEDIDO

Les Giblin, autor de *Como ter confiança e poder para lidar com as pessoas*, depois de ler o primeiro rascunho deste capítulo, me contou como a imaginação, aliada ao sentimento de vitória, funcionou como mágica em sua carreira.

Les fora um bem-sucedido vendedor e gerente de vendas. Fizera algum trabalho na área de relações públicas e ganhara boa reputação como especialista em relações humanas. Gostava de seu trabalho, mas queria abrir novos horizontes. Interessando-se sobretudo por pessoas, após anos de estudo – teórico e prático –, achava que encontrara algumas respostas para os problemas que envolvem as relações sociais e queria dar uma palestra sobre o assunto. No entanto, enfrentava como grande obstáculo a inexperiência em falar em público. Les me disse:

Uma noite, já deitado, pensava em minha grande aspiração. As únicas experiências que tinha como orador era em falar com pequenos grupos de vendedores em reuniões de vendas, ou ainda no Exército quando servia meio período como instrutor. O simples pensamento de falar diante de uma plateia me assustava; não conseguia nem sequer me imaginar bem-sucedido em tal empreitada. No entanto, dirigia-me a meus próprios vendedores com muita facilidade. Falava com grupos de soldados sem nenhum problema. Ainda deitado, recordei meu sentimento de sucesso e confiança ao conversar com esses pequenos grupos. Lembrei-me de todos os detalhes incidentais que acompanhavam minha sensação de equilíbrio. Então me imaginei diante de uma imensa plateia falando sobre relações humanas e, ao mesmo tempo, vivenciando essa sensação de equilíbrio e autoconfiança que sentia com grupos menores. Imaginei-me em tantos detalhes que sentia inclusive a pressão dos pés no chão; via as expressões nos rostos das pessoas e ouvia os aplausos. Eu me vi em uma palestra de estrondoso sucesso.

Alguma coisa estalou em minha mente. Senti-me eufórico, certo de que conseguiria encarar a situação. Havia consolidado de modo tão real o sentimento de confiança e sucesso do passado que sabia ser capaz de passá-lo para a imagem de minha carreira no futuro. Nunca me abandonou o que você chama de sentimento de vitória. *Embora todas as portas parecessem fechadas para mim na época, e o sonho soasse impossível, em menos de três anos eu o vi tornar-se realidade, quase nos detalhes exatos que tinha imaginado e sentido. Em razão de ser relativamente desconhecido e também de ter pouca experiência, nenhuma grande agência me queria. Isso não me deteve. Trabalhei para mim mesmo, como ainda faço. E surgiram mais oportunidades de palestras do que posso dar conta.*

Hoje, Les Giblin é lembrado como uma autoridade em relações humanas. Seu livro *Como ter confiança e poder ao lidar com as pessoas* tornou-se um clássico na área. E tudo começou com a imaginação cultivando a imagem de sentimento de vitória.

COMO A CIÊNCIA EXPLICA O SENTIMENTO DE VITÓRIA

A ciência da cibernética lança uma nova luz sobre como atua o sentimento de vitória. Já vimos neste livro como os servomecanismos eletrônicos usam dados armazenados, em um processo comparável à memória humana, para lembrar ações bem-sucedidas e repeti-las.

O aprendizado de habilidades envolve basicamente a questão de prática de tentativa e erro, até que a memória registre uma série de acertos ou ações bem-sucedidas.

Cientistas cibernéticos construíram um rato eletrônico capaz de aprender a caminhar por um labirinto. Na primeira vez, ele cometeu vários erros, esbarrando em bloqueios, mas, cada vez que isso acontecia, o rato girava noventa graus e tentava de novo. Quando encontrava um bloqueio, fazia outra curva e avançava mais uma vez, até que, enfim, depois de inúmeros erros, paradas e voltas, conseguia passar pelo espaço aberto no labirinto. Conclusão: ele lembrava as voltas bem-sucedidas e, na próxima vez, reproduzia esses movimentos, percorrendo o labirinto com rapidez e eficiência.

O objetivo da prática é repetir tentativas, sempre corrigindo os erros, até que uma investida tenha êxito. Assim que executamos um padrão de ação bem-sucedido, todo ele, do começo ao fim, não só fica armazenado no que chamamos de *memória consciente*, mas também em nossos próprios nervos e tecidos. A linguagem popular pode ser muito intuitiva e descritiva. A frase: "Tive a sensação de que conseguiria fazer isso" não é errada. Quando o Dr. Cary Middlecoff disse: "Aconteceu alguma coisa na maneira como me senti, que me deu um rumo tão claro quanto se tivesse sido tatuado em meu cérebro", ele estava, talvez sem saber, descrevendo com propriedade o conceito científico do que acontece em nossa mente quando aprendemos, lembramos ou imaginamos.

COMO O CÉREBRO REGISTRA O SUCESSO E O FRACASSO

Especialistas no campo da fisiologia cerebral, como o Dr. John C. Eccles e Charles Sherrington, explicaram que o córtex humano é composto por cerca de dez bilhões de neurônios, cada um com numerosos axônios (sensores ou fios de extensão) que formam sinapses (conexões) entre os neurônios. Quando pensamos, lembramos ou imaginamos, esses neurônios descarregam uma corrente elétrica que pode ser mensurada.

Ao aprendermos ou vivenciarmos alguma coisa, configura-se no tecido cerebral um padrão de neurônios formando uma cadeia (ou a tatuagem de um padrão). Esse padrão não é da natureza de um sulco ou rastro físico, mas da natureza de uma trilha elétrica – o arranjo e as conexões elétricas entre vários neurônios se assemelham a um padrão magnético gravado em fita. Assim, o mesmo neurônio pode fazer parte de qualquer número de padrões separados e distintos, o que torna quase ilimitada a capacidade do cérebro de aprender e lembrar. Esses padrões, ou engramas, são armazenados no tecido cerebral para uso futuro e reativados, ou reproduzidos, sempre que nos lembramos de uma experiência passada.

Em um artigo intitulado "A fisiologia da imaginação", publicado na *Scientific American*, o Dr. Eccles escreveu: "A profusão de interconexões entre as células da matéria cinzenta vai além de toda imaginação; em última análise, é tão abrangente que todo o córtex pode ser pensado como uma grande unidade de atividade integrada. Se hoje consideramos o cérebro como uma máquina, devemos dizer que é de longe a máquina mais complexa que existe. Somos tentados a dizer que é infinitamente mais complexo do que as mais complexas máquinas feitas pelo homem, os computadores".

Sintetizando, a ciência confirma que existe uma tatuagem, ou um padrão de ação, de engramas em nosso cérebro para cada ação bem-sucedida já realizada. Se conseguirmos, de alguma forma, fornecer a faísca para dar vida a esse padrão de ação, ou reproduzi-lo, ele se executará, e tudo o que precisaremos fazer é deixar a natureza seguir seu curso.

Ao reativarmos padrões de ação bem-sucedidos, reativamos também o tom de sentimento, ou o sentimento de vitória, que os acompanhava. Da mesma forma, se conseguirmos recapturar o sentimento de vitória, evocaremos todas as ações de vitória que o acompanharam.

Psicocibernética

A CONSTRUÇÃO DE PADRÕES DE SUCESSO NA MASSA CINZENTA

Charles William Eliot, presidente de Harvard (1869-1909), fez um discurso sobre o que ele chamava de *hábito do sucesso*. Muitos fracassos na escola primária, disse ele, ocorrem porque os alunos não recebe-ram, no início, uma quantidade suficiente de tarefas em que pudessem obter êxito e, portanto, nunca tiveram a oportunidade de desenvolver a atmosfera de sucesso, ou o que chamamos de *sentimento de vitória*. Segundo ele, o aluno que jamais vivenciou o sucesso no início da vida escolar não teve nem mesmo a oportunidade de desenvolver o hábito do sucesso – sentimento habitual de fé e confiança ao assumir uma nova tarefa. Eliot solicitou aos professores que organizassem trabalhos para as séries iniciais como garantia de que o aluno vivenciasse o suces-so. As propostas deveriam ser coerentes com a capacidade da criança e ainda interessantes a ponto de lhe despertar entusiasmo e motivação. Pequenos êxitos dariam ao aluno o sentimento de sucesso, que atuaria como um valioso aliado em todos os empreendimentos futuros.

Podemos conquistar o hábito do sucesso; podemos construir nossos padrões de massa cinzenta e sentimentos de êxito a qualquer momento e em qualquer idade seguindo o conselho do Dr. Eliot aos professores. Se vivemos habitualmente frustrados pelo fracasso, so-mos muito propensos a incorporar sentimentos de fracasso que se disseminem a todos os novos empreendimentos. Mas, ao nos orga-nizarmos de modo que possamos ter sucesso nas pequenas coisas, construiremos uma atmosfera de triunfo que será transferida para empreendimentos de porte ainda maior. Aos poucos conseguiremos nos lançar em tarefas mais difíceis e, depois de executá-las, estar em condições de arriscar alguma coisa ainda mais desafiadora. Construí-mos o sucesso sobre o sucesso, e há muita verdade no ditado: "Nada é tão bem-sucedido quanto o sucesso".

O SEGREDO É A GRADUALIDADE

Os halterofilistas se iniciam na prática com pesos que conseguem levantar, e gradualmente os aumentam ao longo de um período de tempo. Bons agentes de luta colocam um boxeador iniciante no ringue para enfrentar oponentes fáceis, e pouco a pouco ele irá lutar contra outros mais experientes. Coloquemos em prática esses princípios gerais em quase todos os nossos campos de atuação: começar com um oponente que somos capazes de vencer, e gradualmente assumir tarefas cada vez mais difíceis.

Pediram a Pavlov, já em seu leito de morte, que desse um último conselho a seus alunos sobre como ter sucesso. A resposta veio com duas palavras: "Paixão e gradualidade".

Mesmo nas áreas em que já desenvolvemos excelência, às vezes recuar nos ajuda, minimizar nossas ambições e praticar com uma sensação de facilidade. Isso vale sobretudo em situações nas quais atingimos um momento complicado no progresso, quando o esforço para avançar mais é inútil. Empenharmo-nos para superar esse ponto provavelmente desenvolverá hábitos indesejáveis de tensão, dificuldade, esforço.

Sob tais condições, os halterofilistas reduzem o peso na barra e praticam o levantamento fácil por um tempo. Um boxeador que evidencia sinais de não estar bem é confrontado com vários oponentes mais fáceis. Albert Tangora, por muitos anos campeão mundial de velocidade, costumava praticar uma digitação lenta – na metade da velocidade normal – sempre que chegava a um platô em que aumentá-la parecia impossível. Conheço um vendedor proeminente que emprega o mesmo princípio para driblar uma queda nas vendas: interrompe as tentativas de fazer grandes vendas, de negociar com clientes difíceis, e se foca em pequenas vendas para clientes que conhece como fáceis de convencer.

COMO REPRODUZIR PADRÕES DE SUCESSO INCORPORADOS

Todo mundo, em algum momento da vida, foi bem-sucedido e nem precisa ter sido em um feito excepcional. Talvez algo não tão relevante, como enfrentar o valentão da escola, vencer uma competição no colégio, ganhar em uma brincadeira no ambiente de trabalho, sair na frente de um rival adolescente pelo bem-querer de uma namoradinha. Ou ainda realizou uma venda bem-sucedida, ou fechou um negócio de mais êxito, ou mesmo conseguiu o prêmio de primeiro lugar para o melhor bolo na feira de uma comunidade. O que conquistamos importa menos do que o sentimento de sucesso que nos acompanha. E, para tanto, basta que tenhamos alguma experiência naquilo que conseguimos fazer, que alcancemos nosso objetivo, que façamos alguma coisa que nos trouxe o sentimento de satisfação.

Reviva mentalmente essas experiências de sucesso; reviva-a por completo, com o máximo de pormenores. Veja não apenas o evento principal, mas todas as pequenas coisas incidentais que acompanharam o sucesso. Como eram os sons? E o ambiente? O que mais estava acontecendo ao redor? Que objetos existiam? Que época do ano era? Você estava com frio ou calor? E por aí vai. Quanto mais detalhado, melhor. Caso consiga se recordar com detalhes do que aconteceu em uma experiência bem-sucedida, acabará se sentindo exatamente como na época. Tente se lembrar em especial de seus sentimentos, para reativá-los no presente. Você vai se sentir autoconfiante, porque a autoconfiança é construída a partir de recordações de sucessos anteriores.

Agora, depois de despertar desse sentimento geral de sucesso, foque pensamentos em venda, conferência, discurso, negócio, campeonatos ou qualquer outra coisa em que deseja obter sucesso agora. Use sua imaginação criativa para colorir uma imagem de como agiria e como se sentiria se já tivesse alcançado o que quer.

PREOCUPAÇÃO POSITIVA E CONSTRUTIVA

Mentalmente, comece a brincar com a ideia do sucesso pleno e inevitável. Não se obrigue. Não tente coagir sua mente. Não tente recorrer a esforço ou força de vontade para alcançar a convicção desejada. Apenas repita o que você faz quando se preocupa; apenas se preocupe com um objetivo positivo e um resultado desejável, em vez de com um objetivo negativo e um resultado indesejável.

Não comece tentando se forçar a acreditar piamente no sucesso desejado. Aí está uma fatia grande demais para você digerir mentalmente. Use gradualidade. Comece a pensar no resultado final como faz quando se preocupa com o futuro, mas tente não se preocupar com um resultado indesejável. Em vez disso, comece gradualmente. Inicie com uma suposição. Diga: "Apenas suponha que tal e tal coisa aconteça" e repita isso várias vezes. Brinque com essa ideia. Em seguida, vem a possibilidade. Nesse caso, afirme: "Bem, afinal de contas, tal coisa é possível. Poderia acontecer". E depois afloram as imagens mentais. Imagine todas as possibilidades negativas. Reproduza tais imagens reiteradamente para si mesmo, acrescentando pequenos ajustes e aperfeiçoamentos. À medida que as imagens se tornarem mais reais, sentimentos apropriados começarão a se manifestar, como se o resultado imaginado já estivesse concretizado. É desse modo que o medo e a ansiedade se desenvolveriam.

O CULTIVO DA FÉ E DA CORAGEM

Fé e coragem afloram da mesma maneira. Apenas os objetivos são diferentes. Se você vai passar um tempo preocupado, por que não se preocupar de maneira construtiva? Comece delineando e definindo o resultado mais desejável possível. Comece com: "Suponho que o melhor resultado possível de fato vai acontecer". Em seguida, lembre-se de que poderia acontecer. Não que, neste momento, aconteça, mas apenas que poderia. Lembre-se de que, no fim das contas, um resultado tão bom e desejável é possível.

Aceite e digira mentalmente essas doses graduais de otimismo e fé. Depois de pensar no resultado final desejado como uma possibilidade definitiva, comece a imaginar como ele seria. Revise imagens mentais e delineie detalhes e melhorias. Apresente-os repetidamente para si mesmo. Conforme as imagens mentais se tornam mais detalhadas, conforme são repetidas várias vezes, você descobrirá de novo a manifestação de sentimentos apropriados, como se o resultado favorável já tivesse acontecido. Desta vez, os sentimentos mais adequados serão os de fé, autoconfiança, coragem – ou todos embrulhados em um pacote, aquele sentimento de sucesso.

NÃO PEÇA CONSELHOS AOS PRÓPRIOS MEDOS

Uma vez perguntaram a um famoso general da Segunda Guerra Mundial, George Patton, o "sangue velho e tripas", se ele já havia sentido medo antes de uma batalha. Respondeu que sim, muitas vezes fora tomado pelo medo pouco antes de um compromisso importante e vez ou outra durante uma batalha, mas acrescentou: "Nunca escuto meus medos".

Se você experimentar sentimentos negativos de fracasso – medo e ansiedade – antes de um empreendimento importante, como acontece com todos de tempos em tempos, não os considere um sinal certo de fracasso. Tudo depende de sua reação e de suas atitudes diante da ocorrência. Caso os ouça, obedeça e aconselhe-se com eles. Talvez fracasse, mas isso não precisa ser verdade.

Antes de tudo, compreenda que os sentimentos de fracasso – medo, ansiedade, falta de autoconfiança – não afloram de algum oráculo celestial, não estão escritos nas estrelas, não são um sagrado evangelho, nem insinuações de um inegável destino. Eles se originam da mente, funcionando como indicativos apenas de atitudes mentais interiores, não de fatos exteriores manipulados contra você. Significam tão somente que você está subestimando suas próprias habilidades, superestimando e exacerbando a natureza da dificuldade, reativando memórias de fracassos passados em vez de sucessos. Isso é tudo o que eles significam. Portanto, não representam a verdade sobre eventos futuros, mas apenas a atitude mental sobre eles.

Sabendo disso, você é livre para aceitar ou rejeitar esses sentimentos negativos de fracasso, para obedecer a eles e pedir-lhes conselhos, ou ignorar as recomendações e seguir em frente. Além disso, você está apto a usá-los em benefício próprio.

ACEITAÇÃO DOS SENTIMENTOS DE FRACASSO COMO UM DESAFIO

Se reagimos aos sentimentos negativos de maneira agressiva e positiva, eles se transformam em desafios, o que automaticamente despertará mais poder e habilidade em nós. A ideia de dificuldade, ameaça e perigo desperta em nosso interior uma força extra quando reagimos a ela de forma agressiva, não passiva. No último capítulo, vimos que uma dose de entusiasmo – se interpretada e usada corretamente – ajuda no desempenho, em vez de comprometê-lo.

Tudo depende do indivíduo e de suas atitudes – sentimentos negativos usados como ativos ou passivos. Um exemplo marcante é a experiência do Dr. J. B. Rhine, que fundou o Laboratório de Parapsicologia da Universidade Duke. Segundo ele, sugestões normalmente negativas, distrações ou expressões de descrença por parte dos observadores desencadearão um efeito adverso decisivo em um sujeito quando ele estiver tentando adivinhar a ordem das cartas em um baralho especial, ou sendo testado de qualquer outra forma em habilidade telepática. Elogiar, encorajar ou puxar assunto quase sempre faz com que ele se saia melhor. Em geral, desânimo e sugestões negativas reduzem a pontuação do teste de forma dramática.

No entanto, vez ou outra, um sujeito aceitará sugestões negativas como desafios, o que aprimorará seu desempenho. Por exemplo, Pearce pontuava bem acima do puro acaso (cinco suposições corretas em um baralho de 25 cartas). Então, o Dr. Rhine decidiu desafiar Pearce a resultados ainda melhores: antes de cada tentativa, apostava que não acertaria a próxima carta. "Era evidente durante cada rodada que Pearce estava sendo incitado para um alto lance de intensidade. A aposta era apenas uma maneira conveniente de levá-lo a se lançar no teste com entusiasmo", disse o Dr. Rhine. Pearce acertou todas as 25 cartas.

Lillian, uma menina de nove anos, se saiu melhor do que a média quando nada estava em jogo e não precisava se preocupar se falhasse. Colocaram-na em uma situação de pressão menos acentuada, em que receberia cinquenta centavos se acertasse todas as cartas do baralho. Durante o teste, seus lábios se moviam como se estivesse falando sozinha. E então acertou todas as 25 cartas. Quando indagada sobre o que estava dizendo, ela revelou uma atitude agressiva e positiva em relação à ameaça: "Eu estava desejando o tempo todo acertar as 25".

REAÇÃO AGRESSIVA AOS CONSELHOS NEGATIVOS

Todos nós conhecemos pessoas que se desencorajam e se abatem pelo conselho alheio: "Você não consegue fazer isso". Por outro lado, outras se sentem aptas e se tornam ainda mais determinadas do que nunca a alcançar sucesso diante do mesmo conselho. Um sócio de

Henry J. Kaiser disse: "Se você não quiser que Henry faça algo, é melhor não cometer o erro de lhe dizer que não pode ser feito, ou que ele não conseguirá fazê-lo – pois ele então fará".

É não só possível, mas inteiramente praticável, reagir da mesma maneira agressiva e positiva ao conselho negativo de nossos próprios sentimentos, como devemos fazer quando ele vem de outros.

VENCER O MAL COM O BEM

É impossível que controlemos nossos sentimentos diretamente pela força de vontade. Eles também não podem ser feitos sob encomenda, ou ligados e desligados como um interruptor. No entanto, podem ser cortejados e, se não podem ser controlados por um ato direto de vontade, podem ser controlados de maneira indireta.

Não dissipamos um sentimento ruim recorrendo a esforço consciente ou força de vontade. No entanto, podemos fazê-lo por meio de outro sentimento. Em outras palavras, se não podemos afastar um sentimento negativo atacando-o de modo direto, vamos conquistar o mesmo resultado substituindo-o por um sentimento positivo. Lembre-se de que sentimentos acompanham imagens. Portanto, um sentimento coincide e é apropriado ao que nosso sistema nervoso aceita como real, ou a verdade sobre o ambiente. Sempre que vivenciamos nuances de sentimento indesejáveis, não devemos nos focar nisso, mas imediatamente em imagens positivas; ou seja, preencher a mente com imagens saudáveis e desejáveis, com boas lembranças. Se assim o fizermos, os sentimentos negativos se dissiparão, e desenvolveremos novas nuances de sentimentos apropriados às novas imagens.

Por outro lado, se nos focarmos apenas em expulsar ou atacar pensamentos perturbadores, acabaremos necessariamente nos focando nos negativos. Mesmo se formos bem-sucedidos em expulsar uma preocupação, é provável que outra, ou mesmo várias, se apressem em surgir, pois a atmosfera mental ainda é negativa. Jesus nos advertiu sobre varrer da mente um demônio, apenas para que sete novos se instalassem se deixássemos a casa vazia. E também nos aconselhou a não resistir ao mal, mas a vencê-lo com o bem.

O MÉTODO DA SUBSTITUIÇÃO PARA VENCER AS PREOCUPAÇÕES

O Dr. Matthew Chappell, psicólogo, recomendou a mesma coisa em seu livro *Domine suas preocupações*. Preocupamo-nos porque praticamos a preocupação até nos tornarmos peritos nela, afirmou o Dr. Chappell. Habitualmente nos deixamos levar por imagens negativas do passado e antecipamos o futuro. Essa preocupação cria ansiedade, levando o sujeito a fazer um esforço para parar de se preocupar, o que desencadeia um ciclo vicioso. O esforço aumenta a tensão. A tensão gera uma atmosfera preocupante. A única forma de vencer, disse ele, é o hábito de substituir imediatamente as imagens de preocupação desagradáveis por imagens mentais deleitosas e saudáveis.

Precisamos entender a preocupação como um sinal para que preenchamos imediatamente a mente com imagens agradáveis do passado ou imagens que antecipem experiências futuras prazerosas. Com o tempo, a preocupação desvanecerá porque se tornará um estímulo para a prática da antipreocupação. Nas palavras do Dr. Chappell, o trabalho do sujeito preocupado não é superar alguma fonte particular de preocupação, mas mudar hábitos mentais. Enquanto a mente estiver estabelecida ou orientada para uma atitude passiva, derrotista, tipo "espero que nada aconteça", sempre haverá alguma coisa com que se preocupar.

David Seabury, fundador da Centralist School of Psychology, disse que o melhor conselho que ouviu do pai se referiu à prática de imagens mentais positivas – imediatamente e na hora certa, por assim dizer – sempre que tivesse consciência de sentimentos negativos. Estes se esvaíam ao virar uma espécie de sino, que desencadeava um reflexo condicionado para despertar estados mentais positivos.

Ainda estudante de medicina, lembro-me de um professor me chamar para uma arguição oral sobre o tema *patologia*. De alguma forma, medo e ansiedade me invadiram assim que me levantei para encarar os outros alunos, e não me saí bem. No entanto, quando olhava uma lâmina no microscópio e respondia às perguntas datilografadas diante de mim, era uma pessoa diferente, relaxada, confiante e segura, porque conhecia o assunto. Tinha aquele sentimento de sucesso e ia muito bem.

Conforme o semestre avançava, quando me levantava para responder às perguntas, fingia que não via uma plateia, que estava olhando através de um microscópio. Relaxado, substituí pelo sentimento de vitória aquele sentimento negativo despertado em questionamentos orais. No final do semestre, fui muito bem nas provas orais e escritas. O sentimento negativo se tornara uma espécie de sino, que criava um reflexo condicionado para despertar o sentimento de sucesso.

Hoje, ministro palestras e expresso-me com facilidade em reuniões em qualquer parte do mundo, porque estou relaxado e sei do que estou falando. E mais: estimulo os outros ao diálogo e os faço se sentirem também relaxados.

Em 25 anos de prática como cirurgião plástico, operei soldados mutilados no campo de batalha; crianças nascidas desfiguradas; homens, mulheres e crianças feridos em acidentes domésticos, na estrada e na indústria. Essas pessoas desventuradas sentiam que jamais vivenciariam o sentimento de sucesso. No entanto, reabilitando-as e dando-lhes uma aparência normal, ajudei-as a substituir os próprios sentimentos negativos por esperança no futuro.

Ao lhes proporcionar outra chance de capturar o sentimento de sucesso, eu mesmo me tornei habilidoso na arte de vivê-lo. Ao ajudá-las a melhorar sua autoimagem, melhorei a minha. Todos nós devemos fazer a mesma coisa com nossas cicatrizes interiores, nossos sentimentos negativos, se quisermos desfrutar mais a vida.

A ESCOLHA CABE A VOCÊ

Em você, há um vasto depósito mental de experiências e sentimentos passados, fracassos e êxitos. Como ocorre em gravações esquecidas em algum canto, essas experiências e sentimentos são registrados nos engramas neurais da massa cinzenta: histórias com finais felizes e outras com finais infelizes, ambas verdadeiras. A seleção de que fita escolherá cabe a você.

Outra interessante descoberta científica sobre esses engramas se refere ao fato de eles poderem ser alterados ou modificados, assim como acontece com uma gravação em fita, que inclusive pode ser apagada e substituída por outra.

Os Drs. Eccles e Sherrington relatam que os engramas no cérebro humano tendem a mudar um pouco cada vez que são reproduzidos, assumindo um tanto da tônica e do temperamento de nosso estado de espírito, de nossos pensamentos e atitudes em relação a eles. Além disso, cada neurônio individual pode se tornar parte de talvez uma centena de padrões separados e distintos – assim como uma árvore sozinha em um pomar pode fazer parte de um quadrado, um retângulo, um triângulo, de qualquer número de quadrados maiores etc.

O neurônio no engrama original, do qual fazia parte, assume algumas das características dos engramas subsequentes, dos quais se torna parte. Ao fazê-lo, altera um pouco o original. Isso, além de muito interessante, é encorajador, dando-nos razões para acreditar que experiências infantis adversas e infelizes, como traumas, não são tão permanentes e fatais quanto alguns psicólogos nos levaram a crer. Hoje sabemos que não apenas o passado influencia o presente, mas que o presente influencia o passado. Em outras palavras, não estamos condenados por ele. Experiências infantis infelizes e traumas que deixaram engramas para trás não nos colocam à mercê desses engramas, nem nossos padrões de comportamento são estabelecidos, predeterminados e imutáveis. Nosso pensamento, nossos hábitos mentais atuais, nossas atitudes em relação a experiências passadas e ao futuro, tudo isso age sobre antigos engramas gravados. O velho pode ser mudado, modificado, substituído pelo nosso pensamento presente.

ALTERAÇÃO DE GRAVAÇÕES ANTIGAS

E aqui está outra descoberta interessante: quanto mais um determinado engrama é ativado, ou repetido, mais potente ele se torna. Eccles e Sherrington relatam que a permanência dos engramas deriva da eficácia sináptica (a eficiência e facilidade das conexões entre os neurônios individuais que compõem a cadeia) e, além disso, que a eficácia sináptica se aprimora com o uso e se reduz com o desuso. Aqui, de novo, temos uma boa base científica para esquecer e ignorar experiências infelizes do passado e nos focarmos nas felizes e agradáveis. Assim agindo, fortalecemos os engramas relacionados a sucesso e felicidade e enfraquecemos aqueles que têm a ver com fracasso e infelicidade.

Esses conceitos se desenvolveram não a partir de especulações amalucadas, uma bizarra lorota sobre espantalhos mentalmente construídos, como o id, superego e coisas do gênero, mas a partir de sólidas pesquisas científicas sobre a fisiologia cerebral. Baseiam-se em fatos e fenômenos observáveis, não em teorias fantasiosas. E percorreram um longo caminho para restaurar a dignidade do homem como filho responsável de Deus, capaz de lidar com seu passado e planejar seu futuro, em oposição à imagem do homem como vítima indefesa das próprias experiências.

Psicocibernética

No entanto, o novo conceito incorpora uma responsabilidade: não mais podemos nos confortar culpando nossos pais, a sociedade, as experiências iniciais de vida ou as injustiças dos outros por nossos problemas atuais. Essas coisas podem e devem nos ajudar a entender como chegamos ao estágio atual. Culpá-las, ou mesmo a nós mesmos, pelos erros do passado não resolverá nosso problema, não melhorará o presente ou o futuro. Não há mérito em nos culparmos. O passado explica como chegamos aqui, mas o caminho a seguir é de nossa responsabilidade. A escolha é nossa. Como um fonógrafo desgastado, podemos continuar rodando o mesmo velho disco quebrado, revivendo injustiças de outrora, tendo pena de nós mesmos por erros passados, e tudo isso vai reativar padrões e sentimentos de fracasso que matizarão presente e futuro. Ou, se preferirmos, podemos mudar o disco e reativar os padrões de sucesso e o sentimento de vitória, que nos auxiliam a fazer melhor no presente e promete um futuro mais aprazível.

Quando o fonógrafo está tocando uma música de que não gostamos, não o forçamos a fazer melhor. Não empregamos esforço ou força de vontade. Não atiramos para longe o aparelho. Não tentamos mudar a música. Limitamo-nos a trocar o disco, e a música segue por si mesma. Use essa técnica na música que sai de sua máquina interior. Não permita que sua vontade vá de encontro à música. Enquanto a mesma imagem mental (a causa) ocupar sua atenção, nenhum esforço mudará a música (o resultado). Em vez disso, coloque um novo disco. Mude suas imagens mentais, e os sentimentos cuidarão de si mesmos.

PONTOS-CHAVE PARA RELEMBRAR

Resuma aqui:

1. ....
....
....
....
....

2. ....
....
....
....
....

3. ....
....
....
....

4. ....
....
....
....
....

5. ....
....
....
....

HISTÓRICO DE CASO

Redija uma experiência pessoal explicada pelos princípios apresentados neste capítulo:

QUINZE

Mais tempo de vida e mais vida no tempo

Todo ser humano tem uma fonte da juventude integrada? O mecanismo de sucesso pode nos manter jovens? O mecanismo de fracasso acelera o processo de envelhecimento?

Sinceramente, a ciência médica não encontrou ainda uma resposta definitiva para essas perguntas. Mas é possível, e também realista, chegar a algumas conclusões do que já sabemos. Neste capítulo, gostaria de compartilhar algumas das coisas em que acredito e que foram úteis para mim.

William James disse uma vez que todos, inclusive o cientista, desenvolvem convicções exacerbadas sobre fatos conhecidos, as quais os próprios fatos não justificam. Como medida prática, tais convicções não são apenas permitidas, mas necessárias. O fato de assumirmos um objetivo futuro, que às vezes não conseguimos vislumbrar, dita nossas ações presentes e nossa conduta prática. Colombo, ainda antes de descobrir a América, teve de supor que havia uma grande porção de terra a oeste. Caso contrário, não teria navegado – ou, tendo navegado, não saberia a direção do curso a seguir.

A pesquisa científica só é possível por fé em suposições. Os experimentos de pesquisa não são aleatórios ou sem objetivo, mas direcionados a ele. O cientista deve primeiro estabelecer uma verdade hipotética, uma hipótese não baseada em fatos, mas em implicações, antes que saiba quais experimentos fazer ou onde procurar fatos que provem ou refutem tal suposição.

Neste último capítulo, quero compartilhar algumas de minhas próprias crenças, hipóteses e filosofias, não como médico, mas como homem. Como disse o Dr. Hans Selye, existem algumas verdades que não podem ser usadas pela medicina, mas sim pelo paciente.

VITALIDADE: O SEGREDO DA CURA E DA JUVENTUDE

Acredito que o corpo físico, incluindo o cérebro e o sistema nervoso, assemelha-se a uma máquina composta de numerosos mecanismos menores, todos com propósito ou direcionados a um objetivo. Entretanto, não acredito que o homem seja uma máquina, mas sim que nele jaz a essência do que anima essa máquina, aquilo que a habita, a dirige e controla, que a usa como veículo. Homens não são máquinas, assim como a eletricidade não é o fio que a conduz ou o motor que a faz girar. Para mim, a essência da humanidade é extrafísica.

Por muitos anos, cientistas distintos – psicólogos, fisiologistas, biólogos – suspeitaram haver algum tipo de energia ou vitalidade universal que comandava a máquina humana; suspeitavam também que a quantidade dessa energia disponível e a maneira como era utilizada explicavam o porquê de algumas pessoas serem mais resistentes a doenças do que outras, de algumas envelhecerem mais rápido que outras e de, mais resistentes, viverem mais do que outras. Também era bastante óbvio que a fonte dessa energia básica – qualquer que fosse – se diferenciava da energia que obtemos de nossos alimentos, pois isso não explica uma recuperação mais rápida de uma cirurgia séria, a capacidade de suportar longas situações de estresse contínuo ou ainda ter mais longevidade. Consideramos que essas pessoas têm uma constituição forte e assim vivem muito, e vivem bem. Isso parece se relacionar a elementos sobre os quais temos considerável controle, entre os quais o interminável estabelecimento e redefinição de objetivos, o que nos dá alguma coisa significativa pela qual viver.

Um palestrante profissional muito famoso, no circuito por três décadas, estava começando a se sentir exaurido, não tanto pela oratória, mas em razão da rotina de viagens intermináveis com todos os problemas inerentes, como as noites sem fim em quartos de hotel. Amigos diziam que tantas viagens o estavam envelhecendo. Ele estava quase abandonando a profissão, que realmente amava e, sem dúvida, exigia significado e propósito. Mais ou menos na mesma época, talvez já se preparando para a aposentadoria, começou a jogar golfe e logo estava fascinado, até mesmo viciado, pelo esporte. Um dia, em mais um longo voo, um novo objetivo lhe veio à mente: jogar golfe em pelo menos um campo famoso em cada estado da união. Passou a remoer essa ideia já imaginando como seria. Via-se fotografado depois de acertar um buraco com uma única tacada no célebre e difícil Pebble Beach Golf. Ria por se sentir congelando em um campo de golfe na zona rural do Alasca.

O remoer tornou-se cada vez mais sério, até ele perceber que a ideia invadia cada vez mais seus pensamentos. Então, decidido a testá-la, levou seus tacos na próxima viagem de dez dias e agendou partidas nos intervalos dos compromissos. Não se surpreendeu com a ansiedade que o invadiu na viagem do dia seguinte; não a temia. Empolgado com esse objetivo, descobriu um nível novo de paixão e energia para garantir palestras em locais onde havia campos de golfe em que desejava jogar. Ele não apenas deu nova vida à sua carreira, como também à própria vida.

Você é mais velho ou mais novo do que sua idade cronológica? A contagem é indiscutivelmente arbitrária. Afinal, se nossos calendários tivessem quinze em vez de doze meses por ano, você estaria comemorando agora o aniversário de uma idade diferente. Se mais jovem, talvez convencesse sua autoimagem de uma verdade diferente e inclusive se sentisse e agisse de maneira diferente. Todos conhecemos pessoas de 35 anos que parecem ter 65, e outras de 65 que parecem ter 35. Suponho que o desejável esteja em algo menos extremo. Mas, independentemente de ponderarmos sobre a idade em si, todos procuramos mais vitalidade.

A CIÊNCIA DESCOBRE A FORÇA VITAL

A força vital foi estabelecida como um fato científico pelo Dr. Hans Selye, da Universidade de Montreal. Desde 1936, ele estuda os problemas do estresse. Clinicamente e em vários experimentos e estudos de laboratório, o Dr. Selye provou a existência de uma força vital básica, que chama de *energia adaptativa*. Ao longo da vida, do berço ao túmulo, somos diariamente chamados a nos adaptar a situações de estresse. Até mesmo o próprio processo de viver constitui estresse, ou exige adaptação contínua. O Dr. Selye descobriu que no corpo humano existem vários mecanismos de defesa (síndromes de adaptação local ou LAS – *local adaptation syndromes*) que protegem contra estresse específico e um mecanismo de defesa geral (síndrome de adaptação geral ou GAS – *general adaptation syndrome*) que protege contra estresse inespecífico. Estresse inclui qualquer coisa que exija adaptação ou ajuste, como extremos de calor ou frio, contaminação por germes, tensão emocional, desgaste da vida e o processo de envelhecimento.

"O termo energia de adaptação", diz o Dr. Selye, "foi cunhado para aquilo que é consumido durante o trabalho adaptativo contínuo, visando indicar que se difere da energia calórica que recebemos dos alimentos, mas constitui tão somente um nome, e ainda não formulamos um conceito preciso do que possa ser essa energia. Mais pesquisas nesse sentido soam como uma grande promessa, já que aqui parecemos tocar nas razões do envelhecimento." (Hans Selye, *O estresse da vida*)

Dr. Selye escreveu doze livros e centenas de artigos explicando não só seus estudos clínicos, mas também o conceito de saúde e doença assentado no estresse. Seria um desserviço para com ele se eu tentasse provar seu estudo aqui. Basta que eu diga que as descobertas do Dr. Selye são reconhecidas por especialistas médicos em todo o mundo. Se você deseja conhecer mais sobre o trabalho que levou às suas descobertas, sugiro que leia o livro do Dr. Selye escrito para leigos, *O estresse da vida*.

A meu ver, a coisa realmente importante provada pelo Dr. Selye se refere ao fato de nosso próprio corpo estar equipado para se manter saudável, curar-se de doenças e permanecer jovem ao lidar com sucesso com os fatores que promovem a velhice. Ele não apenas provou que o corpo é capaz de curar a si mesmo, mas também que, em última análise, é o único tipo de cura existente. Drogas, cirurgias e várias terapias funcionam em grande parte estimulando o mecanismo de defesa quando o corpo está fragilizado, ou mesmo o atenuando quando excessivo. A energia de adaptação é o elemento que supera a doença, cura a ferida ou vence outros estressores.

ESSE É O SEGREDO DA JUVENTUDE?

Esse *élan vital*, força vital ou energia de adaptação – chame como quiser – se manifesta de várias maneiras. A energia que cura uma ferida é a mesma que mantém todos os outros órgãos do corpo funcionando. Quando ela está no nível ideal, todos os nossos órgãos funcionam melhor, sentimo-nos bem, as feridas cicatrizam mais rápido, somos

Psicocibernética

mais resistentes a doenças, recuperamo-nos de qualquer tipo de estresse mais rapidamente, nos sentimos e agimos como se fôssemos mais jovens; e, de fato, biologicamente somos mais jovens. Assim, é possível correlacionar as várias manifestações dessa força vital e supor que o que quer que funcione para disponibilizar mais dessa força vital para nós, o que for que nos permita um mais intenso influxo de força vital, tudo o que nos ajuda a utilizá-la melhor nos ajuda em tudo.

Portanto, é válida a conclusão de que qualquer terapia não específica que ajude na cicatrização mais rápida das feridas também pode nos fazer sentir mais jovens. Qualquer que seja a terapia não específica que nos ajude a superar as dores pode, por exemplo, melhorar nossa visão. E este é precisamente o rumo promissor que a pesquisa médica está tomando agora.

A CIÊNCIA EM BUSCA DO ELIXIR DA JUVENTUDE

Na edição original deste livro, neste capítulo, escrevi longamente sobre algumas pesquisas e "milagres médicos" promissores que afloravam na época (1960). Acho que você julgaria interessante revisitar esses comentários à luz do que realmente acontece agora, passados tantos anos. Mas continua uma verdade irrefutável, independentemente das mudanças nas especificidades, que a busca pela inatingível fonte da juventude nunca termina. Hoje, as injeções de hormônio de crescimento humano (GH) estão na moda entre celebridades de Hollywood, executivos ricos e atletas mais velhos, e muitas panaceias de venda livre que pretendem imitar os efeitos dessas injeções povoam as prateleiras de lojas de alimentos saudáveis e farmácias. Talvez você tenha lido ou usado suplementos nutricionais de DHEA, adesivos de testosterona e assim por diante.

Dieta, exercício, suplementos fitoterápicos e nutricionais, bem como terapias medicamentosas, todos exercem alguma influência, e sem dúvida muitas descobertas e avanços interessantes virão. É claro que tivemos importantes progressos médicos no prolongamento da vida, mas menos sucesso em relação à qualidade de vida.

Intrigam-me mais o prolongamento e a melhoria da vida psicológica. Ao unir ambos – físico e psicológico –, procurei outros fatores, ou denominadores comuns, que explicassem por que a cicatrização de cirurgias em alguns pacientes evoluía mais rápido do que em outros. O medicamento usado para esse fim funcionava melhor para algumas pessoas do que para outras. Isso por si só foi motivo de reflexão, pois os resultados obtidos em camundongos se mostraram praticamente uniformes. Em geral, ratos não se preocupam nem se frustram, no entanto pode-se induzir frustração e estresse emocional imobilizando--os para os tornar incapazes de se movimentar. A imobilização frustra qualquer animal.

Experimentos de laboratório mostraram que, sob o estresse emocional da frustração, feridas mais insignificantes podem cicatrizar com mais rapidez, mas qualquer lesão real piora e às vezes impossibilita a cura. Também se verificou que as glândulas suprarrenais reagem da mesma maneira ao estresse emocional e ao estresse de danos nos tecidos físicos.

> O Dr. Dave Woynarowski, autor de *The Immortality Edge* (O limite da imortalidade), fornece uma perspectiva científica contemporânea sobre a fonte da juventude e os efeitos do fracasso e do sucesso no envelhecimento:

É bastante provável que muitas pessoas que estão lendo *Psicocibernética* hoje se beneficiem da biologia das células-tronco e das tecnologias de comprimento de telômeros nos próximos cinco a dez anos.

A biologia das células-tronco é o estudo das células regenerativas e de vida longa em nosso corpo. Quase todos os tipos de células do corpo podem ser recriados a partir de células-tronco, fundamentais e absolutamente necessárias para criar tecidos saudáveis.

O telômero é uma estrutura localizada nas extremidades de cada cromossomo saudável. Este guardião do tempo da célula individual diminui à medida que envelhecemos. O processo de redução pode estar ligado a quase todas as doenças relacionadas ao envelhecimento, como problemas cardíacos, diabetes, câncer, artrite e Alzheimer.

Parece que aumentar o comprimento dos telômeros tanto em células normais como em células-tronco acrescentará tempo à nossa expectativa de vida e promoverá uma longevidade saudável. Acredito que a verdadeira fonte da juventude existe em nosso projeto genético.

Embora existam pesquisas científicas em andamento sobre essas questões, também existem informações sobre como o estilo de vida e o comportamento afetam a maneira como envelhecemos, além de evidências de que o funcionamento interno de nossas células e de nosso corpo é diretamente afetado por nossa saúde mental e pelo modo como nos cuidamos.

Por exemplo, se não for gerenciado, o estresse pode envelhecer prematuramente as pessoas. As crianças que crescem em ambientes de muito estresse têm componentes celulares cujo comportamento é de dez ou mais anos além de sua idade biológica. Seus telômeros são mais curtos que a média.

Quando se medem substâncias químicas que identificam uma pessoa como estressada, encontram-se duas coisas que se correlacionam com o envelhecimento mais rápido: telômeros mais curtos e renovação acelerada de células-tronco para substituir tecidos e células danificados por ocorrências estressantes.

Muitos estudos mostraram que as pessoas mais ricas, em geral, vivem mais e têm relógios biológicos (telômeros) mais longos do que as que vivem na pobreza. Quase a mesma coisa vale para os níveis de escolaridade: o ensino superior coincide com mais saúde e longevidade no longo prazo. Provavelmente não é por coincidência que as pessoas com mais escolaridade tendem também a ser mais bem-sucedidas.

Uma atitude mental positiva vai acrescentar saúde e tempo à sua vida e melhorar suas chances de sucesso? Sendo cientificamente correto, podemos dizer que ela pode não ser a fonte da juventude, mas é provável que ajude a mantê-lo vivo por tempo bastante para testemunhar tal descoberta e beneficiar-se dela.

Para obter mais informações sobre o trabalho do Dr. Woynarowski, visite seu site:

drdavesbest.com

COMO O MECANISMO DE FRACASSO NOS AFETA

Assim, podemos dizer que a frustração e o estresse emocional (os fatores que descrevemos anteriormente como o mecanismo de fracasso) acrescentam insulto à ferida sempre que o corpo sofre um dano. Se este for muito leve, algum estresse emocional pode estimular a ativação do mecanismo de defesa, mas, se o dano físico for mais sério, o estresse se soma a ele e o agrava. Isso nos obriga a uma ponderação. Se o envelhecimento é causado pelo uso de nossa energia de adaptação, como a maioria dos especialistas na área parece pensar, então nos entregarmos aos componentes negativos do mecanismo de fracasso pode acelerar nosso processo de envelhecimento devido ao uso mais rápido dessa energia.

QUAL O SEGREDO DOS QUE SE CURAM MAIS RÁPIDO?

Entre meus pacientes humanos que não receberam soro, alguns reagiram tão bem à cirurgia quanto os que receberam. Diferenças de idade, dieta, pulsação, pressão etc. simplesmente não explicavam o porquê. Havia, no entanto, uma característica facilmente identificável em todos os de rápida recuperação: eram otimistas, alegres e, além da vontade da recuperação rápida, invariavelmente tinham algum motivo convincente ou necessidade de que isso acontecesse. Ansiavam por algo que extrapolasse o viver. "Tenho que voltar ao trabalho"; "Tenho que sair daqui para cumprir meu objetivo."

Em suma, sintetizavam as características e atitudes que descrevi como o mecanismo de sucesso.

O PENSAMENTO PROVOCA MUDANÇAS ORGÂNICAS E FUNCIONAIS

Sabemos bem disto: as atitudes mentais podem influenciar os mecanismos de cura do corpo. Placebos ou pílulas de açúcar têm sido um mistério médico há muito tempo, na medida em que nelas inexiste qualquer tipo de medicamento que possa levar a uma cura. No entanto, quando se administram placebos a um grupo de controle para testar a eficácia de um novo medicamento, o grupo quase sempre mostra alguma melhora, e muitas vezes em um nível que se iguala ao do grupo que recebe o medicamento. Na verdade, os alunos que receberam placebos mostraram-se mais imunes contra resfriados do que o grupo que recebeu um novo remédio para isso.

Durante a Segunda Guerra Mundial, a Marinha Real Canadense testou um novo medicamento para enjoo. O grupo um recebeu a nova droga, e o grupo dois recebeu pílulas de açúcar. Nesses grupos, apenas 13% sofreram de enjoo, enquanto o mal acometeu 30% do grupo três, que não recebeu nada.

A SUGESTÃO NADA EXPLICA

Aos pacientes que recebem placebos, ou passam por uma terapia sugestiva contra verrugas, não se deve informar que o tratamento é falso. Eles acreditam que estão recebendo remédios que de fato promoverão a cura. Desprezar placebos considerando seus efeitos como "apenas decorrentes de sugestões" nada explica. Mais razoável é a conclusão de que, ao ingerir a pílula, desperta-se alguma expectativa de melhora, cria-se uma imagem-alvo de saúde na mente, e o mecanismo criativo funciona por intermédio do mecanismo de cura do próprio corpo para atingir o objetivo.

Psicocibernética

ÀS VEZES PENSAMOS NA VELHICE?

Podemos fazer algo muito parecido, só que ao contrário, quando, sem consciência disso, esperamos ficar velhos ao atingir uma certa idade.

No Congresso Internacional de Gerontologia de 1951 em St. Louis, o Dr. Raphael Ginzberg, de Cherokee, Iowa, afirmou que a ideia tradicional de que uma pessoa deve estar velha e inútil por volta dos setenta anos é responsável em grande parte por essas pessoas ficarem velhas nessa idade, e que, em um futuro mais esclarecido, consideraremos setenta anos como meia-idade.

Observamos que algumas pessoas entre quarenta e cinquenta anos começam a parecer velhas e agir como tal, enquanto outras continuam a parecer jovens. Um estudo recente descobriu que os "velhos", aos 45 anos, se consideravam de meia-idade; achavam que o apogeu da vida já tinha passado, enquanto os "jovens", aos 45, consideravam que ainda nem sequer haviam chegado lá.

Podemos pensar em nós mesmos na velhice de no mínimo duas maneiras. Ao esperarmos estar velhos em uma determinada idade, muitas vezes inconscientemente criamos uma imagem de objetivo negativo a ser realizado pelo nosso mecanismo criativo. Ou, ao esperarmos a velhice com medo, podemos involuntariamente fazer o que é necessário para que ela aconteça: reduzir a atividade física e a mental. Quando evitamos quase toda atividade física mais vigorosa, nossas articulações perdem um tanto de flexibilidade. A falta de atividades físicas faz nossos capilares se contraírem e virtualmente desaparecerem, e o suprimento do sangue vital através de nossos tecidos é drasticamente reduzido. Portanto, os exercícios físicos mais intensos são fundamentais para dilatar os capilares que alimentam todos os tecidos do corpo e remover os resíduos.

O Dr. Selye fez culturas de células dentro do corpo de um animal vivo implantando-lhe um tubo oco. Por alguma razão biológica desconhecida, células novas e jovens se formaram no interior do tubo, as quais, sem cuidados, morreram passado um mês. No entanto, se o fluido no tubo fosse higienizado diariamente e os resíduos removidos, as células viviam indefinidamente, sempre jovens, sem envelhecimento nem morte. O Dr. Selye sugere que talvez aí esteja o mecanismo do envelhecimento e que, se for o caso, a velhice pode ser adiada ao minimizarmos a taxa de produção de resíduos ou ajudarmos o sistema a se livrar deles. No corpo humano, os capilares são os canais pelos quais se removem os resíduos. Desse modo, está definitivamente estabelecido que a falta de exercício e a inatividade literalmente secam os capilares.

ATIVIDADE SIGNIFICA VIDA

Quando decidimos reduzir as atividades mentais e sociais, acabamos nos alienando. Ficamos estagnados, entediados e desistimos de nossas grandes expectativas.

Não tenho dúvidas de que poderíamos pegar um homem saudável, de trinta anos, e no prazo de cinco anos o transformar em um velho, caso de alguma forma o convençamos de que está velho, de que toda atividade física é perigosa e de que a atividade mental de nada serve. Se o induzíssemos a ficar sentado em uma cadeira de balanço o dia todo, desistindo de todos os seus sonhos para o futuro, abrindo mão de todo interesse por novas ideias e ainda se considerando acabado, sem valor, sem importância e improdutivo, tenho certeza de que, de forma experimental, criaríamos um velho.

O Dr. John Schindler, em seu livro *Como viver 365 dias por ano*, listou o que acreditava serem as necessidades básicas de todo ser humano:

1. Necessidade de amor
2. Necessidade de segurança
3. Necessidade de expressão criativa
4. Necessidade de reconhecimento
5. Necessidade de novas experiências
6. Necessidade de autoestima

A essas seis, eu acrescentaria outra: necessidade de mais vida, de olhar para o amanhã com alegria e expectativa.

OLHE PARA O FUTURO E VIVA

Isso me leva a outra de minhas superconvicções.

Acredito que a própria vida é adaptativa; não apenas um fim em si mesma, mas um meio para um fim. A vida é um dos meios com que fomos privilegiados, para usar, de várias maneiras, a fim de conquistar objetivos importantes. Vemos esse princípio operando em todas as formas de vida, da ameba ao homem. O urso polar, por exemplo, precisa de uma camada grossa de pele para sobreviver em um ambiente gelado; precisa de coloração protetora para caçar e se esconder dos inimigos. A força vital atua como um meio para esses fins e lhe fornece seu casaco de pele branco. Essas adaptações da vida para lidar com os problemas do meio ambiente são quase infinitas, e enumerá-las seria em vão. Quero apenas apontar um princípio para chegar a uma conclusão.

Se a vida se adapta de formas tão variadas para servir como um meio para um fim, não é razoável supor que, se nos colocarmos no tipo de situação-alvo que exige mais vida, conseguiremos de fato mais vida?

Se pensarmos no homem como um buscador de objetivos, podemos pensar na energia de adaptação, ou força vital, como o combustível que o impulsiona em direção ao seu objetivo. Um automóvel guardado não precisa de gasolina. E um buscador de objetivos sem objetivos não precisa muito de força vital.

Acredito que definimos essa necessidade olhando para o futuro com alegria e expectativa, quando esperamos desfrutar o amanhã e, acima de tudo, quando temos algo importante (para nós) para fazer e um lugar aonde ir.

CRIE A NECESSIDADE DE MAIS VIDA

A criatividade é com certeza uma das características da força vital, e a essência dela é olhar para a frente em direção a um objetivo. Pessoas criativas precisam de mais força vital. E as tabelas de expectativa de vida parecem confirmar que elas entenderam isso. Como grupo, os profissionais criativos – cientistas, pesquisadores, inventores, pintores, escritores, filósofos – não apenas vivem mais, mas permanecem produtivos por mais tempo do que os não criativos. (Michelangelo fez algumas das melhores pinturas depois dos oitenta anos; Goethe escreveu *Fausto* depois dos oitenta; Edison ainda estava inventando aos oitenta; Picasso dominou o mundo da arte aos noventa anos; Wright, aos noventa, ainda era considerado o arquiteto mais criativo; Shaw continuava dramaturgo ativo aos noventa; Grandma Moses começou a pintar aos 79, e assim por diante.)

Por essa razão, digo aos meus pacientes que desenvolvam uma nostalgia pelo futuro em vez de pelo passado, se quiserem permanecer produtivos e com vitalidade. Desenvolva entusiasmo pela vida, crie uma necessidade de mais vida e você a receberá.

Já se perguntou por que tantos atores e atrizes conseguem aparentar menos idade e manter aparência jovial aos cinquenta anos ou mais? Será por que necessitam parecer mais jovens, estão interessados em manter sua aparência e simplesmente não desistem, como a maioria de nós faz quando chega à meia-idade?

"Envelhecemos não pela idade, mas por eventos e nossas reações emocionais a eles", disse o psicoterapeuta Dr. Arnold A. Hutschnecker em seu livro *A vontade de viver*. O fisiologista Rubner observou que as camponesas que trabalham como mão de obra barata em algumas partes do mundo tendem ao envelhecimento facial precoce, mas não perdem força física e resistência. Esse é um bom exemplo de especialização em envelhecer. Podemos racionalizar que essas mulheres renunciaram ao seu papel competitivo como mulheres. Resignaram-se à vida da abelha operária, que não precisa de beleza facial, mas apenas de competência física.

Hutschnecker também observou que a viuvez envelhece algumas mulheres, mas outras não. Se a viúva acha que sua vida chegou ao fim e não tem mais razão para viver, isso será demonstrado em sua aparência: cabelos grisalhos e corpo murchando. Outra, entretanto, apesar de até mais velha, floresce, seja entrando em campo por um novo marido, seja embarcando em uma carreira nos negócios, ou até não fazendo mais do que ocupar-se com um interesse para o qual talvez não tivesse tempo antes.

Fé, coragem, interesse, otimismo e olhos no futuro nos trazem vida nova e mais vitalidade. Futilidade, pessimismo, frustração ou estagnação no passado não são apenas características da velhice, mas também contribuem para ela.

APOSENTE-SE DO TRABALHO, MAS NUNCA SE APOSENTE DA VIDA

Muitos homens decaem rapidamente depois da aposentadoria. Sentem que sua vida ativa e produtiva acabou e seu trabalho está feito. Nada esperam, vivem entediados, inativos, e muitas vezes sofrem perda de autoestima porque se sentem excluídos, sem importância. Nesse processo, desenvolvem uma autoimagem de um parasita inútil, sem valor, acabado. E muitos morrem no intervalo de um ano ou mais depois da aposentadoria.

Na verdade, esses homens morrem porque se aposentaram da vida e vivem a sensação de inutilidade, de estarem acabados, de redução da autoestima, da coragem e da autoconfiança, o que a sociedade atual até incentiva. Precisamos saber que tais conceitos são ultrapassados e não científicos. Cerca de cinquenta anos atrás, os psicólogos pensavam que a capacidade mental do homem atingia o auge aos 25 anos, e depois começava um processo de declínio gradual. Descobertas recentes mostram que um homem atinge o auge mental por volta dos 35 anos e o mantém até bem depois dos setenta. Absurdos do tipo "não se pode ensinar truques novos a um cachorro velho" ainda persistem, apesar de demonstrado por numerosos pesquisadores que a capacidade de aprendizado é tão boa aos setenta quanto aos dezessete.

CONCEITOS MÉDICOS OBSOLETOS

Os fisiologistas costumavam acreditar que, após os quarenta anos, qualquer tipo de atividade física seria prejudicial ao homem. Nós, médicos, somos culpados tanto quanto qualquer um por alertar aos pacientes com mais de quarenta anos que "fossem com mais calma" e desistissem do golfe e outras formas de atividade física. Vinte anos atrás, um célebre escritor chegou a sugerir que qualquer homem com mais de quarenta anos nunca deveria ficar de pé se pudesse sentar-se, nunca se sentar se pudesse deitar, e tudo para conservar força e energia. Fisiologistas e médicos, incluindo os principais cardiologistas do país, agora nos dizem que a atividade, mesmo a extenuante, não é apenas permitida, mas necessária para se manter saudável em qualquer idade. Nunca somos velhos demais para o exercício físico. Se ficamos muito doentes ou relativamente inativos por um longo tempo, a rapidez do esforço extenuante pode ter um efeito prejudicial e até mesmo nos levar à morte.

Então, se você não está acostumado a esforços extenuantes, recomendo-lhe ter calma e aumentar aos poucos. O Dr. T. K. Cureton, pioneiro no recondicionamento físico de homens de 45 a 80 anos, sugeriu pelo menos dois anos como um tempo razoável para gradualmente conquistarmos condicionamento físico para a prática de atividades mais vigorosas.

Se você já passou dos quarenta, esqueça seu desempenho na juventude. Comece diariamente dando a volta no quarteirão. Aumente gradualmente a distância para um quilômetro, depois dois e, depois de talvez seis meses, cinco. Em seguida, alterne entre corrida e caminhada. Primeiro corra quinhentos metros por dia; depois, um quilômetro. Em seguida, acrescente flexões, agachamentos e talvez treinos com pesos moderados. Usando um programa como esse, o Dr. Cureton conseguiu que homens decrépitos e fracos de cinquenta, sessenta e até setenta anos corressem oito quilômetros por dia ao final de dois ou dois anos e meio. Eles não apenas se sentiram melhor, mas os exames médicos mostraram uma melhora da função cardíaca e de outros órgãos vitais.

POR QUE ACREDITO EM MILAGRES

Enquanto confesso minhas superconvicções, posso muito bem ser sincero e dizer que acredito em milagres. A ciência médica não tem a pretensão de saber por que os vários mecanismos corporais funcionam como funcionam. Sabemos um pouco sobre como e alguma coisa sobre o que acontece; por exemplo, como os mecanismos funcionam quando o corpo cura um corte. Mas descrever não é explicar, não importam os termos técnicos que se usem. Continuo sem entender por que ou como um corte no dedo se cura sozinho.

Não entendo o poder da força vital que opera os mecanismos de cura, nem como essa força é aplicada, e nem mesmo o que a faz funcionar. Não entendo a inteligência que criou os mecanismos, ou mesmo como alguma inteligência dirigente os opera.

O Dr. Alexis Carrel, escrevendo suas observações pessoais de curas instantâneas em Lourdes, disse que a única explicação médica que conseguia formular se referia ao fato de que os próprios processos naturais de cura do corpo, que normalmente agem durante um período de tempo para promover a cura, foram de alguma forma acelerados sob a influência de uma fé intensa.

Se "milagres", como diz o Dr. Carrel, acontecem pela aceleração ou intensificação de processos e poderes naturais inerentes do corpo, então testemunho um pequeno milagre toda vez que vejo um ferimento cirúrgico cicatrizar em virtude do crescimento de novos tecidos. A meu ver, se isso requer dois minutos, duas semanas ou dois meses, pouco importa. Ainda estou testemunhando a ação de algum poder que não entendo.

CIÊNCIA MÉDICA, FÉ E VIDA VÊM DA MESMA FONTE

Dubois, célebre cirurgião francês, tinha um grande cartaz em sua sala de cirurgia: "O cirurgião fecha a ferida; Deus a cura".

Vale o mesmo princípio para qualquer tipo de medicamento, de antibióticos a pastilhas para tosse. No entanto, não consigo entender como uma pessoa racional consegue renunciar à ajuda médica porque acredita na incoerência entre ciência e fé. Acredito que a habilidade e as descobertas médicas são propiciadas pela mesma inteligência, a mesma força vital, que opera por meio da cura pela fé. E por essa razão não vejo nenhum conflito possível entre a ciência médica e a religião. As curas, médica ou pela fé, derivam da mesma fonte e devem trabalhar juntas.

Nenhum pai que visse o filho atacado por um cachorro raivoso ficaria de braços cruzados e diria: "Não devo fazer nada porque me cabe provar minha fé". Ele não recusaria a ajuda de um vizinho que trouxesse um porrete ou uma arma. No entanto, se reduzimos trilhões de vezes o tamanho do animal raivoso e o chamamos de *bactéria* ou *vírus*, o mesmo pai pode recusar a ajuda do vizinho médico, que traz uma ferramenta em forma de cápsula, bisturi, ou mesmo uma seringa.

NÃO COLOQUE LIMITAÇÕES À VIDA

E aí chego ao meu pensamento de despedida: na Bíblia nos é dito que, quando o profeta estava no deserto e com fome, Deus baixou um lençol do céu repleto de comida. Só que para o profeta não se parecia muito com comida boa; era "impura" e apresentava todo tipo de "coisas rastejantes". Então Deus o repreendeu, admoestando-o a não chamar de *impuro* aquilo que Ele havia oferecido.

Alguns médicos e cientistas hoje torcem o nariz para qualquer traço de fé ou religião. Alguns religiosos têm a mesma atitude de suspeita e repulsa ao que quer que seja científico.

O verdadeiro objetivo de todos, como eu disse no início, é ter mais vida – viver mais. Seja qual for a nossa definição de felicidade, só a vivenciaremos à medida que vivenciarmos mais vida. E isso significa, entre outras coisas, mais conquista, realização de objetivos que valem a pena, mais amor experienciado e dado, mais saúde e prazer, mais felicidade para nós e para os outros.

Acredito que há uma vida, uma fonte última, mas que essa tem muitos canais de expressão e manifestação. Para mais vida na vida, não devemos limitar os caminhos pelos quais a vida pode vir até nós; devemos aceitá-la, seja na forma de ciência, religião, psicologia ou qualquer outra.

Outro canal importante são as outras pessoas. Não recusemos a ajuda, a felicidade e a alegria que outros podem nos trazer, ou que podemos oferecer a eles. Não sejamos orgulhosos demais para aceitar ajuda alheia, nem insensíveis demais para oferecê-la. Não digamos "impuro" só porque a forma do presente não coincide com nossos preconceitos ou com nossas ideias presunçosas.

A MELHOR AUTOIMAGEM DE TODAS

Por fim, não limitemos nossa aceitação da vida por nossos próprios sentimentos de indignidade. Deus nos ofereceu o perdão, a paz de espírito e a felicidade decorrentes da autoaceitação. É um insulto ao nosso Criador darmos as costas a essas dádivas ou dizermos que sua criação – o homem – é tão impura que não é digna, importante ou capaz. A autoimagem mais adequada e realista é concebermo-nos como feitos à imagem de Deus. "Você não pode acreditar na imagem de Deus, profunda e sinceramente, com plena convicção, e não receber uma nova fonte de força e poder", disse o Dr. Frank G. Slaughter.

As ideias e os exercícios deste livro ajudaram muitos de meus pacientes a conquistarem mais tempo de vida e mais vida no tempo. É minha esperança, e minha convicção, que farão o mesmo por você.

POSFÁCIO

O que esperar da psicocibernética

Parabéns, você alcançou um novo começo. Não, não o início deste livro, mas o início de um novo você, que estará em constante evolução. Pense: embora este livro tenha sido publicado pela primeira vez há mais de meio século, os princípios e técnicas continuam válidos hoje como sempre foram. E também seguem inspirando pessoas e mudando vidas em todo o planeta. Todos os dias, gente do mundo todo visita psycho-cybernetics.com, se inscreve em nossos cursos ou me envia e-mails relatando experiências positivas. É incrível fazer parte dessa jornada com você.

Para concluir este livro, gostaria de abordar alguns sinais importantes que você pode, com o tempo, começar a perceber em sua vida ao colocar regularmente em prática a psicocibernética – em particular, usar imagens mentais em um estado relaxado.

Primeiro, começará a perceber que o estado de tranquilidade e relaxamento em que se colocou antes de usar as imagens mentais ficará mais intenso e se estenderá pelo dia todo. Se você não o sentir por um dia que seja, notará uma diferença e desejará voltar aos trilhos. A cada dia de prática, o ato de imaginar e o sentimento de positividade são maximizados. Com o tempo, isso leva a uma sensação de estar *em flow*. No entanto, esse *flow* não ocorrerá caso você se limite à mera leitura do livro ou à prática esporádica. É a imersão diária nos princípios da psicocibernética que faz a diferença.

Em segundo lugar, você notará que a psicocibernética, ao contrário de outros mecanismos de autoajuda, não lhe sugere a definição de um prazo para os objetivos que deseja alcançar. Isso não significa que determinar uma data de término seja errado, mas pode ser errado para o objetivo. Tenha em mente que existem objetivos que são favorecidos com cronogramas, e outros que são comprometidos.

O propósito das imagens mentais é fornecer ao mecanismo criativo um objetivo livre de tensão. Você alimenta esse objetivo no cérebro e no sistema nervoso com imagens e emoções. Caso determine uma data para alcançá-lo, correrá o risco de bloquear o mecanismo e causar congestionamento. Você saberá que isso ocorreu se começar a se sentir tenso ou nervoso quanto a conseguir ou não atingir o objetivo na data estabelecida. Algumas pessoas que estabeleceram objetivos financeiros e datas de realização não entendem por que entraram em um estado mental negativo. Muitas vezes a explicação está na dificuldade em acreditar que é possível atingir o objetivo financeiro na data predeterminada.

Baseado em minha própria experiência nesse assunto, bem como na de todas as pessoas que treinei por anos seguidos, acredito que qualquer indivíduo se sairia melhor sem o estabelecimento de um prazo rígido. Comece apenas imaginando o objetivo e sinta-se bem por tê-lo. Imagine o que deseja e, quando as etapas da ação chegarem até você, siga-as. Depois de realizar essas ações, você progredirá. Talvez até se surpreenda por se sentir melhor e conquistar seu objetivo mais cedo do que esperava. Por quê? Porque não precisou lutar contra a pressão sobre quando o alcançaria. Bastou se convencer de que seria capaz de realizá-lo, e seu sistema de orientação automática nunca emperrou.

Em terceiro lugar, no começo é melhor imaginar um objetivo ou um projeto realizáveis no curto prazo, bem como algo em que confie emocionalmente. Imaginar alguma coisa que gostaria de realizar em um dia ou uma semana é melhor do que ter um objetivo que se arraste por um ano ou ainda mais. Brinque com esse processo; divirta-se com ele. Comece com coisas pequenas antes de idealizar coisas grandes. Dessa forma, construirá confiança no processo – e em si mesmo.

Quarto, com o tempo, conforme você recorre a imagens mentais todos os dias e de forma coerente, outras habilidades mentais poderão aflorar. De que tipo? Em *Psicocibernética*, você viu quantas vezes o Dr. Maltz se referiu à parapsicologia e ao trabalho do Dr. Rhine, da Universidade Duke, sobre habilidades como PES (percepção extrassensorial), clarividência, telepatia e assim por diante. Com base no número significativo de vezes que ele as mencionou, estou disposto a apostar que lhe despertavam profundo interesse. E mais: também me disponho a apostar que o Dr. Maltz escreveu sobre tais assuntos (embora brevemente) porque, com a prática diária de imagens mentais e sentimentos, o sexto sentido dele – e tudo que o acompanha – se aprimorou bastante.

Por que eu digo isso? Como posso fazer uma declaração tão audaciosa? Porque aconteceu comigo. Comecei a ter flashes intuitivos, sentindo coisas em níveis que não acreditava possíveis para mim, fazendo trabalhos terapêuticos em outros e por aí vai. E isso aconteceu por conta própria; não fiz nada no começo para que ocorresse ou mesmo para aprender mais sobre o assunto. Na verdade, a realidade dessas experiências aparentemente irreais me assustava um pouco.

Como afirmou o Dr. Maltz no início deste livro, ele relutava em discutir ou abordar muitas dessas experiências porque "se eu apresentasse alguns dos casos clínicos e descrevesse as surpreendentes e espetaculares melhorias na personalidade, seria acusado de exagerar, ou de tentar iniciar um culto, ou ambos".

Mesmo assim, acredito que chegou a hora de apresentar essas outras habilidades em nosso leque de opções, para aqueles que gostariam de buscá-las sob a direção da Psycho-Cybernetics Foundation Inc.

Se você se lembra de uma referência anterior, o membro do Hall da Fama da Major League Baseball, Stan "the Man" Musial, declarou abertamente que tinha o dom da PES – ouvia uma voz dizendo-lhe que o arremesso estava vindo quando ele estava no *home plate*, e a voz nunca errou. Isso me leva a imaginar quantos atletas do Hall da Fama têm um sexto sentido para o que está acontecendo no jogo, sobre o qual nem se atrevem a falar.

O assunto é fascinante para um bate-papo. Percebo que, se as habilidades intuitivas estão aparecendo por conta própria, sem que as solicitemos ou queiramos, então por que não as reconhecer como um sinal para aprendermos mais sobre essas dádivas, a fim de que as usemos para ajudar os outros e melhorar a vida deles?

Gostaria de encerrar este posfácio com uma história pessoal que talvez você ache útil para reconhecer o poder libertador e curativo do perdão sobre o qual o Dr. Maltz escreveu.

No verão de 1982, eu vivia o melhor momento de minha vida. Sentia-me feliz. Sempre sorria. Curtia cada instante. No entanto, sem que soubesse, estava a apenas algumas horas de ter uma experiência dramática e traumática, uma coisa que me marcaria e mudaria meu rosto para sempre.

Junto com um grupo de lutadores e treinadores, eu havia acabado de voltar para a Universidade de Iowa depois de trabalhar durante catorze dias em um acampamento em Lock Haven, Pensilvânia. No dia seguinte, começaria um novo acampamento com 28 dias de duração. Eu estava tão empolgado que, ao anoitecer, resolvi correr oito quilômetros com vários companheiros de equipe.

Depois de uma sauna de vinte minutos, tomamos uma ducha, saímos para comer macarrão e resolvemos parar em um bar para algumas bebidas. Naquela época, a idade legal para beber em Iowa era 19 anos – e, cara, eu me sentia privilegiado; no topo do mundo. Vários drinques intensificaram ainda mais meu bom humor. Ninguém poderia me magoar. Eu era invencível.

A próxima coisa que me lembro é de estar envolvido em uma briga, e o sujeito não acreditar em regras. Assim, depois que ele jogou cerveja na minha camisa, eu o empurrei. Em vez de tentar me socar com os punhos nus, ele pegou uma garrafa de cerveja vazia e me atingiu com um gancho de esquerda. Em minha melhor imitação de Muhammad Ali, inclinei-me para trás para evitar, em vão, o impacto. O cara me acertou no lado direito do rosto.

Vidro estilhaçado. Sangue esguichando da minha cabeça como se saísse de uma mangueira de incêndio.

A pele da minha sobrancelha, pálpebra e bochecha pendia do lado do rosto. Ergui minha camiseta de manga comprida, alcancei a pele pendurada e a pressionei contra a cabeça no intuito de controlar o sangramento. Minha pálpebra se desfazia em tiras. Minha bochecha, lábio superior e pescoço sangravam. Fragmentos de vidro se alojavam em meu olho e bochecha.

Ainda ouço os gritos de horror daqueles que viram o sangue escorrer. Ainda me vejo sendo escoltado para fora. Uma ambulância chegou no que pareceram segundos. Os paramédicos protegeram minha cabeça e me levaram às pressas para a emergência do Hospital Universitário na cidade de Iowa.

No pronto-socorro, os médicos me informaram que meu rosto parecia um quebra-cabeça e, quando o olharam mais de perto, um deles disse: "Meu amigo, alguém lá em cima estava cuidando de você. Que sorte não ter perdido o olho". Mais tarde, informaram-me que mais sorte ainda foi não ter morrido.

Quando estava deitado na maca, à espera da sutura, um homem apareceu e me chamou pelo nome. Imediatamente reconheci a voz do meu treinador, Dan Gable, medalhista de ouro olímpico, considerado por muitos como o maior lutador e treinador americano que já existiu. Ele era meu ídolo de infância, meu modelo, e agora estava ao meu lado olhando para meu rosto destruído.

Fiquei constrangido, humilhado, e não consegui conter a vergonha que senti.

Que idiota eu era.

Quando desabei, o treinador Gable olhou para mim e disse:

"O que tem de errado?"

Eu tentava formular uma resposta, mas, a tempo, o cirurgião me salvou dizendo:

"Treinador, acho que é a experiência traumática que ele está enfrentando".

"Ah", retrucou o treinador Gable. "Entendo."

Com quinze anos, ele estava em Wisconsin com a mãe e o pai em uma pescaria. A irmã mais velha, Diane, deveria chegar no dia seguinte, mas, na noite anterior, um homem invadiu a casa dos Gable, onde a estuprou e assassinou.

O martírio dessa experiência arrasou a família. A mãe e o pai não suportavam mais morar naquela casa. Um crime horrível acontecera ali, e o lugar, para eles, era assombrado.

O quarto de Diane ficou vazio – e a dor resultante disso causou conflitos e discussões. Finalmente, sentindo que a família não sobreviveria naquele clima de tristeza, o jovem Dan se aproximou e disse, com as mãos nos quadris:

"A partir de agora, vou dormir no quarto de Diane. " E abriu os cotovelos como o Super-Homem.

A decisão de Dan salvou a família Gable.

Naquele momento, essa mesma pessoa corajosa estava diante de mim. Ele era o cara, com muitos campeonatos e campeões em sua conta, e incorporava todas as qualidades que eu admirava em um ser humano. Queria ser como ele. E meu objetivo durante todo o ensino médio tinha sido, um dia, ser treinado por Gable. Então, depois de uma temporada participando de sua equipe, lá estava eu, encarando-o com o rosto todo ferido.

Sete horas depois, quando enfim consegui me olhar no espelho, estava marcado por cicatrizes e hematomas. Apesar da coceira na cabeça, ao tentar aliviá-la, não sentia nada. Essa falta de sensações se prolongou por seis meses.

Depois de removidos os pontos, eu sabia que tinha de deixar o acontecido para trás e recomeçar os treinos. Ia disputar um título nacional e não havia tempo para ficar sentado, imerso em autopiedade. Coloquei coração e alma no treinamento e na escola e ignorei o que acontecera comigo. Nunca falei sobre isso. Bloqueei por completo o fato de minha mente.

Uma ação judicial foi movida em meu nome, mesmo eu não querendo. Sentia-me culpado pelo acontecido; sabia que tinha desempenhado meu papel na briga toda. Mas minha mãe e meu pai insistiram, porque, como me disseram, embora eu tivesse feito algumas coisas inapropriadas, nada justificava a necessidade de alguém ferir meu rosto com uma garrafa de cerveja.

Psicocibernética

Cinco anos depois, recebi a quantia colossal de dezesseis mil dólares, dos quais um terço foi parar nas mãos do advogado. Quando o cheque chegou, eu precisava de fato dele. Acabara de sair da faculdade, tinha um título nacional de luta livre universitário no currículo, acabara de abrir meu negócio como *personal trainer* – e precisava de equipamentos para treinar meus clientes, sem mencionar o dinheiro para bancar a propaganda.

Pulemos para o verão de 2007. Vinte e cinco anos se passaram desde a briga no bar – e, ainda assim, até aquele dia, eu não tinha plena consciência de que ainda precisava me livrar do peso dessa lembrança por meio do perdão.

Naquela manhã, quando entrei no meu cinema mental e alcancei um estado de espírito relaxado, percebi algo estranho: não conseguia visualizar meus objetivos; não conseguia olhar para os sucessos do passado ou para os momentos de felicidade. Havia um filme escondido em minha mente, que implorava atenção e não desaparecia; um terrível fantasma do passado. Era a memória de, aos dezenove anos de idade, entrar em uma briga de bar em Iowa.

Vinte e um anos depois daquela coisa toda, comecei a escrever e falar sobre o incidente. Contei-o às pessoas que participaram de meus seminários para ajudá-las a superar as próprias cicatrizes interiores. Queria que elas entendessem que, apesar das cicatrizes que ficariam para o resto da vida, fui capaz de transformar o acontecido em algo positivo. No entanto, cada vez que contava a história, derramava-me em lágrimas de tristeza. Ainda havia em minha mente uma dor incrível; dor que eu nunca reconhecera; dor que implorava por uma transformação.

Assim, naquela manhã em que não consegui visualizar meus objetivos, decidi fazer algo inédito para mim: não iria apenas falar sobre carregar cicatrizes para o resto da vida; não iria apenas escrever sobre isso. Com os olhos fechados, voltaria no tempo e reviveria o evento. Eu me sentaria no chão do bar e observaria a garrafa de cerveja chocar-se contra minha pele. Ficaria pendurado nas luzes, ou em um banco por ali, para ter a visão de um ângulo diferente.

A princípio, maravilhei-me com todas as coisas que consegui realizar com a experiência. Então, quando vi o sangue esguichando da minha cabeça e testemunhei como levantei a camiseta até o rosto, me perguntei: "O que você está sentindo agora?".

Essa pergunta provocou uma avalanche de tristeza. Com os olhos fechados, ainda revivendo o trauma e soluçando incontrolavelmente, murmurei as palavras: "NÃO POSSO LUTAR".

Pela primeira vez na minha vida adulta, fui colocado em uma situação em que nada podia fazer exceto esperar atendimento médico. Para um lutador e atleta competitivo, a incapacidade de revidar era humilhante. A realidade doeu mais do que ser atingido. Nesse momento, sem perceber, comecei a criar uma cicatriz interna. A do meu rosto empalideceu em comparação com a que estava trancada em mim.

Imerso em uma angústia profunda, sentado no chão, continuando a reviver o que eu acreditava ser uma experiência horrível que achava merecida, uma voz de compaixão e amor veio através das nuvens. Nunca escrevi sobre isso dessa maneira até agora, mas acredito que a voz foi uma orientação do Dr. Maltz, me dizendo: "Matt, você tinha dezenove anos. Cometeu um erro. Ambos cometeram erros. Perdoe a si mesmo. Deixe pra lá. Perdoe também o rapaz. Pare de carregar esse peso. Você não precisa mais. Deixe pra lá. Abençoe a si mesmo e o homem que fez isso com você".

Comecei a seguir essa orientação. Imaginei o sujeito que me acertou em pé diante de mim; nas mãos, os cacos de vidro. Eu o vi e o ouvi soltar um grito, aparentemente satisfeito com o que havia feito. Fitei-o e acenei-lhe com a mão na forma de um sorriso. Um grande sorriso. Abençoei-o com o sorriso que pintei no ar entre nós.

Psicocibernética

Então a voz-guia disse: "Agora olhe para a garrafa que ele está segurando... e a transforme em uma pena. Uma pena com tinta. Esta pena vai redigir sua passagem pela vida".

Então, pouco antes de abrir os olhos, mais uma vez ouvi a voz: "Matt, pense em quantas pessoas no mundo se viram em situações em que acreditavam ser impossível o revide. Com o poder das imagens mentais e os sentimentos que elas criam, você lhes mostrará como é possível perdoar a si e aos outros e aprimorar muito suas vidas. Tudo é uma imagem mental. Cada objetivo começa com uma imagem. E qualquer coisa de que não goste, em você ou em sua vida, pode ser alterada por meio da mudança das imagens mentais. Nunca se esqueça: até o perdão é uma imagem mental".

Livros para mudar o mundo. O seu mundo.

Para conhecer os nossos próximos lançamentos
e títulos disponíveis, acesse:

🌐 www.**citadel**.com.br

f /**citadeleditora**

📷 @**citadeleditora**

🐦 @**citadeleditora**

▶ Citadel – Grupo Editorial

Para mais informações ou dúvidas sobre a obra,
entre em contato conosco por e-mail:

✉ contato@**citadel**.com.br